파리 5구의 여인
The Woman in the Fifth

파리 5구의 여인

The Woman in the Fifth

더글라스 케네디 장편소설 | 조동섭 옮김

밝은세상

파리5구의 연인

초판 1쇄 인쇄일 2012년 1월 25일 | **초판 1쇄 발행일** 2012년 1월 30일
지은이 더글라스 케네디 | **옮긴이** 조동섭 | **펴낸이** 김석원
펴낸곳 도서출판 밝은세상 | **출판등록** 1990. 10. 5 (제 10 – 427호)
주 소 (413-756) 경기도 파주시 교하읍 문발리 파주출판문화정보산업단지 535-14 202호
전 화 031-955-8101 | **팩 스** 031-955-8110
인터넷 홈페이지 www.baleun.co.kr | **전자우편** wsesang@korea.com

ISBN 978-89-8437-113-2 03840 | **값** 13,500원
잘못된 책은 구입한 곳에서 교환해 드립니다.

1

내 인생이 산산이 부서진 날, 나는 도망치듯 파리로 갔다. 크리스마스가 지난 지 며칠 되지 않은 그 날 파리의 잿빛 하늘에서는 뼛속까지 스며드는 안개비가 내리고 있었다. 파리에 얼마나 머물게 될지 알 수 없었지만 한동안 미국으로 돌아가지 않으리란 건 분명했다.

공항에서 탄 기차는 파리 인근의 산업지역을 지나쳤다. 호텔에서 보내준 메일에 따르면 기차에서 지하철로 갈아타고 한참동안 가다가 재스민 역에서 내리라고 돼 있었다.

재스민 지하철역에서 나왔을 때는 굳은비가 내리는 아침이었다. 나는 가방을 끌고 좁은 골목을 한참 동안 걸어 내려갔다. 빗줄기가 거세졌다. 고개를 숙이고 걸으며, 왼쪽의 라퐁텐 대로를 곁눈질했다. 〈셀렉트호텔〉은 맞은편 길모퉁이에 있었다. 그 호텔을 추천해준 사람은 내가 재직하던 대학의 동료교수 더그 스탠리였다. 다른 교수들은 모두들 냉정하게 등을 돌렸지만 더그 스탠리만큼은 변함없이 나를 신뢰하며 친절하게 대해주었다.

〈셀렉트호텔〉에 도착한 나는 프런트로 다가가 말했다.

"저는 해리 릭스입니다. 예약을 했습니다만……."

프런트직원은 나를 흘깃 쳐다보고 나서 말했다.

"오후 세 시 이전에는 체크인이 불가능합니다."

프런트직원의 말이 어찌나 빠른지 쉽게 알아들을 수 없었다. 내가 말을 알아듣지 못하고 머뭇대자 직원은 마치 귀가 나쁜 사람에게 하듯 큰소리로 뚝뚝 끊어 말했다.

"체크인을 하려면 오후 세 시에 다시 오세요."

"세 시가 되려면 아직 많이 남았는데요?"

"어쨌든 체크인은 세 시부터 가능합니다."

프런트 뒤쪽 열쇠걸이에 스물여덟 개의 객실 중에서 두 곳에만 열쇠가 걸려 있었다.

"빈 방이 있잖습니까? 그러지 말고 지금 빈 방을 주시죠."

프런트직원은 내 말에 일언반구 말이 없었다.

"빈 방이 없습니까?"

"빈 방은 있지만 체크인 시간은 세 시부터입니다."

"장시간 여행으로 지쳐서 그러는데 지금 방을 주세요."

"제 마음대로 규정을 바꿀 수는 없습니다. 가방은 맡아드릴 테니 오후 세 시에 다시 오세요."

"아무리 규정이 그렇더라도 상황에 맞게 일을 처리할 수도 있지 않을까요?"

프런트직원은 입가에 가느다란 미소를 흘리며 어깨를 으쓱했다. 전화벨이 울리자 직원은 기회는 이때라는 듯 내게서 등을 돌리고 전화를 받았다.

"계속 이런 식으로 나오면 다른 호텔을 찾아보는 수밖에 없어요."

프런트직원은 통화 중이던 수화기를 손바닥으로 막고 나에게 말했다.

"좋을 대로 하시죠. 그 대신 오늘 숙박비는 지불해야 합니다. 예약 취소는 이십사 시간 이전에만 가능하니까."

프런트직원의 얼굴에 언뜻 비웃음이 스쳐지나갔다. 나는 주먹으로 비웃음을 흘리는 그의 얼굴을 뭉개버리고 싶었다.

"이런! 할 수 없군요. 가방은 어디에 둘까요?"

"저쪽 문 앞에 두세요."

프런트직원은 옆에 있는 문을 가리켰다.

나는 가방과 어깨에 메고 있던 노트북을 문 앞에 내려놓았다.

"노트북을 특별히 잘 살펴주시길 바랍니다."

"잘 알았으니 가셨다가 세 시에 오세요."

내가 물었다.

"혹시 이 근처에 시간을 보낼 만한 카페가 있을까요?"

"저도 모릅니다."

프런트직원은 그 말을 마치기 무섭게 나를 다시는 거들떠보지 않았다.

12월 말 일요일 아침 8시, 라퐁텐 대로로 나가 문을 연 카페가 있는지 찾아보았지만 실패했다. 카페들은 죄다 '크리스마스 휴업'이라는 팻말을 내걸고 영업을 하지 않았다.

나는 다시 재스민 지하철역으로 가 표를 샀다. 딱히 목적지도 정하지 않은 채 가장 먼저 플랫폼으로 들어오는 객차에 올랐다. 파리는 1980년대 중반 대학원에 들어가기 전 잠깐 동안 방문해보고는 처음이었다. 그 당시에는 생 미셸 가의 싸구려 호텔에서 일주일 동안 머물며 근처의 영화관들에 빠져 지냈다.

객차 안에 붙어 있는 지하철 노선도를 살펴보았다.

나는 미셸 앙주 몰리토 역에서 기차를 갈아탔고, 이십 분쯤 후에 클루니-라소르본 역에 도착했다. 파리에 와본 지 20년도 더 지났지만 영화관으로 가는 길은 아직도 머릿속에 생생하게 남아 있었다.

생 미셸 대로를 돌아 뤼 데 제콜 거리로 들어서자 〈르 샹포〉 극장 간판이 보였다. 비토리아 데시카와 더글라스 서크 영화제 광고판이 걸려 있었다. 그러나 아침 9시였고, 문을 연 극장은 없었다. 카페 르 레플레에도 '크리스마스 휴무'라 써 붙인 팻말만이 내걸려 있고 셔터가 굳게 내려져 있었다.

나는 생 미셸 대로로 나와 강 쪽으로 걸었다. 크리스마스 휴가 기간의 파리는 죽은 도시나 다름없었다. 간간이 문을 연 패스트푸드점들만이 눈에 띄었다. 비를 피할 장소가 필요했지만 파리에 도착하자마자 맥도날드로 뛰어들고 싶진 않았다.

비를 맞으며 강 쪽으로 계속 걷다가 마침내 문을 연 카페를 발견했다. 센 강 앞 선착장 근처에 있는 〈르 데파르〉라는 카페였다. 카페로 들어서기 전 신문 판매대를 지나며 《파리스코프》지 한 부를 집어 들었다. 《파리스코프》지는 파리의 문화행사를 안내하는 주간지로, 예전에 파리에 왔을 때 가이드 삼아 들고 다니며 영화를 보러 다닌 기억이 났다.

카페에 손님이라고는 나 혼자였다. 창가 자리에 앉아 홍차를 시켰다. 몸속까지 파고드는 한기 때문에 따뜻한 차가 마시고 싶었다. 《파리스코프》지를 펼치고 앞으로 일주일 동안 어떤 영화를 볼지 계획을 세웠다. 〈악시옹에콜〉에서 존 포드 회고전이, 〈리플레메디치〉에서 일링 코미디(1947년부터 1957년까지 일링영화사에서 만든 코미디 영화들을 일컫는 말로, 코미디의 고전으로 손꼽히는 작품들이 다수 포함됨 : 옮긴이) 전작전이 열린다고 돼 있었다. 나는 수첩과 만년필을 꺼내 스케줄을 적어나가기 시작했다. 앞으로 엿새 동안 아침마다 할 일.

낮 시간에는 어두운 극장에서 영화를 보며 시간을 때울 작정이었다.

"사람들이 영화를 좋아하는 가장 큰 이유가 뭘까요?"

영화개론 시간에 나는 학생들에게 그렇게 묻곤 했다.

"우리는 현실에서 도피하려고 영화관을 찾지만 사실은 영화관에서도 현실을 벗어날 수는 없습니다. 영화 속에도 현실이 존재하기 때문이죠. 우리가 탈출하고자 하는 세계를 영화에서 다시 보게 되는 셈이랄까요."

우리는 삶에서 벗어날 수 없다는 걸 잘 알면서도 종종 도피를 시도한다. 누군가처럼 하루아침에 평생 동안 공들여 쌓아온 삶을 버리고, 갑자기 파리 행 비행기 표를 사기도 하는 것이다.

한 시간 동안 카페에 앉아 홍차를 마셨다. 창밖을 내다보니 여전히 안개비가 내리고 있었고, 체크인 시간까지는 아직 다섯 시간이나 남아 있었다. 나는 다시 《파리스코프》 지를 펼쳤다. 매일 아침 9시에 영화를 시작하는 복합상영관이 레잘 부근에 있었다는 게 떠올랐기 때문이다.

나는 카페를 나와 지하철역으로 달려갔다. 거기서 레잘까지는 두 정거장이었다.

마침내 〈르 포룸〉이라는 간판을 찾아냈다. 상영관이 15개인 극장으로, 미국 교외의 쇼핑몰에 입주해 있는 극장과 비슷했다. 상영작은 할리우드 블록버스터 영화가 대부분이었다. 하지만 나는 무명의 프랑스

감독 작품을 골랐다.

영화는 길고 대사가 많았지만 놓치지 않고 듣기 위해 집중했다. 영화의 배경은 파리의 부유한 동네로 30대 남자 마티유는 고교에서 철학을 가르치는 선생인데 소설을 쓰고 싶어 한다. 마티유의 전처 마틸드는 제법 이름난 화가로 자기 아버지 제라르의 그늘 아래서 산다. 제라르는 조각가로 조수인 상드린과 살고 있다. 마틸드는 자기보다 열 살이나 아래인 상드린을 미워한다. 한때 마틸드와 깊은 관계였던 인터넷 사업가 필립도 등장한다. 마티유는 필립에게서 호사스러운 대접을 받지만 그가 그리 지적인 사람이 아니라는 것을 알게 돼 실망한다.

'그는 한 번도 몽테뉴를 읽은 적이 없어.'

영화는 마티유와 마틸드가 주방에서 커피를 마시고 담배를 피우며 대화를 나누는 장면부터 시작된다. 그 다음은 점프 컷으로 넘어가 바흐의 음악이 흐르는 제라르의 시골 아틀리에가 나온다. 제라르 앞에서 상드린이 알몸으로 포즈를 취하고 있다. 상드린이 잠시 모델 포즈를 풀고 옷을 입는다. 상드린과 제라르는 커다란 시골집 주방으로 가 커피를 마시고 담배를 피우며 대화를 나눈다.

비싼 호텔 바가 나오고 마틸드와 필립이 만난다. 그들은 샴페인을 마시고 담배를 피우며 대화한다.

영화는 계속 그런 식으로 이어졌다. 대화, 대화, 또 대화. 대화를 나누는 당사자의 문제 혹은 제삼자의 문제, 사소한 일들이 대화의 주제가 된다. 한 시간쯤 지났을 때 시차와 수면 부족에 시달리던 나는 급기야 잠에 빠져들고 말았다.

잠에서 깼을 때는 마틸드와 필립이 호텔 바에 앉아 샴페인을 마시고 담배를 피우며……

잠깐, 이 장면은 이미 보지 않았던가? 눈을 뜨려 했지만 잘 되지 않았다. 그리고…….

'이런 젠장!'

오프닝 크레디트가 다시 올라가고 있었다. 마티유와 마틸드가 주방에 앉아 커피를 마시고 담배를 피우며 대화 그리고…….

비로소 잠에서 깬 나는 디지털손목시계의 숫자에 초점을 맞추려 애썼지만 시야가 흐릿했다. 마침내 시계의 숫자가 눈에 들어왔다. 4……4……3.

'4시 43분?'

맙소사, 도대체 몇 시간을 잔 것일까?

입이 텁텁한데다 침이 썼고, 목이 딱딱하게 굳어 제대로 움직여지지 않았다. 셔츠는 땀으로 흠뻑 젖어 있었고, 얼굴도 온통 땀범벅이었다. 열이 올라 이마가 펄펄 끓었다. 발을 바닥에 대고 일어서려 했지만 마음먹은 대로 되지 않았다. 몸 구석구석이 안 아픈 데 없이 쑤셨다. 마치 남극에 온 것처럼 한기가 밀려왔다. 몸을 일으키려 하자 무릎이 휘청했다. 몇 번을 시도한 끝에 가까스로 몸을 일으켜 세운 나는 영화관을 나왔다.

길거리의 기름진 음식냄새가 코에 닿았다. 중동 음식 냄새. 값싼 카페들이 늘어선 곳을 지나고 있었다. 뚱뚱한 남자가 조리대에서 팔라펠을 튀기고 있었다. 그 옆에서는 쇠꼬챙이에 꽂아놓은 양고기가 빙글빙글 돌아갔다. 양고기 아래쪽에는 페니실린 배양기처럼 보이는 피자들이 놓여 있었다.

가뜩이나 구역질이 나는 와중에 팔라펠 냄새까지 더해지자 구토를 참을 수 없었다. 허리를 굽히고 꺽꺽대며 토하자 맞은편 카페의 웨이터가 나 때문에 손님이 다 떨어지겠다며 욕설을 퍼부었다.

나는 대답도 변명도 하지 않고 그 자리를 떠났다. 전반적으로 시야가 흐릿했는데 무슨 이유에선지 퐁피두센터의 플라스틱 환기구만이 선명하게 보였다. 그 환기구를 어림잡아 비틀거리며 걸어가고 있을 때 앞길에서 택시 한 대가 멈춰 섰다.

승객이 내리자마자 택시에 올라탔다. 택시운전사에게 가까스로 〈셀렉트호텔〉로 가자고 말하고는 그대로 쓰러졌다. 한순간, 저승 같은 암흑만이 보였고, 구토찌꺼기가 묻은 구두 때문에 악취가 난다는 운전사의 핀잔을 들었다. 또 기절, 다시 운전사의 잔소리. 또 기절, 교통 체증, 빗방울이 흐르는 차창 밖으로 노랗게 이어지는 자동차 불빛들. 또 기절, 더 많아진 노란색 불빛과 계속되는 운전사의 잔소리. 운전사의 잔소리는 곧 택시 차선을 막아선 사람들에 대한 욕설로 바뀌었다. 이럴 줄 알았다면 절대로 아프리카를 떠나지 않았을 것이라는 한탄, 거리에서 다시 나를 만나면 절대로 모른 체할 것이라는 실없는 다짐. 다시 기절, 열리는 문, 택시에서 나갈 수 있도록 나를 부축해주는 손, 12유로를 운전사에게 주라고 내 귀에 나직이 속삭이는 목소리.

나는 주머니에서 지갑을 찾아 택시요금을 계산해주었다. 곧이어 누군가가 대화를 나누는 소리가 들려왔다. 나는 중심을 잃지 않기 위해 택시에 몸을 기댔다. 고개를 들자 가느다란 빗방울이 얼굴에 떨어졌다. 나는 무릎에 힘이 빠지며 그대로 쓰러졌다.

침대 위, 눈부시게 따가운 빛 그리고 딸깍 소리와 함께 사라지는 빛. 비로소 앞이 희미하게 보였다. 침대 옆 의자에 웬 남자가 앉아 있었다. 남자의 목에는 청진기가 걸려 있었다. 그 뒤에 또 다른 사람의 형체가 보였지만 흐릿했다. 누가 내 소매를 걷었고, 소독약을 흠뻑 적신 솜이 팔에 닿았다. 누군가가 손으로 내 팔을 탁탁 치더니 곧이어 주삿바늘이 들어왔다.

또다시 기절.

2

눈부신 빛. 선명한 햇살 한 줄기가 내 얼굴에 닿았고, 나는 비로소 정신이 들었다.

'여기가 도대체 어디지?'

일 분쯤 지나고 나서야 내가 누운 방의 구조가 한눈에 들어왔다. 네 벽, 천장, 파란색 벽지.

나는 간신히 몸을 일으켜 앉았다. 땀에 젖은 시트도 파란색이었다. 담뱃불에 탄 자국이 두 군데 나 있고, 무늬가 들어간 이불도 파란색이었다. 침대 헤드보드에도 파란색 무늬가 수놓아져 있었다.

'환각인가? 딱 한 번 LSD를 했을 때 보았던 그 환각?'

침대 옆 탁자는 그나마 파란색이 아니었다.

'그래, 내가 환각에 빠진 건 아니야.'

탁자 위에는 물병과 갖가지 약통이 놓여 있었다. 그 옆에 작은 책상이 있고, 책상 위에 내 노트북이 놓여 있었다.

'내 노트북.'

책상 옆에 작은 철제의자가 있었다. 의자의 쿠션도 파란색이었다.

'아, 이런. 또 파란색.'

내 청바지와 파란색 스웨터가 의자에 걸쳐져 있었다. 작은 옷장도 보였다. 탁자나 책상과 마찬가지로 무늬목 옷장이었다. 옷장은 열려 있었고, 바지 몇 벌과 셔츠 몇 장, 재킷이 걸려 있었다. 모두 내가 가방에 넣어 가져온 옷이었고, 그것이 이틀 전이고, 그렇게 떠난 이유는……

'그게 이틀 전이었나? 오늘이 몇 월 며칠이지? 내가 이 방에 어떻게 들어왔을까? 내가 싫어하는 색을 꼽으라면 파란색인데……. 게다가……'

노크소리가 났다. 전에 한 번 본 듯한 남자가 쟁반을 들고 들어왔다.

"안녕하세요. 아침 가져왔습니다."

남자가 무뚝뚝하게 말했다.

"고맙습니다."

나도 프랑스어로 우물거리며 대답했다.

"아프셨다고요?"

"제가요?"

남자는 침대에 쟁반을 내려놓았다. 그제야 그가 누구인지 떠올랐다. 어제 호텔에 도착했을 때 나를 쌀쌀맞게 대했던 바로 그 프런트직원.

'아, 여긴 〈셀렉트호텔〉이야. 지난밤 택시를 타고 〈셀렉트호텔〉로 가자고 했고……'

그제야 앞뒤가 맞아 들어가기 시작했다.

"아드낭이 손님이 아프다고 적어 놓았더군요."

15

내가 물었다.

"아드낭이 누구죠?"

"야간 담당 프런트직원입니다."

"나는 모르는 사람인데요."

"아뇨, 손님도 분명 만났습니다."

"내가 많이 아팠나요?"

"아마도 정신을 잃을 만큼……. 저는 그 자리에 없었으니 추측일 뿐입니다. 어제 왕진을 다녀간 의사선생님이 오늘 오후 다섯 시에 다시 오기로 되어 있습니다. 오늘도 호텔에 묵어야만 의사선생님을 만나볼 수 있겠지요. 제가 내일까지 숙박하는 것으로 예약해두었습니다. 손님의 몸 상태라면 여기서 나가긴 어려울 것 같아서요. 그런데 신용카드 승인이 안 나더군요. 한도초과로 나오던데요."

나는 그 말에 놀라지 않았다. 비자카드는 이미 한도를 초과해 썼고, 호텔에 체크인할 때 이틀 분의 숙박비밖에는 잔고가 남아 있지 않았기 때문이다. 그렇지만 남의 입으로 그런 말을 듣자니 속이 쓰렸다. 모든 걸 잃었고, 집에서 멀리 떨어진 싸구려 호텔에서 표류하고 있는 내 신세가 실감났다.

'이제 내 집은 없어. 다 빼앗겼어.'

나는 프런트직원에게 짐짓 놀란 척하며 되물었다.

"한도초과라니요? 그럴 리가?"

직원이 차갑게 대꾸했다.

"그럴 리가 없다고요? 분명 한도초과로 나오던데요."

"어떻게 된 일인지 모르겠어요."

직원이 고개를 갸웃거렸다.

"혹시 다른 신용카드를 가지고 계십니까?"

나는 고개를 가로저었다.

"그럼 숙박비는 어떻게 지불하실 겁니까?"

"여행자수표로 내야죠."

"아메리칸익스프레스에서 발행한 여행자수표인가요?"

나는 고개를 끄덕였다.

"좋습니다. 아메리칸익스프레스에 전화해 확인받고 나면 이 방에 계속 머물러도 좋습니다. 하지만 부도수표라면……."

"아니, 그냥 체크아웃을 하죠."

어차피 내 수중에 남아 있는 돈으로는 이 호텔에서 여러 날 머물 수 있는 형편이 아니었다.

"손님 좋을 대로 하세요. 체크아웃 시간은 열한 시입니다. 지금부터 두 시간 뒤에 방을 비워주시면 됩니다."

프런트직원이 문 쪽을 향해 몸을 돌렸다.

나는 쟁반에 놓인 크루아상을 집으려고 손을 뻗었지만 그 즉시 기운이 빠져 그대로 누웠다. 이마를 짚어보니 열이 심했다. 온몸에 힘이 없어 침대 아래로 내려설 자신이 없었다. 이제는 달리 방법이 없었다.

"저기……."

문을 향해 걸어가던 직원이 몸을 돌렸다.

"네?"

"가방에 여행자수표가 들어 있을 거요."

프런트직원의 입가에 살짝 미소가 걸렸다. 직원은 가방을 가져와 나에게 주고는 하루 숙박비가 60유로라고 했다. 나는 가방을 열고 50 달러짜리와 20달러짜리 수표를 꺼내 두 장 모두에 서명했다.

"이십 달러를 더 내셔야만 합니다. 미국 달러로는 구십 달러입니다."

"환율보다 턱없이 비싸잖아요?"

직원은 또 고개를 갸웃거렸다.

"아래층 프런트에 가시면 환율이 고시되어 있습니다. 호텔 규정입니다. 내려와서 확인하시면……."

'난 침대에서 내려갈 기운도 없어.'

나는 20달러짜리 여행자수표를 한 장 더 꺼내 서명한 다음 침대에 내던졌다.

직원이 수표를 집어 들며 말했다.

"필요한 사항은 손님 여권을 보고 적겠습니다. 손님 여권은 아래층에 보관해두고 있습니다."

'내가 여권을 맡겼던가? 기억이 없는데? 아무것도 기억나지 않는데?'

"혹시 부도수표는 아닌지 아메리칸익스프레스에서 확인하고 나서 곧장 연락드리겠습니다."

"부도수표라니요?"

직원이 또 예의 사악한 미소를 지었다.

"그거야 곧 알게 되겠죠."

직원이 방을 나갔다. 나는 다시 베개에 머리를 묻고 누워 멍하니 천장을 바라보았다. 소변이 마려웠지만 바닥에 발을 내려놓을 힘조차 없었다. 그때 침대 옆 탁자 위에 놓인 꽃병에 조화가 꽂혀 있는 게 눈에 띄었다. 조화를 빼내 바닥에 팽개치고 꽃병 주둥이에 페니스를 집어넣고 오줌을 누었다.

'이렇게 더러운 짓을 하다니?'

전화벨이 울렸다. 프런트직원이었다.

"여행자수표가 승인됐습니다. 계속 머무셔도 좋습니다."

'갑자기 이렇게 친절할 데가?'

"아드낭에게서 전화가 왔습니다. 괜찮다면 한 번 뵈러 오겠다는데요?"

'아드낭은 누군데 나에게 신경을 쓰지?'

"침대 옆 탁자에 올려놓은 약들을 종류마다 한 알씩 꺼내 드시랍니다. 의사선생님이 그렇게 지시했다는군요."

"무슨 약 말입니까?"

"저는 의사가 아니라서 모르겠습니다."

나는 약통들을 보았지만 이름만 봐서는 어떤 약인지 도무지 알 수 없었다. 약통은 모두 여섯 개였고, 거기서 각각 한 알씩 꺼내 물과 함께 삼켰다.

약을 먹고 나서 금세 잠에 빠져들었다. 꿈도 꾸지 않았다. 시간 개념을 느끼지 못하고 깊은 잠을 잤다.

따르르르릉…….

전화벨이 계속 울렸다. 전화를 받아보니 프런트직원이었다.

"의사선생님이 오셨습니다."

의사는 머리에 비듬이 심했고, 옷은 다림질을 제대로 하지 않아 구깃구깃했다. 나이는 쉰 살쯤에 머리카락은 가늘고, 수염은 자르지 않아 지저분하고, 나처럼 불면증에 시달리는지 눈이 퀭했다.

의사는 의자를 침대에 바싹 대고 프랑스어를 할 줄 아는지를 물었다. 나는 고개를 끄덕였다. 의사가 티셔츠를 벗으라고 했다. 티셔츠를 벗으니 쉰내가 났다. 24시간 동안 땀을 흘리며 잤으니 냄새가 나는 건 당연했다.

19

의사는 맥박을 재고 나서 심장에 청진기를 댔다가 입안을 살폈다. 그런 다음 내 왼쪽 팔에 혈압계를 감았다. 목도 들여다보고, 플래시로 눈도 자세히 살피고 난 의사가 말했다.

"독감입니다. 노약자라면 이 정도 독감에 죽을 수도 있어요. 때로는 더 큰 병 때문에 이런 독감 증세를 보일 수도 있습니다."

"더 큰 병이라면?"

"최근에 힘든 일을 겪었습니까?"

나는 잠시 아무 말도 하지 않다가 결국 말했다.

"네."

"결혼했습니까?"

"모르겠습니다."

"모르다니요?"

"법적으로는 아직 결혼한 상태인데……"

"부인을 버렸다?"

"아뇨, 그 반대."

"그러면 부인이 떠났습니까?"

"아내가 몇 주 전에 저를 버렸습니다."

"부인을 붙잡고 싶었군요?"

"예, 진심으로."

"부인이 다른 남자와 바람났습니까?"

나는 고개를 끄덕였다.

"직업은?"

"대학교에서 학생들을 가르쳤습니다."

"가르쳤다?"

의사는 과거형에 집중하며 물었다.

"지금은 쫓겨났죠."

"최근에?"

"네."

"아이들은?"

"열다섯 살짜리 딸이 있습니다. 딸은 엄마와 지냅니다."

"딸을 만나십니까?"

"그러면 좋겠지만……"

"딸이 만나지 않겠다고 하던가요?"

나는 망설이다가 말했다.

"다시는 저와 말하지 않겠다고 했습니다. 하지만 제 엄마가 그러라고 시킨 것 같습니다."

"담배를 피우십니까?"

"오년 전에 끊었습니다."

"술을 많이 마십니까?"

"요즘에는 많이 마시죠."

"약물은?"

"처방전 없이 살 수 있는 수면제를 먹습니다. 하지만 몇 주 전부터는 수면제도 안 들어서……."

"만성불면증이시군요?"

"네."

의사는 다 이해한다는 듯 고개를 끄덕였다. 잠을 못 이루는 게 얼마나 끔찍한 고통인지 잘 알고 있다는 듯이.

"몸이 전반적으로 쇠약해졌습니다. 스트레스가 심하면 몸의 기능이

정지되거나 거부 반응을 나타내죠. 심한 스트레스는 독감의 원인이
되기도 합니다."

"어떻게 하면 나을 수 있을까요?"

"독감바이러스에 대처하는 방법은 정해져 있습니다. 약물 투여로
증세를 완화시킬 수는 있지만 완전하게 나으려면 바이러스가 환자의
몸에 싫증을 느끼고 떨어져나가게 해야 합니다."

"대략 회복시간이 얼마쯤 걸릴까요?"

"아무리 짧아도 네댓새쯤 걸립니다."

나는 눈을 감았다. 이 호텔에서 네댓새를 더 묵을 수 있는 돈이 없었다.

"바이러스가 몸에서 빠져나가도 며칠 동안은 기력이 크게 떨어집니
다. 일주일 정도는 이 호텔에 머물면서 휴식을 취하는 게 좋겠습니다."

의사가 일어서며 말을 이었다.

"사흘 뒤에 다시 오겠습니다."

의사가 나가고 5분 뒤에 프런트직원이 왔다. 그는 한 손에 종이를
들고 있었다. 직원은 그 종이가 마치 체포영장이라도 되는 양 과장된
몸짓으로 내게 건네주었다. 진료비 청구서였다.

"진료비는 나중에 정산하겠습니다."

"의사선생님께서 당장 진료비를 받겠다는데요."

"사흘 뒤에 다시 오기로 했습니다. 그때 드리면……."

"사실은 어젯밤에도 진료비를 받았어야 하는데 손님이 너무 아파
하루 미룬 거랍니다."

진료비 청구서를 보니 264유로나 되었다.

"진료비가 이백육십사 유로나 된다고요? 설마 농담이겠죠?"

직원이 무덤덤한 표정으로 말했다.

"왕진비, 진찰비, 약값을 모두 합하면 이백육십사 유로가 맞습니다."

"왕진비가 한 번에 일백 유로나 합니까?"

"호텔 수수료까지 포함된 가격입니다."

"그게 얼만데요?"

직원이 나를 똑바로 쳐다보았다.

"왕진 한 번에 오십 유로."

"이런! 완전히 날강도잖아."

"어느 호텔에서나 의사가 왕진할 경우 수수료를 따로 챙겨 받습니다."

"어떻게 수수료가 진료비와 똑같을 수 있죠?"

"호텔 규정입니다."

"약값도 두 배나 받고?"

"호텔직원인 아드낭이 약을 사러 직접 약국에까지 다녀왔습니다. 그 일을 하느라 약 한 시간 동안 호텔 업무를 보지 못했죠. 따라서 그 비용은 손님이 부담하시는 게……."

"업무를 보지 못한 비용이라니요? 나는 이 호텔 손님입니다. 게다가 이 호텔 직원의 시급이 삼십이 유로나 됩니까?"

직원은 비웃음을 감추려 했지만 여지없이 밖으로 드러났다.

"제가 손님께 직원 시급이 얼만지 말할 의무는 없을 텐데요?"

나는 청구서를 구겨 바닥에 집어던졌다.

"나는 터무니없이 청구된 돈을 낼 수 없어요."

"그럼 당장 이 호텔에서 나가야 합니다."

"내가 이대로 쫓겨날 것 같아요?"

"아마도 오 분 안에 쫓겨나겠죠. 지배인과 주방장이 손님을 강제로 끌어낼 테니까."

"경찰을 부를 거야."

"아, 좋을 대로 하세요. 경찰이 과연 손님 편을 들어줄까요? 저는 손님이 주방장을 성추행하려다 걸려 쫓아냈다고 말할 겁니다. 주방장은 무식한 회교도라 내 주장을 뒷받침하는 진술을 해주겠죠. 두 달 전, 주방장이 남자 손님과 이상한 짓을 벌이다 저에게 들킨 적이 있죠. 입막음을 하려면 어떻게 해야 할까요?"

나는 눈을 감았다. 그는 유리한 카드를 다 쥐고 있었다. 분하고 억울했지만 이제 내가 취할 수 있는 방법은 없었다.

"가방을 이리 줘."

직원이 가방을 가져왔다. 나는 여행자수표를 꺼냈다.

"이백육십사 유로야?"

내가 말했다.

"달러로 환산하면 삼백사십오 달러죠."

나는 펜을 쥐고 그 액수만큼 수표를 꺼내 서명했다. 그런 다음 수표를 바닥에 내동댕이쳤다.

"수표를 집어 들고 당장 꺼져."

"네, 기꺼이 꺼져드리죠."

프런트직원이 수표를 집어 들며 말했다.

"손님께서 더 머무신다면 내일 또 숙박비를 받으러 오죠."

"기운만 차리면 여기서 곧장 나갈 거야."

"그래야겠죠. 아, 꽃병에 소변을 보셨더군요. 취미 한번 우아하시네요."

직원은 그 말을 남기고 밖으로 사라졌다.

나는 다시 베개를 베고 누웠다. 지난 몇 주 동안 늘 분노에 휩싸여

지냈다. 분노는 다시 '자기혐오'로 바뀌었다. 자기혐오의 끝은 우울이었다.

의사의 말은 옳았다. 나는 심한 스트레스 때문에 심신이 극도로 쇠약해져 있었다. 가방에서 여행자수표를 꺼내 세어 보았다. 4,650달러가 내 수중에 남아 있는 총재산이었다. 수잔의 변호사는 이혼법정판사가 재산을 수잔에게 모두 주도록 판결할 거라고 했고, 나는 그 말에 동의했다. 나는 이의제기 없이 전 재산을 이혼한 전처에게 모두 주었다. 집과 보험, 얼마간의 주식이 우리가 가진 재산의 전부였다. 수잔이 딸을 부양해야 하는 만큼 재산을 모두 차지하는 건 당연했다. 다만 내 딸과 전처럼 이야기를 나누며 살고 싶었다.

내 수중에 남아 있는 돈이라고는 4,650달러가 전부였지만 파리에 도착하자마자 방세가 싼 집을 구해 최대한 절약하고 살면 네댓 달은 버틸 수 있으리라 생각했다. 하지만 파리에 온 지 48시간도 안 돼 4백 달러를 썼다. 기력을 회복할 때까지 이 호텔에서 며칠간 더 머문다면 수백 달러를 더 써야 할 것이다.

문에서 노크소리가 나더니 나직한 목소리가 들려왔다.

"손님."

"댁과 이야기하기 싫어요."

문이 열렸다. 문 뒤에 40대 초반으로 보이는 남자가 서 있었다. 구릿빛 피부에 짧게 자른 검은 머리, 흰 셔츠와 검은색 슈트차림이었다.

"뭐, 필요한 게 없으신지요?"

유창한 프랑스어였지만 억양이 강했다.

"아, 미안해요. 다른 사람인 줄 알았어요."

"브라세 씨 말입니까?"

"브라세가 누구죠?"

"오전 담당 프런트직원입니다."

"아, 맞아요. 그 개자식."

문가에 선 남자의 얼굴에 살짝 미소가 어렸다.

"호텔 지배인을 빼놓고는 모두들 브라세 씨를 좋아하지 않더군요. 브라세 씨가 사기에 능한가봅니다."

"혹시 어제 택시에서 내릴 때 나를 도와준 분입니까?"

"예, 저는 아드낭이라고 합니다."

"방까지 나를 부축해주었다면서요. 너무 고마웠어요."

"손님은 몸이 많이 아팠고, 제가 마땅히 해야 할 일이었죠."

"손님의 옷을 벗겨주고, 침대에 눕히고, 의사를 불러주는 것까지 호텔 직원의 의무는 아니니까요."

아드낭은 부끄러운 듯 시선을 돌리고 말했다.

"아닙니다, 당연히 제가 해야 할 일이죠. 몸은 좀 괜찮습니까?"

"많이 나았는데 아직 기운이 없어요. 몸은 더럽고."

아드낭은 눈가에 잔주름이 많았다. 잔주름만 보자면 마치 예순 살도 넘은 사람 같았다. 양복은 작아 몸에 꽉 끼었고, 오른손 손가락에는 담뱃진이 잔뜩 묻어 있었다.

"침대에서 내려오실 수 있습니까?"

"혼자서는 도저히 못 내려가겠어요."

"그럼 제가 도와드리죠. 우선 그 전에 목욕물부터 받아놓겠습니다. 따뜻한 물에 몸을 푹 담그면 한결 기분이 나아질 겁니다."

나는 맥없이 고개를 끄덕였다.

아드낭은 불평 한 마디 없이 오줌이 담긴 꽃병을 집어 들고 욕실로 갔다. 변기 물을 내리는 소리, 욕조에 물을 받는 소리가 연이어 들려왔다. 다시 방으로 온 아드낭은 재킷을 벗어 옷걸이에 걸었다.

아드낭이 의자에 걸려 있던 내 청바지와 셔츠, 양말을 베갯잇에 넣으며 물었다.

"빨랫감은 더 없습니까?"

"내가 입고 있는 옷 말고는……."

아드낭은 다시 욕실로 갔다. 물소리가 그쳤고, 문틈으로 수증기가 새어나왔다. 욕실에서 나온 아드낭의 얼굴이 수증기로 번들거렸고, 손은 물에 젖어 있었다.

"물이 좀 뜨겁지만 손님에게는 적당할 겁니다."

아드낭이 팔을 어깨에 둘러 나를 부축했다. 내 다리는 성냥개비처럼 힘이 없었다. 아드낭이 나를 부축한 채 천천히 욕실로 갔다.

"옷 벗는 걸 도와드릴까요?"

"아뇨, 혼자 할 수 있습니다."

그러나 나는 세면대를 짚었던 손을 떼자마자 균형을 잃고 쓰러졌다. 아드낭이 다시 나를 부축해 일으켰다. 그는 나에게 한 손으로 세면대를 잡고, 다른 한 손을 위로 올리게 했다. 아드낭은 동작을 바꾸게 해가며 내 티셔츠를 벗기고 나서 내 팬티까지 쑥 벗겨 내렸다.

나는 아드낭의 부축을 받으며 욕조로 들어갔다. 발끝이 물에 닿자마자 몸이 자지러들 만큼 뜨거웠다. 아드낭이 내 몸을 잡고 부드럽게 욕조에 넣어주었다. 뜨거운 물에 몸을 담그자 곧 기분이 편안해졌다.

"제가 씻겨 드릴까요?"

"아뇨, 제가 씻을게요."

사타구니와 가슴, 겨드랑이에 간신히 비누칠을 했지만 발까지 손을 뻗을 기운이 없었다. 아드낭이 비누를 쥐고 발을 씻겨주었고, 샤워기를 끌어와 머리를 감겨주었다. 그는 방으로 가 내 짐에서 면도 크림과 면도칼을 찾아왔다. 욕조 옆에 꿇어앉은 그가 내 얼굴에 면도 크림을 바르기 시작했다. 나는 너무 세세한 부분까지 그의 도움을 받는 게 부끄러웠다.

"이렇게까지 하지 않아도 되는데요."

"면도를 하면 기분이 한결 좋아질 겁니다."

아드낭은 조심스레 면도칼을 내 얼굴에 가져다댔다. 면도를 마친 그가 샤워기를 끌어와 머리의 샴푸 거품과 면도 거품을 말끔히 씻어냈다. 그런 다음 세면대에 뜨거운 물을 받아 적신 수건을 내 얼굴에 덮어주었다.

아드낭이 말했다.

"자, 이대로 십오 분 동안만 가만히 누워 계세요."

아드낭이 욕실에서 나갔다.

나는 눈을 감고 머릿속을 텅 비우려 애썼다. 따뜻한 물속에서 몸이 깨끗해지는 느낌이었지만 머릿속은 좀처럼 비워지지 않았다.

얼마쯤 지났을까, 욕실 문에서 부드러운 노크소리가 났다.

"이제 나오셔도 되겠습니까?"

아드낭이 내 몸을 부축해 일으키고는 타월로 감싼 다음 갈아입을 옷을 내밀었다.

"손님 짐에서 찾아냈습니다. 잠옷 하의와 티셔츠입니다."

아드낭은 내가 몸을 닦고 옷을 입는 것까지 도와주고 나서 나를 부축해 침대로 데려갔다. 아드낭이 어느새 침대시트를 깨끗한 것으로 갈아놓았다. 나는 아직 섬유유연제 냄새가 가시지 않은 침대시트 속으로 들어갔다. 기분이 아주 상쾌했다.

아드낭은 베개 위치를 조절해 내가 헤드보드에 윗몸을 기댈 수 있게 한 다음 책상에 놓인 쟁반을 조심스레 가져왔다. 쟁반에는 음식이 담긴 큰 그릇과 아무것도 담기지 않은 작은 그릇, 바게트 빵이 놓여있었다.

아드낭이 큰 그릇에 담긴 음식을 작은 그릇에 덜며 말했다.

"아주 순한 부용(프랑스식 수프 : 옮긴이)입니다. 힘을 내려면 음식을 드셔야만 합니다."

아드낭이 나에게 스푼을 건넸다.

"제가 먹는 걸 도와드릴까요?"

"아닙니다. 혼자 먹을 수 있어요."

묽은 부용을 먹자 그나마 기운이 나는 듯했다. 바게트 빵도 거의 다 먹었다.

내가 아드낭에게 말했다.

"정말 친절하십니다."

아드낭은 수줍어하며 고개를 끄덕였다.

"제가 할 일을 한 것뿐입니다."

아드낭은 잠시 나갔다가 또다시 쟁반을 들고 돌아왔다. 쟁반에는 주전자와 찻잔이 놓여 있었다.

"버베나 차를 마시면 잠이 잘 온답니다. 하지만 일단 약부터 드셔야 합니다."

아드낭이 약을 꺼내 물과 함께 건넸다. 나는 물을 머금고 약을 삼키고 나서 버베나 차를 조금 마셨다.

"내일 저녁에도 근무합니까?"

"네, 다섯 시부터 근무합니다."

"좋은 소식이군요. 이렇게 친절한 대접을 받기는……."

나는 그 말을 하다가 손바닥으로 얼굴을 가렸다. 자기연민에 빠진 말을 한 게 부끄러워 울음이 터지려 했다. 나는 마음을 가라앉히려고 숨을 크게 들이쉬었다.

눈에서 손을 떼자 나를 바라보고 있는 아드낭의 얼굴이 보였다.

"파리에는 혼자 오셨습니까?"

나는 고개를 끄덕였다.

"정말 힘드시겠군요. 다 이해합니다."

"어디서 왔습니까?"

"터키에서요. 앙카라에서 백 킬로미터쯤 떨어진 작은 마을이 제 고향입니다."

"파리에 온 지는 얼마나 됐는데요?"

"사 년 정도 됐습니다."

"파리에서 지내니까 좋습니까?"

"아뇨, 전혀."

침묵.

아드낭이 말했다.

"이제 푹 쉬십시오. 그래야 몸이 빨리 나을 테니까요."

아드낭이 책상으로 손을 뻗어 리모컨을 집어 들었다. 벽에 붙은 텔레비전을 켠 그가 리모컨을 내 손에 건네주며 말했다.

"외롭고 심심할 때에는 가끔 텔레비전이 좋은 친구가 돼주기도 하죠."

나는 텔레비전을 보았다. 네 명의 출연자가 탁자에 둘러앉아 대화를 나누고 있었다. 그들이 재치 있는 말을 할 때마다 방청객들이 큰소리로 웃었다. 말이 빠른 진행자가 방청객들이 박수를 치게 유도하기도 했다.

"나중에 다시 오겠습니다."

나는 갑자기 졸음이 밀려와 리모컨을 눌러 텔레비전을 껐다. 내가 먹은 약통들을 보았다. 약통에 '조피클론'이라 적혀 있었다. 미국에 있을 때 내 주치의가 불면증치료제로 권한 약이었다. 시야가 흐려지며 모든 근심이 사라졌다. 파란색 전등갓의 형광 불빛도 희미해지고, 나는…….

아침 햇살이 방으로 스며들고 있었다. 몸을 뒤척여보니 어제보다는 몸이 훨씬 가뿐해진 느낌이었다. 침대에서 내려와 혼자서 욕실로 걸어갔다. 오줌을 누고 얼굴에 물을 적셔 세수를 하고는 다시 방으로 돌아와 침대로 들어갔다.

브라세가 9시에 아침을 들고 왔다. 브라세는 문을 두 번 노크하고는 말없이 방으로 들어와 쟁반을 침대맡에 내려놓았다. 그가 인사도 없이 다짜고짜 물었다.

"오늘도 이 호텔에 묵으실 겁니까?"

"그럴 생각인데요."

브라세는 내 가방을 가져왔다. 나는 여행자수표에 서명했다. 브라세가 수표를 받아들고 돌아갔다.

나는 묽게 탄 커피를 마시고 크루아상을 먹으며 텔레비전을 켰다. 프랑스의 아침 방송도 미국처럼 유치하기 짝이 없었다. 드라이클리닝 상품권을 놓고 벌이는 주부 대상 퀴즈프로그램, 한물간 배우들이 농장 경험을 하는 리얼리티 쇼, 겉만 번지르르한 연예인들이 아무런 생각 없이 떠들어대는 토크쇼…….

텔레비전을 끄고 《파리스코프》 지를 집어 들고 영화 상영시간표를 살펴보았다. 당장 볼 수 있는 영화들을 체크하다가 꾸벅꾸벅 졸고 있을 때 노크소리가 나더니 나직한 목소리가 들려왔다.

"손님, 방에 계십니까?"

아드낭이 쟁반을 들고 방으로 들어왔다. 손목시계를 보았다. 오후 5시 15분.

"손님, 오늘은 몸이 좀 어떠십니까?"

"예, 많이 나아졌어요."

"아래층에 세탁한 옷들이 준비되어 있습니다. 혹시 수프와 바게트 빵보다 든든한 음식을 드시겠습니까? 제가 오믈렛을 만들어 올까요?"

"그래주신다면 저야 고맙죠."

"프랑스어를 아주 잘하십니다."

"그저 보통입니다."

"겸손하시군요."

"아뇨, 프랑스어는 아직 더 배워야 해요."

"파리에서 지내다보면 곧 좋아지겠죠. 전에 파리에서 살았던 적이 있습니까?"

"몇 년 전, 딱 일주일 동안 머물렀던 적이 있어요."

"일주일 동안 지냈을 뿐인데 이렇게 프랑스어를 유창하게 하시다니……."

나는 살짝 웃었다.

"미국에서 오 년 동안 프랑스어 강습을 받았어요."

"언젠가는 프랑스에 오실 계획이었군요?"

"한때는 파리에서 사는 게 꿈이었어요."

아드낭이 조용히 말했다.

"어떻게 생각하실지 모르지만 파리에서 산다는 게 그다지 꿈꿀 만한 일은 아니더군요."

하지만 나는 지난 몇 년 동안 파리에서 살기를 꿈꿨다. 파리에서 작가로 살기. 삼류대학에서 날마다 학생들을 가르치는 일에서 벗어나 센 강 근처에 아담한 작업실을 구해 글을 쓴다. 작업실에서 조금만 걸어가면 다양한 영화를 볼 수 있는 극장들이 있다. 오전에는 소설을 쓰고, 오후에는 루이 말 감독의 영화를 보고, 외국인학교에 다니는 메건을 데려온다.

파리에 대한 내 꿈에는 늘 수잔과 메건이 포함돼 있었다. 수잔과 나는 대학교에서 함께 프랑스어 수업을 듣고 하루에 한 시간씩 회화 연습도 했다. 수잔도 파리에서 살고 싶다는 내 꿈을 적극적으로 지지하는 편이었다. 하지만 돈이 조금 모이면 낡은 주방을 수리해야 했다. 그다음은 전기배선을 새로 손봐야 했다.

결국 수잔은 우리 둘 다 대학교에서 교수가 될 때까지 기다리자고 했다. 마침내 내가 교수 자리를 얻자 수잔은 안식년을 기다리자고 했다. 좀 더 시간이 흐르자 성장기에 있는 메건에게 피해가 가지 않게 하기 위해 적당한 때를 기다리자고 했다.

수잔은 인생에서 중요한 결정을 내릴 때마다 '딱 맞는 시기'가 언제인지 저울질했다. 문제는 모든 게 수잔의 계획대로 돌아가지 않는다는 것이었다.

새로운 도약을 앞두고 늘 발목을 잡는 일이 발생했다. 수잔은 지난 5년 동안 '일 년 반 뒤에'라고 말하다가 끝내 프랑스어 수업을 포기했다. 우리 부부가 밤마다 한 시간씩 프랑스어로 대화를 나누던 것도 그만두었다. 수잔이 나를 멀리하기 시작한 것과 그 두 가지를 포기한 게 시기적으로 일치했다.

수잔이야 포기하든 말든 나는 계속 프랑스어 수업을 들었고, 언젠가 파리에 가서 소설을 쓰리라 다짐했다. 수잔이 나를 멀리하는 것도 일시적인 문제일 거라며 마음을 달랬다. 수잔은 절대 나를 밀어내는 게 아니며 결코 우리 사이가 잘못되는 일은 없을 거라 했지만 모든 게 한순간에 결딴났다.

막상 와보니 파리는 내가 가끔씩 그려보았던 곳과는 많이 달랐다.

아드낭은 방에서 나갔다가 15분 뒤에 오믈렛과 빵을 가져왔다. 내가 음식을 먹는 동안 아드낭이 말했다.

"의사선생님한테 전화해 내일 왕진을 올 수 있는지 알아볼까요?"

"의사에게 줄 돈이 없어요. 숙박비도 못 낼 형편이죠."

"하지만 아직은 몸이 많이 아프잖습니까?"

"이만하면 괜찮아요. 돈을 아껴 써야 해요."

아드낭이 '미국사람들은 다 부자인 줄 알았는데 아니군요.' 같은 말을 하리라 생각했지만 그는 "제가 도울 방법이 있을지 찾아보죠."라고 말했다.

밤에는 수면제 덕분에 푹 잤다. 브라세가 8시에 아침 쟁반을 들고 들어와 여행자수표를 가져갔다. 나는 텔레비전 채널을 이리저리 돌리며 하루 종일 빈둥거리며 보냈다.

아드낭이 5시에 다시 왔다.

"출근 전에 의사선생님께 전화했더니 상태가 악화되지 않았다면 굳이 진찰을 더 받아야 할 필요는 없답니다."

아, 그나마 기쁜 소식이군.

"몸이 낫더라도 최소 사십팔 시간 동안 방을 옮기지 않는 게 좋겠답니다. 독감은 재발 위험이 크니까 조심해야 한대요. 자칫 잘못했다가 병이 도지면 병원에 입원해야 한다는군요."

병원 입원비는 호텔비보다 더 비싸다.

"그럼 그냥 여기서 머물 수밖에 없겠군요."

"호텔을 나가면 갈 곳이 있습니까?"

"이제부터 살 집을 찾아봐야죠."

"아파트로 가시게요?"

"아주 싼 아파트라야 하겠죠."

아드낭은 알았다는 듯 살짝 고개를 끄덕이고는 물었다.

"목욕할 준비는 다 되셨습니까?"

나는 혼자 목욕할 수 있다고 말했다.

"그만큼 회복되셨습니까?"

"이틀만 더 있다가 체크아웃을 해야죠. 어디 방세가 싼 집이 없을까요?"

"제가 사는 동네는 방세가 그리 비싸지는 않습니다. 부자들이 그 동네 건물을 사들이기 시작했지만 아직은 싼 방을 구할 수 있습니다."

"어디에 사는데요?"

"파리10구를 아세요?"

나는 고개를 가로저었다.

"터키 출신 이민자들이 모여 사는 곳이죠."

"거기 산 지 얼마나 됐는데요?"

"파리에 오고 나서 거기서만 줄곧 살았습니다."

"계속 같은 집에서요?"

"예."

"고향이 그립겠군요?"

아드낭이 내게서 시선을 돌렸다.

"네, 늘 그리워하죠."

"가끔 고향에 들를 형편이 안 되나 봐요?"

"저는 프랑스를 떠날 수 없습니다."

"왜죠?"

"왜냐하면……."

아드낭은 잠시 말을 멈추고, 내가 과연 믿을 수 있는 사람인지 확인하듯 얼굴을 살피고 나서 말했다.

"저는 프랑스를 떠나면 다시는 돌아오지 못합니다."

"불법체류?"

아드낭이 고개를 끄덕였다.

"브라세도 알고 있겠군요?"

"제 급여 수준이 형편없는 것도 다 그 사람 때문입니다."

"얼만데 형편없다고 하는데요?"

"시급으로 육 유로를 받고 있습니다."

"하루에 몇 시간을 일하는데요?"

"오후 다섯 시부터 새벽 한 시까지 일주일에 엿새 동안 일합니다."

"그 돈으로 살 수 있나요?"

"고향의 아내에게 돈을 보내지 않아도 된다면……."

"고향에 부인도 있어요?"

아드낭이 또 내 눈을 피했다.

"네."

"아이는?"

"아들 하나."

"몇 살이죠?"

"여섯 살."

"그럼 아드님을 못 본 지가……."

"사 년 됐어요."

"세상에."

"예, 슬픕니다. 정말이지 자기 자식을 못 본다는 건……."

아드낭은 더 이상 말을 잇지 못했다.

"이해할 수 있어요. 저도 딸을 볼 수 없을 거라 생각하니 아찔하더 군요."

"따님이 몇 살입니까?"

나는 메건의 나이를 말했다.

"따님도 분명 아버지를 그리워할 겁니다."

"저도 요즘은 딸아이만 생각하게 됩니다."

"뭐라 위로해야 할지 모르겠습니다."

"저도 뭐라 위로해야 할지……."

아드낭은 고개를 끄덕이고는 얼굴을 돌려 창밖을 보았다.

"부인과 아드님이 파리에 올 수도 있잖아요?"

"돈이 없습니다. 하긴 돈을 마련한다 해도 입국 거부를 당하겠죠. 프랑스 이민국에서는 파리에 체류하는 동안 묵을 집을 말하라고 할 겁니다. 아내가 괜히 엉뚱한 주소를 말했다가 밝혀지면 곧바로 추방 되겠죠. 제 주소를 말하면 저까지 추방될 겁니다."

"불법체류자를 내쫓는 일보다 시급한 일이 많을 텐데 경찰은 왜 그 런 일에 목을 맬까요?"

"프랑스 경찰의 눈에 불법체류자들은 모두 테러리스트로 보이겠죠. 프랑스 경찰은 누구에게나 불심검문을 할 수 있고, 신분증 제시를 요구할 수 있습니다. 여권이 없으면 즉각 연행되죠. 여권이 있다고 해도 취업비자가 없으면 끝장입니다."

"저도 육 개월 비자를 받고 왔는데, 그 기간이 지나면 경찰에 체포될 수도 있겠네요."

"아마도 손님은 그런 불상사를 겪지 않아도 될 겁니다. 미국인이잖아요. 게다가 백인이고……."

"경찰에 연행돼 본 적이 있습니까?"

"아직은 없습니다만 스트라스부르, 생드니, 샤텔레 지하철역은 피해야 합니다. 그곳에서 경찰이 종종 불심검문을 하거든요. 부유한 동네에 가면 큰 교차로는 피해 다닙니다. 아무리 돌아가더라도 좁은 골목길을 이용하죠."

"하루 이틀도 아니고, 어떻게 늘 그렇게 불편하게 살 수 있죠?"

그 질문은 나 자신에게 던진 것이기도 했다. 나는 생각 없이 질문한 걸 즉시 후회했다.

아드낭은 눈살을 찌푸리지도 않고 대답했다.

"다른 방법이 없잖아요. 고향으로 돌아갈 수도 없고."

"왜 고향에 못 돌아가죠?"

"문제가 있어요."

"심각한 문제인가요?"

아드낭이 대답했다.

"예, 심각하죠."

"뭔지 알 것 같아요."

"손님도 고향에 못 돌아갑니까?"

"법적으로 보자면 못 돌아갈 것도 없어요. 하지만 마땅히 돌아갈 곳이 없어요. 그래서……."

또 침묵이 흘렀다. 이번에는 아드낭이 침묵을 깼다.

"급히 싼 집을 찾으신다면……."

"예, 그런 집이 필요해요."

아드낭이 갑자기 수줍어하며 말했다.

"죄송합니다. 제가 주제넘게 참견했나 봅니다."

"어디에 싼 집이 있는데요?"

"권해드리고 싶진 않지만 제가 방세가 싼 방을 알고 있긴 합니다만……."

"방이 어느 정도인데 그렇게 주저하시죠?"

"일단 아주 작습니다. 십일 평방미터쯤 될 겁니다. 침대, 의자, 싱크대, 가스레인지, 욕실이 각각 한 개씩 딸린 방이죠."

"상태가 어떤데요?"

"아주 좋지 않습니다."

"깨끗하긴 한가요?"

"깨끗하지도 않죠. 다만 손님께서 그 집에 오신다면 제가 기꺼이 청소를 돕겠습니다. 지금 제가 사는 방 바로 아래층이니까."

"월세가 얼만데요?"

"사백 유로. 하지만 제가 건물 관리인과 잘 아는 사이이니까 삼십이나 사십 유로쯤 깎을 수는 있을 겁니다."

"그 방을 한 번 보고 싶군요."

아드낭은 수줍은 듯 미소를 지었다.

"그럼 제가 약속을 잡아놓겠습니다."

이튿날 아침, 브라세가 아침을 가져왔을 때 나는 다음날 방을 비우겠다고 말했다.

브라세가 침대에 쟁반을 내려놓으며 가볍게 말했다.

"아드낭이 집을 구해줬습니까?"

"그게 무슨 말이죠?"

"아니, 그냥 주방장한테 들었습니다. 그 주방장이 아드낭과 같은 집, 같은 복도에 살거든요. 주방장이 그러더군요. '아드낭한테 새 애인이 생긴 모양이야, 아픈 미국인.'"

"멋대로 생각하세요."

"어차피 내가 상관할 일도 아니죠."

"댁의 일이 아니니까 함부로 떠들어대지 말아요. 우리는 절대로 그런 사이가 아니니까."

"손님, 저에게 그런 말씀을 하실 필요는 없습니다. 제가 성당의 신부도 아니고, 손님의 아내도 아니잖습니까?"

나는 브라세의 얼굴에 오렌지주스를 끼었었다. 일초도 생각할 겨를 없이 터져 나온 행동이었다. 우리는 둘 다 놀라 잠시 아무 말이 없었다. 브라세의 뺨에 주스가 흐르고, 자그마한 오렌지 알갱이가 눈썹 사이에 붙어 있었다.

브라세가 분노에 찬 목소리로 말했다.

"나가요."

"그러지."

나는 침대에서 튀어나왔다.

"경찰을 부를 거야."

"무슨 죄로? 주스를 쏟은 죄?"

"두고 봐. 경찰이 당신을 잡아갈 테니까."

"나도 경찰에 해줄 말이 있어. 이 호텔에서 불법체류자를 고용하고 있지? 게다가 넌 그들의 약점을 쥐고 노예처럼 부려먹고 있어."

브라세가 손수건을 꺼내 얼굴을 닦으며 말했다.

"아드낭만 해고시키면 그만이야."

"정말 경찰에 신고해볼까? 넌 불법으로……."

"이제 그만 하시지. 내가 댁의 애인 아드낭한테 전화해서 당장 데려가라고 할 테니까."

"이 더러운 자식."

하지만 그 말은 브라세의 귀에 들어가지 않았다. 그가 나가면서 문이 쾅 닫혔기 때문이다.

나는 벽에 기대섰다.

'내가 왜 이렇게 흥분했지? 아니야. 저놈이 먼저 시비를 걸었어.'

나는 옷을 입고 짐을 꾸렸다. 브라세와 싸우면서 나에게 친절을 베푼 아드낭을 이용한 게 마음에 걸렸다. 아드낭 몫으로 100유로의 팁을 남기고 싶었지만 브라세가 중간에서 꿀꺽할 게 분명했다.

'일단 호텔을 옮기고 나서 아드낭의 근무시간인 저녁때에 다시 찾아와 만나봐야겠어.'

전화벨이 울렸다. 브라세였다.

"아드낭과 통화했는데 삼십 분 안에 온다는군요."

철컥.

나는 곧장 프런트로 다시 전화했다. 브라세가 전화를 받았다.

"아드낭에게 전해줘. 내가 직접 집을 찾을 테니……."

41

"늦었어요. 벌써 출발했으니까."

"그럼 휴대폰으로 걸어줘."

"아드낭은 휴대폰이 없어요."

철컥.

아드낭은 친절하게 나를 잘 돌봐주었다. 하지만 그가 살고 있는 집을 소개하겠다는 말에 혹시라도 꿍꿍이가 숨어 있다면? 그 집에 도착하자마자 아드낭과 한패거리인 사람들이 내게 달려들어 여행자수표와 귀중품(귀중품이라야 노트북, 만년필, 아버지가 물려준 낡은 롤렉스시계가 전부지만)을 빼앗고 목을 따고 시체를 쓰레기차에 버린다면? 결국 나는 참혹한 시신으로 파리의 쓰레기 매립지에 묻히게 될 것이다.

물론 지나친 상상이었지만 아드낭에게 다른 꿍꿍이가 없다고 믿을 근거는 없었다. 지난 몇 달 사이 내가 얻은 삶의 교훈이 있다면 완벽하게 순수한 선의에서 나오는 행동은 없다는 것이었다.

짐을 다 싼 나는 가방을 끌고 계단을 내려갔다. 프런트로 가면서 브라세를 보았다. 셔츠를 갈아입었지만 넥타이에는 아직 오렌지주스 자국이 남아 있었다.

브라세가 말했다.

"드라이클리닝 비용으로 이십 유로를 내세요."

나는 대꾸하지 않고 그냥 문으로 걸어갔다.

"아드낭은 기다리지 않을 겁니까?"

"내가 나중에 연락한다고 전해."

"별꼴이네. 사랑싸움인가?"

그 말에 걸음을 멈춘 나는 돌아서서 오른손을 쳐들었다. 브라세가 뒤로 한 걸음 물러섰다. 브라세는 내가 폭력을 휘두르지 못하리란 걸 금세 알아채고 경멸이 담긴 표정으로 나를 보았다.

"다시는 그 낯짝을 볼 일이 없겠지."

브라세가 대답했다.

"나 역시 댁의 낯짝을 다시는 보고 싶지 않아요."

나는 돌아서서 거리로 나가다가 아드낭과 딱 마주쳤다. 놀라고 당황한 표정을 감추기 힘들었다.

"브라세가 말을 전하지 않던가요? 제가 온다고 했는데."

나는 어쩔 수 없이 거짓말을 둘러댔다.

"밖에서 기다리려고요. 더 이상 호텔에 머물 수가 없었어요."

나는 브라세와 실랑이를 벌인 걸 그에게 모두 이야기했다.

"브라세는 터키사람들을 모두 호모라 생각하죠."

"브라세라면 능히 그럴 만해요."

나는 브라세에게 들었다면서 주방장도 그 집에 사는지 물었다.

"주방장 이름은 오마르예요. 오마르도 저와 같은 집에 살아요. 그다지 좋은 사람은 아닌 것 같아요."

아드낭은 금세 화제를 바꿔 건물관리인 세제르가 기다리고 있으니 한 시간 안에 집에 가봐야 한다고 했다. 아드낭이 내 가방을 끌며(내가 한사코 말렸지만 아드낭은 내가 기운이 없어 가방을 끌 수 없다고 우겼다) 앞장섰다.

지하철역으로 가는 동안 내가 아드낭에게 물었다.

"브라세가 그러던데 오전에는 다른 일을 한다면서요?"

"예, 수입의류상에서 짐을 옮기는 일을 합니다. 하루에 여섯 시간씩 일하죠."

"호텔에서 여덟 시간 일하고, 여섯 시간을 더 일한다고요? 말도 안 돼."

"어쩔 수 없어요. 호텔에서 받는 돈은 모두 터키로 보내야 하거든요. 오전에 하는 일은……."

"그 일은 몇 시에 시작하죠?"

"일곱 시 삼십 분."

"호텔에서 일이 새벽 한 시에 끝나잖아요. 그럼 집에 도착하면……."

"자전거를 타면 삼십 분 정도 걸려요. 한 시에는 지하철이 다 끊기죠. 저는 잠이 별로 없어서……."

아드낭은 그런 이야기는 더 이상 하고 싶지 않다는 듯 말끝을 흐렸다.

재스민 역에 도착한 우리는 불로뉴로 가는 노선을 탔다. 지하철이 도착할 때 아드낭은 재빨리 객차를 훑어보았다. 경찰이 없는지 확인하는 것 같았다.

아드낭이 말했다.

"미셸 앙주 몰리토 역에서 열차를 갈아타고 오데옹 역에서 또 한 번 갈아타야 해요. 목적지는 샤토도 역이죠."

처음 갈아탈 역까지는 두 정거장이 남아 있었다. 계단을 내려가는 동안 내가 우겨 가방을 직접 끌었다. 계단을 다 내려오자 긴 통로가 이어졌다. 통로 끝에서 경관 두 명이 검문을 하고 있었다.

그 자리에 얼어붙은 듯 멈춰 선 아드낭이 나에게 귓속말로 속삭였다.

"다시 뒤로 돌아가요."

우리는 뒤로 돌아서서 속보로 걸었다. 하지만 통로 끝에 다다르자 다른 경관 두 명이 나타났다. 경관들이 있는 곳까지의 거리는 불과 30미터도 되지 않았다. 우리는 다시 그 자리에 얼어붙은 듯 멈춰 섰다.

경관들이 우리를 봤을까?

아드낭이 속삭였다.

"앞장서서 걸어가요. 경관들이 저를 멈춰 세워도 돌아보지 말고 곧장 가요. 샤토도 역까지 가서 파라디스 삼십팔 번지를 찾아가면 돼요. 거기 가시면 세제르를 찾아⋯⋯."

내가 속삭였다.

"그냥 내 옆에 바짝 붙어서 걸어요. 검문을 안 받고 그냥 지나칠 수도 있잖아요."

아드낭이 숨을 식식거렸다.

"어서 가요. 파라디스 삼십팔 번지로."

아드낭이 걸음을 늦췄지만 나는 계속 그 옆에 바짝 붙어서 걸었다. 그러자 아드낭이 또 재촉했다.

"어서 가라니까요."

경관들이 서 있는 곳이 점점 가까워졌다. 경관 앞을 지날 때면 죄가 없는 사람도 혹시 죄를 짓지 않았는지 두려워하게 된다. 그때 나도 그런 두려움을 느꼈다. 경관들은 무심한 표정을 지었지만 내 모습을 샅샅이 훑어보는 눈빛이 예사롭지 않았다. 1미터 앞에서 경관이 '서류를 볼 수 있을까요?'라고 말하는 소리가 들리는 듯했다. 그러나 내가 지나가는 동안 경관들은 아무 말이 없었다.

나는 계단을 다 오르고 나서 아드낭이 뒤따라오는지 확인하려고 걸음을 멈췄다. 5분이 흐르고, 10분이 흘렀지만 아드낭은 끝내 나타나지 않았다. 나는 용기를 내 다시 계단을 내려갔다. 지하철 통로에는 경관도 아드낭도 보이지 않았다.

'아드낭이 연행됐어. 모든 게 내 잘못이야. 이제 어쩌지?'

파라디스 38번지.

가자, 파라다이스로.

3

파라다이스에 도착하기 전에 먼저 아프리카를 지나야 했다.

샤토도 역에서 나오자마자 완전 다른 세계가 펼쳐졌다. 고급 아파트 건물에서 나와 반짝이는 자동차에 오르는 값비싼 옷차림의 사람들은 한순간에 몽땅 사라졌다. 샤토도는 보이는 곳마다 쓰레기 천지였다. 거리에는 싸구려 카페들, 갖가지 색으로 된 인조가발을 파는 가게들, 전화카드를 파는 노점상들이 늘어서 있었다. 그 전화카드로 코트디부아르, 카메룬, 세네갈, 중앙아프리카공화국, 부르키나파소 등지에 싸게 전화할 수 있다는 광고가 곳곳에 나붙어 있었다.

백인은 나 한 사람이었다. 수은주는 영하를 가리켰지만 거리는 사람으로 넘쳐났다. 카페에서 사람들이 나누는 이야기가 바깥에까지 들렸고, 모두들 서로 잘 아는 듯 지나가는 사람들 누구나 인사를 나눴다. 채소와 과자를 파는 노점상들도 있었다.

나를 딱히 수상쩍게 여기는 사람은 없었다. '여기에 왜 왔지?' 하는 눈초리로 보는 사람도 없었다. 나는 흑인 노인에게 파라디스 가로 가는 길을 물었다. 노인이 손가락으로 옆길을 가리키며 "꺾어져서 곧장 가요."라고 말했다.

옆길로 가자 아프리카에서 인도로 변했다. 카레 집들, 인도영화 포스터를 붙인 비디오점들, 전화카드 판매점들이 이어졌다. 전화카드 판매점의 광고판에는 뭄바이, 델리 등지의 국제전화요금이 힌두어로 적혀 있었다. 값싼 호텔도 많았다. 아드낭이 소개한 집이 지나치게 형편없거나 관리인 세제르가 사기꾼이라면 그런 싸구려 호텔에서 며칠 묵어도 될 것 같았다.

나는 포부르생드니 가를 지나갔다. 그곳은 시장이었고, 싸구려 상점들이 늘어서 있었다. 차가운 바람이 불자 사람들은 고개를 푹 숙인 채 발걸음을 재촉했다.

오른쪽으로 꺾어졌다가 다시 왼쪽으로 꺾어져 걸었다. 바로 그곳이 파라디스 가였다. 19세기 건물들 사이로 가끔 현대식 건물이 보이는 좁고 긴 거리. 도자기와 주방기구를 파는 할인 도매점들만 눈에 띌 뿐 거리는 마치 죽은 듯 고요했다.

어느 카페 앞을 지나면서 보니 인도 말로 '카베'라 적혀 있었다. 개성이라고는 조금도 찾아볼 수 없는 카페였다. 형광등 조명, 회색 리놀륨 바닥, 스피커에서 흐르는 이스탄불 가요……. 카페 안을 들여다보았다. 찻잔을 앞에 놓고 수상쩍은 이야기를 주고받는 남자들, 아침부터 취해 바에서 잠든 남녀, 그 모든 공간에 담배 연기가 낮은 구름처럼 자욱하게 깔려 있었다. 터프가이 스타일의 젊은 바텐더가 축구 경기를 중계하는 텔레비전에서 눈을 떼더니 나를 한참 동안 쳐다보았다.

'저 사람이 왜 이곳을 염탐하지?'

뭐 그런 표정이었다.

파라디스 가에는 카페가 두 군데나 더 있었다. 터키 식당 몇 곳, 정오가 다 됐는데도 아직 문을 열지 않은 술집도 두 곳이나 있었다.

나는 거리를 살피는 일을 그만두고, 건물에 붙은 숫자를 살피며 걸음을 재촉했다. 숫자가 바로 번지수였다. 38이라는 숫자가 적힌 건물은 특히 더 초라했다. 정문 옆 기둥의 벽돌은 다 깨어지다시피 했고, 애연가의 이빨처럼 누렇게 변색돼 있었다.

정문 옆에 인터폰이 없는지 살폈다. 그저 버튼 하나뿐이었다. 버튼을 눌렀지만 딸깍 소리만 났다. 몸에 힘을 실어 문을 열었다. 좁은 복도가 나왔다. 복도는 낡은 우편함, 넘치는 쓰레기통들, 전선이 늘어진 두꺼비집 등으로 어지러웠다.

복도를 지나자 마당이 나왔다. 그 마당을 둘러싸고 아파트 건물이 세워져 있었다. 안쪽 건물 벽도 바깥 정문의 담만큼 낡았다. 안쪽에는 임시로 만든 빨랫줄에 빨래가 걸려 있었다.

느끼한 음식 냄새, 채소 썩는 냄새가 코를 찔렀다. 중앙마당의 가운데 건물에는 〈세제르 의류〉라는 로고가 크게 새겨져 있었다. 아드낭이 오전에 일한다는 의류 수입상이 바로 그 〈세제르 의류〉인 듯했다. 그 로고 아래로 문이 있고, 문 옆에 초인종이 달려 있었다. 초인종을 눌렀지만 아무런 답이 없었다. 또 한 번 더 눌렀지만 여전히 답이 없었다. 초인종을 꾹 누른 채 15초 넘게 가만히 있었다. 마침내 계단에서 발소리가 들려왔다. 문이 열리고, 칼라에 가짜 모피가 달린 청재킷 차림의 젊은이가 나왔다. 듬성듬성 콧수염을 기른 젊은이는 입에 담배를 물고 있었다. 짜증이 잔뜩 묻어나는 표정이었다.

젊은이가 형편없는 프랑스어로 물었다.

"무슨 일로 왔죠?"

"세제르를 만나러 왔습니다."

"아는 사이인가요?"

"아드낭한테 소개를 받고……."

젊은이가 내 말을 끊고 물었다.

"아드낭은 어디 있죠?"

"세제르를 만나면 설명하죠."

"우선 나에게 말해요."

"아니, 세제르에게 말하는 게……."

"나한테 말하라니까."

젊은이의 말투가 자못 위협적이었다.

"아드낭은 경찰에 연행됐어요."

젊은이가 움찔 놀라며 물었다.

"언제?"

"한 시간도 안 됐어요."

정적. 젊은이가 내 뒤로 멀리까지 살폈다.

내가 경찰 끄나풀인 줄 아나?

"여기서 잠깐 기다려요."

젊은이가 문을 쾅 닫았다.

나는 5분 동안 중앙마당에 그대로 서 있었다. 그냥 돌아갈까 생각하다가 아드낭이 연행되었다는 걸 세제르에게 설명해주는 게 도리일 것 같아 그대로 서서 기다렸다.

'세제르라면 아드낭을 도울 수 있지 않을까? 건물관리인이 불법체

류자를 위해 무슨 도움을 베풀 수 있겠어?'

한편으로는 그런 생각도 들었다.

사실 내가 잠자코 기다린 진짜 이유는 이제 달리 갈 곳이 없었기 때문이다. 아까 나왔던 젊은이가 다시 문을 열었다. 그가 내 뒤에 아무도 없는지 거듭 확인하고는 말했다.

"들어와요. 사무실은 한 층 위에 있어요."

좁은 계단을 올라갔다. 여행가방 바퀴가 계단에 툭툭 부딪치며 귀에 거슬리는 소리를 냈다. 느와르 영화를 많이 봐서인지 내 앞에 펼쳐질 사무실 풍경이 저절로 머릿속에 그려졌다. 담배연기가 자욱한 사무실, 싸구려 철제책상들, 지저분한 티셔츠를 입은 뚱보 악당, 그가 입에 물고 있는 시가, 먹다 남은 샌드위치, 비키니 차림의 여자 모델을 찍은 달력, 핀스트라이프 슈트가 걸린 옷걸이.

내가 젊은 남자를 따라 들어간 사무실은 그야말로 '사무실'이 아니었다. 더러운 흰 벽, 여기저기 흠집이 난 리놀륨 바닥, 둔탁한 모양의 탁자와 의자. 사무실을 꾸민 장식이라곤 없었고, 그 흔한 전화기조차 없었다. 탁자 위에 휴대폰 한 대만이 달랑 놓여 있을 뿐이었다. 건물관리인은 내가 상상했던 것처럼 뚱보가 아니라 오히려 깡마른 사내였다.

50대쯤 됐을까. 알이 작은 안경을 낀 얼굴, 검정 슈트에 맨 위 단추까지 다 잠근 셔츠, 갈색 피부, 한 올도 남기지 않고 빡빡 밀어버린 머리가 언뜻 보기에도 만만치 않은 인상을 풍겼다. 마치 러시아 마피아 조직에서 보스의 오른팔 노릇을 하는 이란인을 연상케 했다.

내가 남자를 관찰하는 동안 그도 나를 빤히 쳐다보며 탐색전을 벌였다. 차갑고 날카로운 눈길이었다.

마침내 그가 프랑스어로 말했다.

"미국인이라 들었소."

"당신이 세제르입니까?"

"내 이름 앞에 반드시 '씨' 자를 붙이시오."

"미안합니다, 세제르 씨."

남자는 고개를 끄덕이고 나서 말했다.

"오늘, 아드낭이 댁을 데려오기 위해 직장까지 빼먹었다는 사실을 아시오?"

"잘 알고 있습니다. 하지만 제가 부탁한 일은 아닙니다."

세제르는 손바닥을 들어 내 말을 가로막았다.

"아, 그냥 사실을 확인하는 것뿐이오. 아드낭은 아침 일을 빼먹고 호텔로 갔소. 댁이 호텔에서 곤경에 처했으니 데려오겠다고 하더군. 내가 아드낭에게서 들은 말은 단지 그뿐이오. 아드낭은 댁을 아주 좋아하는 것 같았소. 댁이 이 집에 와 살기를 진심으로 바랐지. 댁도 아드낭을 좋아했소?"

나는 잠시 대답을 망설였다. 세제르의 속마음이 어떤지는 몰라도 일단 말투는 편안했다.

"호텔에 있을 때 제가 몸살을 심하게 앓았는데 아드낭이 저를 아주 친절하게 보살펴주었습니다."

"'아주 친절하게' 라는 말은 정확히 무슨 뜻이오?"

"제가 몸을 제대로 움직일 수조차 없을 때 부축해주기도 하고, 음식을 침대에까지 가져다주기도 하고, 목욕물을 받아주기도 했다는 뜻입니다."

"댁이 아드낭과 호텔을 나온 순간부터 지금까지 있었던 일을 모두 설명해줄 수 있소?"

나는 우리가 호텔을 나와 역까지 걸었고, 경관 두 명과 마주쳤을 때 아드낭이 나에게 앞서 가라고 한 것에 대해 자세히 들려주었다.

세제르가 조용히 듣고 나서 물었다.

"혹시 결혼했소?"

"갈라섰습니다."

"혼자서 파리에 온 이유는?"

"대학에서 학생들을 가르쳤는데 안식년이 됐죠. 안식년이란 교수들이 몇 년에 한 번……."

"안식년이 뭔지는 나도 알아요. 아무튼 대학교에서 받는 급여가 많지 않았던 모양이구려. 이런 싸구려 방을 구하려는 걸 보니."

나도 모르게 얼굴이 새빨개졌다.

거짓말을 한 걸 들켰을까?

"솔직히 지금 내 형편이 그리 좋지는 않습니다."

"그렇겠지."

내가 말했다.

"아드낭의 안부가 걱정입니다."

세제르가 손을 내저었다.

"아드낭은 이제 끝났다고 봐야 할 거요. 늦어도 사흘 뒤에는 터키로 돌아가는 비행기를 타야 하겠지."

"아드낭을 도울 방법이 없을까요?"

"안타깝지만 방법이 없소."

또 침묵.

"아드낭의 방을 쓰도록 해요. 원래 댁에게 권하려고 했던 방에 비해서는 상태가 좀 나은 편이니까."

"세가 더 비쌉니까?"

"한 달에 사백삼십 유로."

내가 아드낭에게 들은 것보다 삼십 유로가 더 비쌌다.

"제 형편으로는 조금 비싸군요."

"형편이 그렇게나 안 좋소?"

나는 부끄러운 듯 고개를 끄덕였다.

세제르가 문을 열어 준 젊은이에게 터키어로 뭐라 말했다. 젊은이가 고개를 갸웃하고 세제르에게 뭐라 말하자, 그의 입가에 옅은 미소가 떠올랐다.

"마무드에게 댁이 도망자로 보이는지 물어봤소. 마무드가 말하길 댁은 너무 소심해 범죄를 저지를 사람 같지는 않다는군. 안식년이라는 말도 거짓이겠지만 상관하지 않겠소."

세제르는 마무드와 다시 터키어로 빠르게 말을 주고받더니 내게 말했다.

"마무드가 방을 둘 다 보여줄 거요. 보고 나면 틀림없이 아드낭이 쓰던 방을 원하겠지만……."

마무드가 내게 따라오라고 고갯짓을 하며 말했다.

"가방은 여기 놓아둬요. 어차피 다시 와야 하니까."

나는 바퀴 달린 가방은 내려두고, 컴퓨터가 든 가방은 어깨에 멨다. 그러자 마무드가 세제르에게 터키어로 뭐라 말했다.

"이 친구가 매우 궁금한가 보오. 당신은 터키 사람들을 죄다 도둑으로 아는 거요?"

"터키인이든 누구든 믿지 않을 뿐이죠."

나는 마무드를 따라 계단을 내려가 B동으로 갔다.

마무드는 건물 문 옆 번호 키를 눌렀다. 철컥 소리와 함께 잠금장치가 해제되고 나서 나는 안으로 들어갔다. 나선형의 좁은 나무계단을 올라갔다. 계단 옆 갈색 벽은 당장 손봐야 할 만큼 지저분했다. 무엇보다 참을 수 없는 건 극심한 악취였다. 하수구 냄새와 상한 음식 냄새가 뒤섞인 악취.

우리는 심하게 낡아빠진 계단을 계속해서 올라갔다. 마침내 다다른 4층에는 철문이 두 개 있었다. 마무드는 커다란 열쇠꾸러미를 꺼내 앞에 있는 철문을 열었다. 안으로 들어서는 순간 나는 '형편없다'는 말이 무슨 뜻인지 새삼 절감했다.

지저분한 리놀륨 바닥에 침대 하나가 놓여 있는 아주 작은 방이었다. 벽지는 군데군데 벗겨지고 얼룩이 져 있어 차라리 없느니만 못했다. 방의 길이는 고작 3미터쯤으로 마치 자살하기 딱 좋은 감방 같았다.

내가 방을 둘러보는 동안 마무드는 내 뒤에 가만히 서 있었다.

"아드낭의 방도 볼 수 있을까요?"

내 말에 마무드는 고개를 끄덕이고 앞장섰다. 계단을 한 층 더 올라갔다. 거기에는 철문 두 개와 나무문이 하나 더 있었다. 마무드가 바로 앞의 철문을 열었다. 크기는 아래층보다 크지 않았지만 그나마 사람이 사는 방 같았다. 바닥에는 낡은 터키 카펫이 깔려 있었고, 벽지 위에 베이지색 페인트를 덧칠했다. 서툰 솜씨 탓에 꽃무늬 벽지가 페인트가 묻지 않은 사이로 언뜻언뜻 보였다.

아래층처럼 침대에는 요란한 색상의 담요가 깔려 있었다. 방에 비치된 카세트플레이어와 소형 텔레비전, 전자레인지, 싱크대, 작은 냉장고도 하나같이 싸구려 제품들이었다. 하늘색 샤워커튼을 젖히자 플라스틱 샤워기를 달아맨 고무호스가 보였다.

"화장실은 어딥니까?"

"복도."

한구석에 매달린 빨랫줄에는 검정색 슈트 한 벌, 셔츠 세 장, 바지 세 장이 걸려 있었다. 벽에 붙은 장식품이라고는 사진 세 장이 전부였다. 히잡을 쓰고 어두운 표정을 짓고 있는 젊은 여자, 역시 어두운 표정으로 카메라 앞에서 굳은 포즈를 취한 노부부, 두 살쯤 된 아이를 무릎에 안고 있는 아드낭. 사진 속의 아드낭은 표정이 어둡긴 해도 지금보다 20년은 더 젊어 보였다.

아드낭의 사진을 보자 다시 죄책감이 밀려왔다. 파리 거리를 거닐 때마다 몹시 긴장되고 두려웠을 아드낭의 유일한 안식처가 이런 방이었다니 씁쓸하기 짝이 없었다.

마무드가 내 마음을 읽은 듯이 말했다.

"아드낭은 지금쯤 터키에 가 있을 겁니다. 한동안 감옥에서 썩어야 겠죠."

"아드낭이 무슨 잘못을 했다고 추방됐을까요?"

마무드가 대답 대신 물었다.

"방을 쓸 겁니까?"

"세제르 씨와 얘기할게요."

세제르는 여전히 책상 앞에 앉아 창밖을 바라보고 있었다. 마무드는 문가에 서서 담배에 불을 붙였다.

세제르가 물었다.

"방을 쓸 거요?"

"한 달에 삼백칠십오 유로면 쓰겠습니다."

세제르가 고개를 가로저으며 말했다.

"그 돈으로는 어렵소."

"제 형편이 안 되기 때문에……."

세제르가 또 고개를 가로저었다.

"아래층 방은 형편없더군요."

"그러니까 아드낭이 썼던 방이 더 비싼 거요."

"그렇다고 썩 좋지도 않던데요?"

"어쨌든 더 좋긴 하잖소."

"삼백팔십 유로."

"안 되오."

"제가 최대한 낼 수 있는 돈이……."

세제르가 내 말을 끊고 말했다.

"사백 유로. 석 달 치를 선불로 내면 보증금은 받지 않겠소."

'그런 방에서 석 달을 지내야 한다고? 내가 밑바닥 인생으로 추락했다는 또 다른 증거인가? 하지만 달리 방법도 없잖아.'

내가 말했다.

"좋아요, 사백 유로."

"돈은 언제 줄 거요?"

"지금 곧장 은행에 다녀오죠."

"좋소."

나는 스트라스부르에 있는 은행으로 갔다. 1,200유로는 1,500달러였다. 이제 내 수중에 남은 돈은 2천 달러밖에 없었다.

세제르의 사무실로 돌아와 보니 내 가방이 보이지 않았다. 세제르가 내 걱정을 알아채고 말했다.

"댁의 짐은 아드낭이 쓰던 방에 가져다 두었소."

"고맙습니다."

"우리가 댁이 입던 더러운 옷가지나 탐낼 거라 생각하오?"

"제 가방을 뒤졌습니까?"

세제르가 입을 비죽거리고는 물었다.

"돈은?"

세제르는 내가 건넨 돈을 천천히 셌다.

"영수증을 주세요."

"영수증은 없소."

"방세를 냈다는 증명이 있어야 하잖아요?"

"걱정 말아요."

"어떻게 걱정을 안 할 수가······."

"이제 방으로 가 봐요. 여기, 열쇠. 입구 키 번호는 A542요. 어디엔가 잘 메모해둬야 할 거요. 내가 방까지 안내하겠소."

"아뇨, 괜찮습니다."

"상의할 일이 있으면 언제든지 나를 찾아와요."

아드낭의 방은 어느새 텅 비어 있었다. 침대시트, 담요, 샤워커튼, 카펫, 싸구려 전자제품들이 보이지 않았다. 나도 모르게 주먹이 꽉 쥐어졌다. 당장 사무실로 달려가 세제르에게 따지고 싶었다. 필요한 물건을 사게 최소한 3백 유로는 돌려받고 싶었다.

'세제르는 또 입만 비죽거리겠지.'

나는 방으로 들어가 문을 쾅 닫았다. 짐을 다 풀기까지 5분도 걸리지 않았다.

'막장까지 내려온 걸 환영해.'

4

새벽 3시, 오마르가 대변보는 소리가 들려왔다.

어떻게 그런 것까지 알 수 있냐고?

내 침대는 공동화장실과 벽 하나를 사이에 두고 있었다. 오마르는 아드낭이 말한 바로 호텔의 주방장이었다.

오마르가 자정이 넘은 시간에 내 방문을 노크했다.

"누구세요?"

"이웃."

오마르의 프랑스어는 짤막했다.

나는 문을 조금 열었다. 문틈으로 몸집이 어마어마하게 큰 거구가 보였다. 180센티미터가 넘는 키에 체중이 130킬로그램은 거뜬히 넘을 것 같았다. 콧수염이 듬성듬성 자라 있었고, 머리에는 한줌도 안 되는 검은 머리카락이 달랑 매달려 있었다.

"시간이 늦었는데요."

"나, 텔레비전 볼래."

"텔레비전은 없어요."

"아드낭은 텔레비전 있어."

"아드낭은 이제 여기 안 살아요."

"알아. 모두가 당신 때문이야."

내가 말했다.

"세제르 씨가 텔레비전을 가져갔나 봐요."

"그건 내 텔레비전이야. 내가 아드낭한테 빌려줬어."

"세제르 씨한테 말해 봐요."

"일단 문 좀 열어봐."

오마르가 육중한 몸으로 문을 밀어댔다. 나는 무릎을 문에 대고 막으며 말했다.

"거짓말이 아니라니까요."

"좀 들어가자니까."

오마르가 또 문을 밀어댔다. 내가 견디다 못해 다리를 치우자 문이 갑자기 확 열리며 오마르가 방안으로 쓰러졌다. 술이 잔뜩 취한 오마르는 자신이 왜 내 방에 쓰러져 있는지 잠시 영문을 몰라 했다.

"아드낭이 쓰던 방이 아니잖아."

"아드낭이 쓰던 방 맞아요."

"당신이 방을 다 바꿔 놓았어."

물론 내가 방을 손보기는 했다.

스프링이 헐거워진 매트리스는 도저히 사용할 수 없어 근처 가게에 사러 갔다. 내가 이런저런 물건이 필요하다고 하자 가게 주인은 필요한 물건들을 모두 챙겨 주었다. 매트리스, 베개, 하늘색 시트, 이불, 감색 샤워 커튼, 스탠드 두 개, 아이보리색 블라인드, 기본적인 주방 기구들, 소나무 책상과 의자. 모두 합해 300유로가 들었다. 가게 주인은 점원을 시켜 그 물건들을 내 방까지 배달해 주었다.

나는 오후 내내 방을 꾸몄다. 공동화장실도 문제였다. 좁은 공간에 플라스틱 변기가 놓여 있었고, 벽에는 페인트칠도 하지 않았고, 머리 위에서는 알전구가 흔들거렸다. 변기시트는 말라붙은 오줌 자국으로 더러웠다.

철물점에 들러 변기시트, 변기 청소용 솔, 산업용 초강력세제를 샀다. 30분 뒤, 변기시트를 새것으로 갈았고, 초강력세제의 화학 성분이 마법을 발휘해 누런 변기를 다시 흰색으로 바꾸어 놓았다.

화장실 청소를 마치고 나서 밖으로 나가 전파상을 찾았다. 한참 동안 흥정한 끝에 중고 소니 카세트라디오를 50유로에 샀다. 바게트 빵과 햄, 치즈, 값싼 1리터짜리 레드와인도 사서 돌아왔다. 저녁 내내 방 구석구석을 청소하는 동안 새로 산 카세트라디오의 주파수를 재즈방송에 맞췄다. 자정이 됐을 때 방은 깨끗하게 정리됐다. 그럼에도 나는 더 사야 할 물건 목록을 적고 있었다.

샤워를 마치고 침대에 올라 잠에 곯아떨어졌는데 오마르가 대변을 보고 나서 내 방문을 두드렸다.

오마르가 방을 둘러보며 말했다.

"방을 보기 좋게 꾸몄어."

"뭐 그다지."

"텔레비전을 팔아 이런 걸 산 거야."

"오마르, 아까도 말했지만 텔레비전은 세제르 씨가 가져갔어요."

"당신이 내 이름은 어떻게 알지?"

오마르는 갑자기 겁에 질린 얼굴로 나를 똑바로 쳐다보았다.

"아드낭이 말해 주었어요."

"당신이 아드낭을 체포하도록 경찰에 밀고했다던데?"

"말도 안 되는 소리."

나는 흥분하지 않으려고 애썼다.

"당신은 아드낭의 방이 탐나 경찰에 밀고한 거야. 내 텔레비전도 팔아버렸고."

"나는 오늘 아침까지 〈셀렉트호텔〉에 묵고 있었어요. 아드낭이 어디 사는지조차도 몰랐죠."

"이 집에 와보고 나서 재빨리 머리를 굴려 아드낭의 방을 빼앗기로 작정해놓고 시치미를 떼는 거야."

"우리 이제 억지스런 말은 그만하고 인사나 하고 지낼까요? 난 해리라고 해요."

내가 악수를 청했지만 오마르는 내 손을 거들떠보지도 않았다.

"정말 세제르가 텔레비전을 가져갔어?"

"아까 말했잖아요."

"죽여 버리겠어."

오마르가 크게 트림을 하고 나서 담배를 꺼내 불을 붙였다. 담배 연기가 싫었지만 제지시킬 분위기가 아니었다.

"미국인이야?"

"네, 미국인."

"빌어먹을!"

오마르가 막말을 하고 나서 살짝 내 반응을 살폈다.

"아드낭은 이제 끝장이야. 감옥에서 사형 당할지도 몰라. 아드낭은 사년 전에 한 남자를 살해했어. 자기 마누라와 바람을 피웠다고 오해해 상대남자를 죽였지. 알고 보니 오해였어. 아드낭은 경찰에 체포되는 게 두려워 파리로 도주했지."

'아드낭이 살인자라고?'

그럴 수도 있다. 하지만 다시 생각해보면 전혀 그럴싸하지 않은 말이었다. 오마르는 담배를 퉤 뱉어내고 신발로 바닥에 눌러 껐다. 내가 애써 청소해놓은 바닥이었다. 그는 다시 요란하게 트림을 하고 나서 돌아갔다.

오마르가 나가자마자 내 안의 하인 본능이 발동했다. 나는 창을 활짝 열어젖히고 담배연기를 내보냈다. 꽁초를 집어 들고, 키친타월로 바닥에 떨어진 재를 닦아내고 화장실로 갔다. 오마르의 변이 변기에 그대로 남아 있었다.

나는 변기 밸브를 내렸다. 온몸에서 분노가 들끓었다. 다시 방으로 돌아와 재즈를 크게 틀었다. 음악소리 때문에 옆방의 오마르가 잠을 설치기를 바랐다. 하지만 오마르는 벽을 두드리지도, '빌어먹을 음악을 꺼.'라고 말하지도 않았다. 오네트 콜먼의 날카로운 연주만이 밤의 정적을 깨고 퍼져나갈 뿐이었다.

나는 라디오를 끄고 반쯤 어둠에 잠긴 방에 가만히 앉아 있었다. 오늘 하루 방을 꾸미기 위해 얼마나 애썼는지 생각하자 갑자기 눈물이 흐르기 시작했다. 지난 몇 주 동안에도 많이 울었지만 지금 흘리는 눈물은 의미가 달랐다. 순수한 슬픔. 내가 잃어버린 것, 내가 놓친 것에 대한 눈물.

15분은 족히 울었다. 침대에 모로 누워 베개를 껴안고, 내 안의 분노와 울분이 모두 토해질 때까지 울었다. 마침내 울음이 가라앉자 온몸의 기운이 다 빠져 달아난 것 같았다. 그러나 여전히 속이 후련하지는 않았다. 내 절망과 슬픔은 울음 한 번으로 달랠 수 있을 만큼 가볍지 않았으니까.

나는 뜨거운 물에 샤워를 하고 조피클론의 힘을 빌려 잠에 빠져들었다. 정오가 되어서야 잠에서 깨어났다. 머리가 띵하고 목이 말랐다. 화장실에 가니 변기시트에 소변이 묻어 있었다. 오마르는 한 마디로 개자식이었다. 소변으로 자기 영역을 표시하고 다니는 개자식.

어제 구입한 물건들의 영수증들을 정리하고 나서 세제르의 사무실로 가 초인종을 눌렀다. 마무드가 전날처럼 인상을 쓰며 문을 열어주었다.

"세제르 씨에게 할 말이 있어요."

마무드는 아무 말도 하지 않고 문을 닫았다.

2분쯤 지나 문이 다시 열렸다. 마무드는 나에게 따라오라고 손짓했다. 사무실은 어제 그대로였다. 탁자 위에 놓여 있는 휴대폰, 창밖을 바라보고 있는 세제르.

"나에게 할 말이란 게 뭐요?"

"공동화장실에 변기시트를 갈고 전등갓을 달았어요."

"그거 축하할 일이군 그래."

"변기시트, 청소용 솔, 전등갓을 모두 합해 십구 유로가 들었습니다."

"나에게 그 돈을 달라고?"

"당연한 거 아닌가요?"

나는 세제르의 책상에 영수증을 올려놓았다.

세제르는 영수증을 쳐다보다가 공처럼 돌돌 말아 바닥으로 휙 내던졌다.

"내 생각은 다른데……."

"변기시트는 다 깨지고, 전등은 알전등이고……."

"지금껏 그런 걸 불평하는 세입자는 한 명도 없었소."

"하긴 오마르라면 그런 화장실에서 밥도 먹겠지."

"옆방 사람을 미워하면 쓰나."

"옆방 사람이 한밤중에 잠을 깨우고, 댁이 가져간 텔레비전을 내놓으라고 협박하지 않는다면 미워하지 않겠죠."

"텔레비전이라니? 나는 안 가져갔소."

"아, 그래요? 그럼 유령이 가져갔을까요?"

세제르가 마무드에게 터키어로 뭐라 말했다. 마무드는 재미있다는 듯 고개를 갸웃거리더니 다시 세제르에게 뭐라 속삭였다.

"마무드도 텔레비전에는 손도 안 댔다는데?"

나는 갑자기 영어로 말했다.

"거짓말쟁이들."

세제르가 미소를 띤 채 나를 보다가 완벽한 영어로 말했다.

"당신의 신변안전을 고려해 방금 그 말을 터키어로 옮기지는 않겠소. 앞으로 내가 또 다시 댁의 나라 말을 쓸 거라 기대하진 마시오."

나는 계속 영어로 말했다.

"사기꾼 같으니."

세제르가 다시 프랑스어로 말했다.

"내가 오마르에게 댁이 텔레비전을 팔아 변기시트를 샀다고 말했소. 오마르는 무식해서 내 말을 곧이곧대로 믿더군. 내가 조언 하나 해도 되겠소? 오마르가 그렇게 무서우면 텔레비전을 한 대 사주구려."

내가 다시 프랑스어로 말했다.

"절대로 그렇게는 못하지."

"오마르가 오늘 술에 취해 들어와 문을 부숴도 그리 놀라진 마시오. 오마르는 원래 아주 사나운 놈이니까."

"내 걱정은 말아요. 내 일은 내가 알아서 할 테니까."

"대단한 터프가이군 그래. 그렇게 터프한 사람이 어젯밤에는 왜 혼자 질질 짰는지 원."

나는 창피한 표정을 드러내지 않으려 했지만 실패했다.

"그게 무슨 말이죠?"

"오마르가 그러던데? 당신이 혼자서 무려 삼십 분이나 울었다고. 오마르가 오늘 아침 텔레비전 판 돈을 내놓으라고 하지 않은 건 그 일 때문에 마음이 약해졌기 때문일 거요. 밤에 혼자서 질질 짜는 당신이 불쌍해진 것이지. 하지만 내가 장담하리다. 오늘밤에는 가만있지 않을 거요. 오마르는 댁처럼 분노를 끌어안고 사는 사람이니까."

세제르는 마지막 말을 할 때 내 얼굴을 똑바로 쳐다보았다. 나는 눈을 깜박이며 시선을 돌렸다.

"어젯밤엔 왜 울었소?"

나는 대꾸하지 않았다.

"고향이 그리워서?"

잠시 후, 나는 고개를 끄덕였다. 세제르는 나에게서 눈길을 거두고 다시 창밖을 바라보았다.

"우린 모두 고향을 그리워하지."

5

파리에서의 삶.

아니, 더 정확히 말하자면 파리에서의 내 삶.

처음 몇 주 동안 내 하루 스케줄은 대략 다음과 같았다.

아침 8시쯤에 일어난다. 커피를 만드는 동안 프랑스 뮤직(아나운서들
이 음악을 틀기보다 그 음악에 대해 끝없이 떠들기 때문에 나는 '프랑스 수다' 라
부른다)을 튼다. 빨랫감을 던져 넣고, 페티트제큐리 가 근처의 빵집에
가서 바게트를 산다. 그런 다음 포부르생드니 가의 시장에 간다. 시장
에서 장을 본다. 햄 여섯 조각, 에멘탈치즈 여섯 조각, 토마토 네 개,
달걀 여섯 개, 채소 200그램, 값싼 흰살 생선 400그램, 조금 오래됐지
만 가장 값싼 스테이크용 고기 200그램, 레드와인 3리터, 우유 500밀
리리터, 생수 3리터. 그 정도면 사흘은 족히 먹을 수 있다. 장보는 데
드는 비용은 30유로를 넘지 않는다. 즉, 일주일에 60유로면 굶지 않을

수 있다.

장을 보는 날에는 12시 30분에 아파트로 돌아온다. 그 다음에는 노트북을 열고, 부팅이 되는 동안 커피를 끓인다. 하루에 '5백 단어씩 써야 한다'고 내 자신을 채근한다. 5백 단어. 백지로 두 장. 다시 말하자면 내가 매일 쓰겠다고 정해놓은 소설의 분량이다.

일주일에 엿새를 일한다. 날마다 두 장씩 쓰면 일주일에 열두 장이 나오는 셈이다. 꾸준히 계속 쓰면 열두 달 안에 소설 한 권을 쓸 수 있다. 아, 석 달 동안 버틸 생활비밖에 남지 않았다는 사실은 아예 생각하지 않기로 했다. 하루 몫의 원고 분량을 꼬박 채우는 것에만 신경 썼다. 5백 단어. 메일을 쓸 때에는 20분도 걸리지 않을 양이지만 소설은 달랐다.

내 소설, 내 첫 소설. 20년 전부터 쓰고 싶었던 내 소설을 쓰고 있다. 우리시대의 《오기 마치의 모험(노벨상 수상 작가 사울 벨로의 작품으로 주인공의 성장을 다룬 피카레스크 식 소설이자 성장소설로 유명함 : 옮긴이)》이 될 것이다. 60년대 미국 뉴저지 주의 중산층 부모 밑에서 자란 소년의 성장기. 방대하고 미로 같은 피카레스크 식 구성.

내 생애 최악의 날들이 밀어닥쳤던 지난 몇 달 동안, 소설을 쓰겠다는 집념이 없었다면 나는 결코 살아남지 못했을 것이다. 이 지옥 같은 현실을 타개할 수 있는 길은 오로지 뛰어난 글을 써 세상에 내 존재를 알리는 것뿐⋯⋯.

'내 존재를 세상에 널리 알리리라'는 생각은 실패한 사람, 바닥까지 내려간 사람들이 흔히 내보이는 허망한 꿈일지도 모른다. 비록 바닥까지 추락했지만 나는 눈물을 흘리며 절망하기보다는 소설로 마지막 기회를 부여잡고 싶었다.

하루에 5백 단어 정도면 충분히 쓸 수 있는 분량이었다. 달리 할 일도 없었으니까. 아니, 할 일이 한 가지 더 있긴 했다. 영화관에 가는 것. 파리에는 나 같은 영화중독자들이 시간을 보낼 만한 공간이 많았다.

월요일이 되면 16유로를 주고 일주일치 교통카드를 샀다. 교통카드만 있으면 파리 시내에서 일주일 동안 지하철과 버스를 무한정 탈 수 있었다. 나는 파리 곳곳을 마음대로 돌아다녔다. 노트북에 5백 단어를 쓰고 나면 곧장 영화여행을 시작했다.

파리5구가 특히 좋았다. 파리5구에는 영화관이 열다섯 군데나 있고, 대부분의 극장에서 옛날 영화를 상영했다. 〈악시옹에콜〉에서는 알프레드 히치콕, 구로사와 아키라 등 감독별로 영화제가 열렸다. 〈리플레메디치〉에서는 사흘 동안 일링 코미디 전작을 보는 즐거움을 누릴 수 있었다. 〈위스키 갈로어(1949년 일링 영화사에서 만든 영화 : 옮긴이)〉의 마지막 장면에서는 나도 모르게 눈물을 펑펑 쏟았다. 영화를 보고 나서 그렇게 운 건 난생 처음이었다. 감정과잉 상태. 〈아가톤〉에서는 인간의 행동을 탐구한 피에르 파올로 파졸리니 감독의 실험적인 영화를 볼 수 있었다. 〈아가톤〉에서 3분만 걸으면 〈카르티에라탱〉이며, 그곳에서는 루이스 브뉘엘 감독의 영화를 볼 수 있었다. 〈악시옹크리스틴〉에서는 보기 드문 느와르 영화들을 만날 수 있었다. 아니면 지하철을 타고 베르시에 가서 자정까지 〈시네마테크〉에 숨어서 지내기도 했다.

날마다 여섯 시간을 영화를 보는 데 쏟아 부었다. 영화 마라톤을 시작하기 전에 반드시 메일을 확인했다. 페티트제큐리 가에 인터넷카페가 있었다. 칸막이 책상과 주황색 플라스틱 의자 열댓 개가 있고, 책상마다 컴퓨터가 비치돼 있었다. 책상 뒤편의 바에서는 커피와 술을 팔았다. 한 시간 동안 메일을 확인하고, 인터넷서핑을 하는 비용은 1유로50이었다.

카페 종업원은 턱수염을 기른 30대 남자였다. 외모는 터키인이었지만 프랑스어가 유창했다. 그 종업원에게는 간단히 인사를 하고 커피를 주문하거나 인터넷 사용 암호를 묻는 게 전부였다.

내가 인터넷카페에 갈 때마다 종업원은 휴대폰으로 누군가와 통화를 하고 있었다. 그는 속사포처럼 말하다가 내가 들어가면 목소리를 낮추고 속삭였다.

나는 컴퓨터 앞에 앉아 있는 동안에도 종업원의 시선을 느꼈다. 종업원은 아마도 내가 실망하는 모습밖에는 볼 수 없었을 것이다. 이제 메건은 내게 메일도 보내지 않는다. 나는 파리에 도착하고 나서 일주일에 두 번씩 메건에게 메일을 보냈다.

메건에게

상처가 컸으리라 생각한다. 너는 내 인생에서 가장 소중한 딸인데 결과적으로 큰 상처를 주게 되었구나. 그동안 벌어진 일 때문에 큰 충격을 받았으리라 생각한다. 이 아빠가 밉겠지만 너와 늘 연락하며 지낼 수 있기를 희망한다.

처음 3주 동안에는 그런 내용만 반복해서 적어 보냈다. 그러다가 생각을 바꾸었다. 내 파리 생활, 내가 살고 있는 방, 나의 하루, 내가 본 영화 등을 시시콜콜 적어 보냈다. 그런 다음 간단한 말로 끝맺었다.

다음 주에 다시 쓰마. 아빠는 한시도 네 생각을 하지 않는 때가 없고, 늘 그리워한다는 걸 알아주기 바란다.

널 사랑하는 아빠가

　답장은 오지 않았다. 수잔이 메일을 보지 못하게 할 수도 있었다. 메건에게 파리에서의 내 생활에 대해 이야기하면 수잔의 귀에도 들어갈 수 있다는 걸 모르지 않았다. 하지만 무슨 상관이랴. 수잔이 내가 처한 상황을 안다한들 어쩌겠는가? 나는 이미 전부를 잃었는데…….

　파리에 온 지 6주째 되는 날, 메일함을 열었더니 보낸 사람 주소가 meganricks@aol.com이라고 돼 있는 메일이 와 있었다.

　나는 메일을 열면서 '다시는 메일을 보내지 마세요' 라는 글을 읽게 될까봐 노심초사했다.

　지난 날, 나는 일이 터지고 나서 메건에게 전화했다. 그때 메건은 나를 죽은 사람으로 여기겠다고 했다.

　나는 용기를 내 메일을 읽었다.

　아빠에게

　아빠가 보내준 메일들은 잘 읽었어. 파리는 아주 멋진 곳 같아. 아이들이 아직도 아빠 이야기를 하며 수군거려. 나 역시 아빠가 제자와 그런 일을 벌였다는 걸 이해하기 힘들어. 엄마가 아빠와 연락하지 말라고 해. 그 바람에 아빠가 보낸 메일은 학교에서 읽어. 난 계속 아빠의 메일을 받아보고 싶어. 엄마에게는 비밀로 할게.

아빠 딸 메건

　추신 : 아직 아빠에 대한 화가 안 풀렸어. 하지만 보고 싶어.

메일을 읽고 나서 나는 손바닥에 얼굴을 파묻고 흐느꼈다.

'아빠 딸 메건' 그 한 마디로 충분했다. 메건을 영원히 잃었다고 생각했는데 아직은 아니었다.

'하지만 보고 싶어.'

나는 '답장' 키를 누르고 글을 적어나가기 시작했다.

메건에게

너에게 답장을 받으니 기분이 하늘을 날아갈 듯 좋구나. 네가 화를 내는 건 당연하다고 생각한다. 아빠가 큰 실수를 저지른 건 분명하니까. 아빠 역시 나 자신에게 화가 나니까. 아빠가 큰 실수를 저지른 걸 깨달았을 때에는 이미 일이 걷잡을 수 없이 커져 있었단다. 아빠의 잘못을 부인하거나 변명할 생각은 없다. 그 대신 사람들이 맘대로 떠드는 말을 모두 믿지는 말아다오. 개중에는 사실과 전혀 관계없는 말들을 지어내서 하는 사람들도 있으니까. 아빠의 잘못을 숨기기 위해 이런 말을 하는 건 아니란다.

아빠는 무엇보다 너에게 상처를 준 게 괴로워. 이제라도 너와 다시 연락할 수 있게 되어 얼마나 기쁜지 모르겠다. 이제부터 매일이다시피 너에게 메일을 보낼게.

지금은 어렵겠지만 학교는 곧 잠잠해질 거야. 넌 용기 있고 똑똑한 아이이니까 어려움을 지혜롭게 극복해 나가리라 믿는다. 엄마 눈치를 살피며 메일을 보내야 한다니 가슴이 아프구나. 언젠가는 네 엄마와 아빠도 서로 미워하지 않고 지낼 수 있게 되겠지. 너도 그걸 원하지? 네 엄마와 아빠는 너를 아주 많이 사랑하니까 곧 잘 될 거라 믿는다.

아빠는 언제나 네 편이란다. 그 사실을 꼭 기억해두길 바란다.

사랑하는 아빠가

　내가 쓴 메일을 예닐곱 번쯤 읽었다. 혹시 자기연민이나 변명은 없는지, 사랑한다는 말을 빠뜨리지는 않았는지 거듭 확인했다.
　그러고 나서 '보내기' 버튼을 눌렀다.
　자리에서 일어서자 인터넷카페 종업원이 고개를 들고 나에게 말했다.
　"나쁜 소식입니까?"
　내가 메일을 확인하는 동안 종업원이 나를 유심히 보고 있었다는 게 떠올랐다.
　"전혀."
　"그런데 왜 우시죠?"
　"너무 좋은 소식이라서."
　"내일은 더 좋은 소식이 있을 겁니다."
　나는 날마다 메건에게 내 파리 생활을 적어 보냈다. 답장이 없다가 사흘 후 답장이 왔다.

　아빠에게
　지난 메일들은 잘 읽었어. 학교에서 클리블랜드로 수학여행을 갔다가 어제 돌아왔어. 재미없었어. 어제 아빠 서재에서 파리 지도를 찾았어. 아빠가 있는 곳을 찾아보았지. 파라디스. 좋은 이름이야. 엄마가 아빠 서재에 들어가지 말라고 해서 아주 조심조심 들어가야 했지. 아무튼 가드너 롭슨 아저씨가 아직 아빠의 서재를 차지하지 않은 게 천

만다행이야.

　가드너. 가드너 롭슨. 내 재앙을 정리하는 일을 돕다가 내 아내까지
차지한 놈. 컴퓨터 모니터에 그 이름이 보이자 나도 모르게 플라스틱
의자 귀퉁이를 손으로 꽉 움켜쥐었다.
　'가드너 롭슨 아저씨가 아직 아빠 서재를 차지하지는 않은 게…….'
　다른 건 다 차지해놓고 서재는 왜 아직 그냥 두었을까?
　메건의 메일을 다시 읽어나갔다.

　가드너 아저씨와 같이 사는 게 정말 힘들어. 자기가 공군이었다면
서 툭하면 나에게 '군기가 빠졌다' 고 떠들어대거든. 내가 학교에서 돌
아와 계단 난간 기둥에 옷을 걸어놓거나 깜박 잊고 침대 정리를 안 하
면 여지없이 '군기가 빠졌다' 고 하지. 하긴 뭐, 가드너 아저씨가 시키
는 대로 하면 큰 문제는 없어. 엄마는 그 아저씨에게 완전히 빠졌나봐.
그 아저씨가 새 아빠가 되는 건 정말 싫어. 아빠를 만나러 파리에 갈
수 있다면 얼마나 좋을까? 하지만 엄마가 펄쩍 뛰며 반대하겠지. 하긴
나 역시 아빠가 한 일을 아직 다 받아들이긴 힘들어. 물론 아빠를 이해
하려고 애쓰고 있어. 아빠 나름의 사정이 있었으리라 생각해. 엄마는
결혼생활을 먼저 끝내자고 한 사람이 아빠라던데 사실이야?

　내 스캔들이 터지기 전부터 가드너 롭슨에게 빠져 있던 사람이 누
군데? 내가 한 번 더 기회를 달라고 그렇게 빌었는데도 눈 한번 깜짝
하지 않은 사람이 누군데? 이제 와서 진실을 왜곡하다니?

엄마가 그러는데 아빠가 제자와 바람을 피운 게 온통 시끄러워지자 외국으로 도망갔대. 그게 사실이야? 정말이지 나는 사실이 아니길 바라.

아빠 딸 메건

나는 주먹으로 책상을 쾅 내려쳤다. 어찌나 세게 쳤는지 종업원이 깜짝 놀라며 나를 쳐다보았다.

"미안합니다, 미안해요."

"오늘은 나쁜 소식입니까?"

"그래요. 아주 나쁜 소식이에요."

나는 다시 모니터로 고개를 돌리고 답장 단추를 눌렀다.

사랑하는 메건에게

아빠는 살면서 수많은 실수를 저질렀단다. 그리고 그 모든 실수를 내 잘못이라 인정하고 받아들였어. 아빠는 결혼생활이 끝나기를 바란 적이 없단다. 네 엄마와 헤어지게 된 건 내가 결정한 일이 아니야. 나는 잘못을 빌며 다시 한 번 기회를 달라고 애원했어. 네 엄마가 내 뜻을 받아들였다면 아직 우린 함께 살고 있겠지. 물론 네 엄마도 내가 저지른 일에 화가 나니까 그런 결정을 내렸을 거야. 네 엄마의 결정을 충분히 이해한다. 하지만 일이 이렇게 된 것에는 네 엄마에게도 잘못이 있어. 다른 고통은 다 감수하겠지만 너와 떨어져 지내야 한다는 것, 너를 볼 수 없다는 게 얼마나 힘든 일인지 모르겠구나. 아빠는 한시바삐 널 다시 만날 수 있기를 간절히 바랄 뿐이야.

사랑하는 아빠가

추신 : 네 엄마에게 이런 이야기는 절대 하지 말길 바란다. 네가 아빠의 말을 토대로 따져 물으면 엄마는 우리가 연락을 주고받는다는 걸 알게 될 거야. 아빠는 너와 연락을 주고받지 못하는 게 무엇보다 두려워.

'보내기' 단추를 누르고 나서 종업원에게 말했다.
"책상을 쳐서 미안해요."
"괜찮아요. 용기를 내세요. 내일은 기쁜 소식이 올 겁니다."
종업원의 말은 옳았다.
이튿날 메건의 답장이 왔다.

아빠 안녕
아빠의 답장은 잘 읽었어. 나는 여전히 혼란스러워. 과연 누구의 말이 진실일까? 하지만 아빠가 내 곁을 떠나기 싫어했다는 말을 들으니 기분이 정말 좋아. 정말이지 내게는 의미심장한 말이었어. 엄마 걱정은 하지 마. 엄마는 우리가 연락하고 지낸다는 걸 몰라. 계속 메일 보내는 것 잊지 마. 아빠 메일을 읽는 게 기쁘고 좋아.

사랑하는 메건

메건이 '사랑하는'이라고 썼다는 사실, 그건 그저 '기쁜' 정도가 아니었다. 이 악몽이 시작된 이후 최고로 기쁜 소식이었다. 나는 즉시 답

75

장을 썼다.

　사랑하는 메건에게
　지금 누구의 말이 진실인지 따지는 건 그다지 중요하지 않은 것 같
구나. 그보다 더 중요한 건 우리가 여전히 가깝게 지낸다는 사실이겠
지. 그리고 우리는 빠른 시일 내에 만날 수 있을 거야.

사랑하는 아빠가

　그 메일을 보낸 게 금요일, 주말에는 답장이 없어도 걱정하지 않았
다. 메건의 방에도 컴퓨터가 있지만 주말에 집에서 메일을 보내는 건
위험했다. 메일을 쓰거나 확인하고 있을 때 수잔이나 가드너가 방으
로 들이닥칠 수도 있으니까.
　나는 메일을 쓰고 싶은 충동을 억누르고, 늘 하던 대로 생활했다. 8
시에 일어나 빵을 사고, 글을 쓰고, 점심을 먹고, 늦어도 3시에는 외출
하고, 영화를 보고, 자정에 집에 들어오고, 허브차로 조피클론을 먹고
잤다.
　새벽 2시, 오마르가 술에 취해 들어와 시끄럽게 소변을 보는 소리(오
마르는 하루도 빼놓지 않고 밤마다 그랬다)에 놀라 잠을 깼다. 매일 밤 오마
르 때문에 잠에서 깨지만 조피클론 덕분에 곧 다시 잠들 수 있었다. 나
는 조피클론을 120알이나 처방해준 의사가 고마웠다.
　아침마다 오마르가 엉망으로 만들어놓은 화장실을 내가 청소했다.
몇 주 동안은 묵묵히 청소했지만 이제 더는 참을 수 없는 지경이었다.
내가 메건에게서 마지막 메일을 받은 다음날이었다. 나는 오마르가

화장실 바닥에 오줌을 흥건하게 싸놓은 것에 화가 나 그의 방으로 달려갔다.

방문을 쾅쾅 치자 오마르가 지저분한 팬티와 음식이 묻은 티셔츠 차림으로 걸어 나왔다.

오마르는 아직 잠에서 덜 깬 얼굴로 물었다.

"왜?"

"우리 이야기 좀 합시다."

"뭔 이야기?"

"화장실 사용문제에 대해 이야기를 해야겠어요."

"내가 뭘 어쨌는데 그래?"

나는 오마르의 위협적인 목소리에 다소 주눅이 들었지만 좀 더 침착해지기로 마음먹었다.

"화장실은 우리가 공동으로 쓰는 공간이고……."

"공동으로 쓰는 공간?"

오마르가 화난 목소리로 내 말을 끊었다.

"우린 화장실을 공동으로 쓰고 있잖아요?"

"나와 같이 화장실에 들어가고 싶다는 뜻이야?"

"소변을 볼 때는 변기시트를 위로 올려요. 볼 일을 본 다음에는 반드시 물을 내리고 솔로 한 번……."

"지랄하네."

오마르가 문을 쾅 닫았다.

이튿날 아침, 오마르는 또다시 오줌을 여기저기 뿌려놓았다. 화장실 변기와 벽면은 물론 내 방문 앞에까지.

나는 세제르의 사무실을 찾아갔다. 마무드가 언제나처럼 인상을 쓰며 문을 열어 주었다. 세제르는 창밖을 바라보며 딴전을 피웠다.

"뭔 문제라도 있소?"

나는 오마르와 있었던 일을 이야기했다.

"고양이 짓이겠지."

"방광을 가득 채운 고양이가 마법의 양탄자를 타고 날아왔단 말입니까? 오마르가 한 짓이 분명해요."

"증거는 있소?"

"오마르가 아니면 누가 내 방문 앞에다 오줌을 뿌리겠어요."

"난 셜록 홈즈가 아니니까 알 길이 없지."

"앞으로 다시는 이런 일이 발생하지 않게 오마르를 타일러줘요."

"오마르가 그랬다는 증거가 없잖소?"

"그럼 주인 입장으로 청소라도 해주시든지."

"싫소."

"당신은 건물관리인이잖아요? 청소는 관리인의 의무 아닌가요?"

"복도 청소야 우리 의무니까 매일이다시피 하고 있소. 날마다 쓰레기도 치우지. 하지만 당신이 싼 오줌이야 어쩔 수 없잖소."

"내가 싼 오줌이 아니라니까."

"그건 당신의 주장이지. 증거가 없으니……."

"됐어요."

어차피 말이 통하지 않을 것 같아 나는 사무실에서 나가려 했다.

그때 세제르가 말했다.

"아, 한 가지 말할 게 있소. 아드낭에 대한 소식을 들었는데 궁금하지 않소?"

나는 몸을 돌려 물었다.

"아드낭은 어떻게 됐죠?"

"아드낭은 이스탄불에 내리자마자 체포돼 앙카라에 있는 교도소로 이송됐소. 이미 유죄판결이 내려져 있었고, 징역 십오 년 형을 선고받고 복역 중이라더군."

"정말 안 된 일이지만 내 잘못은 없어요."

나도 모르게 그 말이 튀어나왔다. 나는 곧 그 말을 한 걸 후회했다.

세제르가 픽 웃었다.

"난 당신 잘못이라 말한 적 없소."

나는 어쩔 수 없이 화장실 벽, 변기, 내 방문 앞을 청소했다. 그날 밤에도 오마르가 소변을 보는 소리에 놀라 잠에서 깨어났다. 이번에는 다시 잠을 이룰 수 없었다. 아드낭에 대한 생각 때문이었다. 나는 줄곧 아드낭의 일을 잊으려 애썼지만 가책을 느꼈다. 나 때문에 또 한 사람의 인생이 끝장났다.

잠이 오지 않을 때 할 수 있는 일은 한 가지뿐이었다. 나는 미친 듯이 글을 썼다. 동이 트기 전에 다섯 장을 썼다. 내 소설의 주인공 빌은 뉴저지 주에 있는 자기 집 주방에서 부모가 위스키를 마시며 서로 싸우는 소리를 듣고 있었다.

내가 그 장면을 쓰고는 매우 만족해하고 있을 때였다. 어디선가 물이 새는 소리가 들려왔다. 싱크대 아래 작은 수납장에서 들리는 소리였다. 리놀륨 바닥에 물이 조금 고여 있었다. 수납장 뒤쪽 바닥을 살펴보았다. 하수구 파이프를 동여맨 테이프가 떨어져나가 있었다. 떨어져나간 테이프를 주워 다시 동여매려는데 옆 바닥에 튀어나온 플라스틱 덩어리가 보였다.

뭐지?

밖으로 끌어내보니 가방이었다. 누군가 수납장 아래쪽 바닥을 파고 가방을 묻어두었던 것이다. 가방에 들어 있는 건 돈뭉치였다. 돌돌 말아 고무줄로 싼 지폐들.

나는 돈뭉치를 풀어 확인해 보았다. 5유로, 10유로, 20유로짜리 지폐들이었다. 스무 장을 모두 세어 보니 정확히 2백 유로였다. 두 번째 뭉치도 풀어서 세어보았다. 그 뭉치는 서른 장이고, 1천 유로였다. 또 다른 돈뭉치도 풀었다. 그렇게 다 세어 보니 모두 합해 4천 유로였다.

어느새 새벽빛이 비치기 시작했다. 돈뭉치를 조심스레 다시 말아 가방에 집어넣고, 원래 있던 자리에 밀어 넣은 다음 타일로 가리고 물이 새는 파이프에 테이프를 감았다. 그 일을 모두 마치고 나서 커피를 끓여 컵에 따르고 책상에 앉았다.

나는 양심의 문제에 직면했다. 4천 유로. 그 돈이면 파리에서 넉 달을 걱정 없이 지낼 수 있는 돈이었다. 돈의 주인이 분명한 아드낭은 지금 앙카라의 감옥에 갇혀 있다. 아무에게도 말하지 않고 파리에서 넉 달을 더 지낸다면? 그 다음에는?

그러나 양심의 가책을 느꼈다. 내가 그 돈을 쓴다면 끝내 죄책감을 떨쳐버릴 수 없을 것이다. 커피를 다 마신 다음 종이를 꺼내 세제르에게 전할 메모를 작성했다.

세제르 씨

아드낭 부인과 연락해 아드낭의 안부를 확인하고 싶어요. 아드낭 부인의 주소나 이메일을 알 수 있을까요?

그리고 내 이름을 적었다.

밖으로 나가 세제르의 우편함에 쪽지를 넣었다. 다시 방으로 돌아와 블라인드를 내리고 알람 시간을 맞춘 다음 옷을 벗고 침대로 들어갔다. 잠에서 깨어보니 오후 1시였다. 문 밑으로 쪽지가 보였다.

아드낭 부인의 이름은 Z. 파프누크요.
이메일은 z.pafnuk@atta.tky 부인도 댁이 누구인지, 무슨 일이 있었는지 다 알고 있을 거요.

그 어디에도 서명은 없었다. 세제르는 혹시라도 골치 아픈 일에 휘말리는 게 걱정돼 자기 이름을 쪽지에 남기지 않은 것이리라.
나는 영화관으로 갔다. 집으로 돌아오는 길에 인터넷카페에 들러 메일함을 열어보았다.

해리에게
학교 선생님이 메건의 행동이 수상쩍어 주의깊게 살펴봤나봐. 메건이 늘 도서관 컴퓨터 앞에만 붙어 있더래. 거기서 뭘 하는지 물었더니 메건은 인터넷서핑을 한다고 둘러대면서 안절부절못하더래. 그 선생님이 무슨 일인지 의아해하며 교장선생님께 그 사실을 알렸나봐. 교장선생님이 학교로 나를 불렀어. 교장선생님은 메건이 혹시 나쁜 사람들과 메일을 주고받는 게 아닌지 걱정스러웠던 거야.
내가 메건에게 사실대로 말하라고 윽박질렀지. 그제야 메건은 당신과 주고받은 메일을 보여주더군. 당신이 한없이 다정한 아버지인 척하며 메건의 인생에 끼어들려 하다니, 정말 역겹기 그지없는 일이야. 게다가 우리 부부가 헤어진 원인이 나에게 있다고 비난하다니, 정말이지 당신이 경멸스러워. 지금 당신이 겪고 있는 불행은 그 누구 탓도 아닌 바로 당신 탓이라는 걸 아직도 모르겠어?

지난밤에 메건과 많은 이야기를 했어. 메건에게 당신 제자가 왜 자살했는지 아주 자세하게 들려주었지. 메건도 이미 대충은 알고 있는 눈치였어. 학교 친구들이 뒤에서 수군거리며 메건을 괴롭히나 봐. 하지만 내가 말해주기 전까지 메건은 당신이 그 불쌍한 여학생에게 무슨 짓을 저질렀는지 정확하게 알지는 못했어. 메건은 당신이 저지른 짓에 대해 자세히 알고 나더니 이제부터는 절대로 당신을 상대하지 않겠다고 맹세했어.

메건에게 더는 메일을 보내지 마. 메건도 답장하지 않을 거야. 당신이 메건에게 어떤 경로로든 연락을 시도한다면 법원에 접근금지명령을 신청할 거야.

답장은 필요 없어. 답장이 와도 읽지 않고 삭제할 테니까.

수잔

나도 모르게 온몸이 부들부들 떨려 한동안 컴퓨터가 놓인 싸구려 나무책상을 손으로 꽉 쥐고 있어야 했다.

'내가 말해주기 전까지 메건은 당신이 그 불쌍한 여학생에게 무슨 짓을 저질렀는지 정확하게 알지는 못했어.'

나는 눈가를 눌러 눈물이 나는 걸 억지로 참았다.

인터넷카페 종업원이 나를 빤히 쳐다보고 있다가 눈이 마주치자 고개를 돌렸다. 나는 눈가를 문지르고 나서 카운터로 갔다.

종업원이 물었다.

"뭐 마실 걸 드릴까요?"

"에스프레소."

"또 나쁜 소식인가요?"

나는 고개를 끄덕였다.

"언젠가는 좋은 소식이 오겠죠."

"그럴 것 같지 않아요."

종업원이 에스프레소를 만들어 내 앞에 놓은 다음 스카치위스키를 한 잔 따라 내놓았다.

"자, 한 잔 드세요."

"고마워요."

위스키를 단숨에 삼켰다. 목이 따가웠지만 위스키가 들어가자 그나마 마음이 편안해졌다. 종업원은 위스키를 한 잔 더 따랐고, 나는 두 번째 잔도 단숨에 들이켰다.

내가 종업원에게 물었다.

"터키어를 할 줄 알아요?"

"그건 왜 묻죠?"

"터키어로 보낼 메일이 있어서요."

"뭔데요?"

"극히 개인적인 메일이에요."

"번역은 못하는데요."

"그냥, 몇 줄 정도밖에 안 돼요."

종업원은 터키어로 보내야 할 메일이 무엇인지 나름 추측해보는 눈치였다.

"성함이?"

"저는 카말입니다. 몇 줄만 옮기면 된다고 하셨죠?"

"네."

카말이 메모지를 내밀었다.

"좋아요. 그럼, 내용을 적어보세요."

나는 연필을 집어 들고 내용을 적어나갔다.

파프누크 부인께

저는 아드낭이 살던 방에 새로 들어와 사는 사람입니다. 혹시 아드낭이 방에 두고 간 물건이 있다면 제가 기꺼이 부쳐드리겠다는 말씀을 전하고자 이렇게 글을 씁니다. 아드낭에게 제가 무척 고마워하고 있다고 전해주시면 감사하겠습니다. 아드낭을 자주 생각합니다. 그리고 아드낭이나 부인께서 제 도움이 필요하다면 언제든지 기꺼이 돕겠습니다.

그리고 마지막에 내 메일 주소를 적었다.

카말이 내 글을 들여다보았다.

"다섯 줄이 넘잖아요."

그러면서 씩 웃었다.

"보낼 주소는요?"

나는 아드낭 부인의 메일 주소를 적은 쪽지를 꺼내 종업원에게 건넸다.

"알았어요. 제가 보내드리죠."

카말이 컴퓨터로 가서 몇 분 뒤에 말했다.

"보냈어요."

"얼마를 드릴까요?"

"커피는 일유로고, 위스키는 서비스입니다."

"번역은?"

"그건 무료로 해드리죠."

"정말요?"

"저도 아드낭을 잘 압니다."

그 말에 나는 깜짝 놀랐다.

카말이 나직이 말했다.

"걱정 마세요. 아드낭이 그렇게 된 건 절대로 손님 잘못이 아니니까."

하지만 나는 여전히 내 잘못으로 여겨졌다.

메건에게 메일을 보내고 싶었지만 수잔에게 들켰다가는 가차 없이 접근금지명령을 받게 될 것이다. 재판을 치를 돈이 없는 나로서는 메건을 두 번 다시 보지 못하게 되리라.

'수잔은 너를 영원히 경멸하기로 마음먹었어.'

나는 우울한 며칠을 보냈다. 종일 영화를 보았지만 집으로 돌아가는 마음은 무겁기만 했다.

'이제는 메건과 연락할 수 없어.'

날마다 메일을 확인했다. 메건이 위험을 무릅쓰고서라도 메일을 보내주길 기대했지만 실망만 쌓여갔다.

일주일 후에 파프누크 부인에게서 메일이 왔다. 터키어로 적힌 메일이어서 카말이 번역해 주었다.

해리 릭스 씨께

메일을 받고 반가웠습니다. 어제 아드낭을 면회할 때 해리 릭스 씨

이야기를 했습니다. 아드낭은 현재 상황은 끔찍하지만 정신을 차리고 형기가 끝날 때까지 기다릴 수밖에 없다더군요. 아드낭이 해리 릭스 씨께 안부를 전해달라고 했습니다. 그리고 방에서 수납장 아래를 잘 살피면 감춰둔 물건을 찾아낼 수 있을 거라 했습니다. 아마도 해리 릭스 씨께서 그 물건을 이미 찾은 것 같지만 다시 한 번 부탁한답니다. 혹시 그 물건을 찾았다면 다시 한 번 메일을 보내주시면 고맙겠습니다. 해리 릭스 씨께서 여러모로 신경을 써주어 아드낭이 진심으로 고마워하고 있다는 말을 대신 전합니다.

파프누크

카말은 프랑스어로 메일을 읽고 나서 말했다.

"부인이 다른 사람한테 편지를 써달라고 한 게 틀림없군요."

"그걸 어떻게 알 수 있죠?"

"아드낭이 전에 말했거든요. 자기 부인은 까막눈이라고요. 아드낭은 일주일에 두 번씩 여기에 와 부인에게 메일을 보냈죠. 사실 아드낭도 까막눈이었어요. 늘 제가 대신 메일을 쓰고, 답장이 오면 읽어 주었죠."

"당신은 이 지역 통역관이군요."

"이런 지역에서 인터넷카페를 운영하다 보니 사람들을 대신해 메일을 써줄 일이 많더군요. 하지만 내년이면 이 카페도 사라집니다. 임대 계약이 아홉 달 남았는데, 건물 주인이 세를 올릴 게 분명하거든요. 이 지역도 변화하고 있죠. 프랑스인들이 들어오고 있어요."

"돈 많은 프랑스인들 말입니까?"

"그들은 이 지역 건물들을 사들여 부동산 가격을 올리고 있어요. 일

년 반 뒤면 이 인터넷카페 자리도 화려한 레스토랑이나 값비싼 화장품을 파는 상점으로 바뀌어 있겠죠. 이년 뒤 이곳에서 볼 수 있는 터키인이라면 웨이터뿐일 겁니다."

"당신은 어떻게 할 건데요?"

"어떡하든 살아남아야죠. 메일에 대한 답장을 쓰실 건가요?"

"예."

나는 컴퓨터 옆에 있는 메모지에 프랑스어로 적었다.

파프누크 부인께

아드낭이 남긴 물건을 찾았습니다. 어떻게 보낼까요?

카말이 내 메모를 보고 물었다.

"찾아낸 돈이 얼마죠?"

"돈인지 어떻게 알았죠?"

"걱정 말아요. 오늘밤에 손님 머리를 해머로 내려치고 돈을 훔쳐가지는 않을 테니까."

"알려줘서 고맙군요."

"큰돈인가요?"

"꽤 됩니다."

카말은 나를 빤히 쳐다보고 나서 말했다.

"손님은 참 좋은 사람이군요."

"아니, 절대로 그렇지 않아요."

이틀 뒤에 파프누크 부인에게서 답장이 왔다. 파프누크 부인은 그 '물건'을 웨스턴유니언 환전소의 앙카라 지점으로 보내달라고 했다.

'일요일에 아드낭을 면회하러 가는데 그 길에 찾겠습니다.'

카말이 그 답장을 나에게 번역해서 들려주고 나서 말했다.

"웨스턴유니언은 벨레빌 지하철역 근처에 있어요."

"곧장 그 은행으로 가야겠어요."

"그러지 말고 도대체 얼마인지 좀 알려주세요."

내가 망설이자 카말이 다시 말했다.

"알았어요. 그냥 호기심에서 물어봤어요. 몰라도 돼요."

"사천 유로."

내 말에 카말이 깜짝 놀랐다는 듯 길게 휘파람을 불었다.

"그런 돈을 찾고도 아드낭 부인에게 돌려주려는 걸 보니 손님은 돈이 아주 많은가 봐요?"

"제가 돈이 많으면 파라디스 가의 쪽방에서 살겠습니까?"

"하긴 그러네요. 그럼 손님은 바보가 틀림없군요."

나는 빙긋 웃으며 말했다.

"그래요, 정말 바보죠."

방으로 돌아가 아드낭의 가방을 꺼냈다. 돌돌 만 돈뭉치를 청바지와 가죽점퍼 주머니에 나눠 넣었다. 오후 5시, 날이 어두워지기 시작했다. 나는 얼른 거리로 나갔다. 이렇게 가다가 강도를 만나면 어쩌나? 하지만 나는 벨레빌 역까지 무사히 갈 수 있었다.

웨스턴유니언 지점의 담당직원은 내가 돌돌 만 돈뭉치를 꺼내는 동안 아무 말도 하지 않았다. 직원은 돈을 다 센 뒤, 앙카라까지 4천 유로를 송금하려면 수수료가 110유로가 드는데 수수료는 4천 유로에서 제할 것인지를 물었다.

마음속으로는 그러고 싶었지만 입에서는 다른 말이 튀어나왔다.

"아뇨, 수수료는 제가 따로 지불하죠."

나는 돈을 송금하고 나서 카말의 인터넷카페로 갔다. 파프누크 부인에게 돈을 찾을 때 필요한 송금번호를 알려 주어야 했기 때문이다. 카말은 내 메일을 번역해 보내고 나서 조니워커 병을 꺼냈다.

"자, 손님의 어리석은 행동을 위해 건배합시다."

둘이서 조니워커 한 병을 거의 다 비웠다. 정말이지 오랜만에 술에 취했고, 아주 즐거웠다. 카말은 이스탄불에서 태어났지만 30년 전, 다섯 살 때에 파리에 왔다고 했다.

"제 부모님은 합법적으로 이민을 와 법적인 문제는 없었어요. 하지만 생드니의 프랑스 학교는 정말이지 끔찍했죠. 프랑스어를 전혀 배우지 않고 파리에 왔으니까요. 다행히 반 아이들 중 절반은 저처럼 프랑스어를 모르는 아이들이었어요. 어쨌든 달리 방법이 없어 열심히 프랑스어를 배웠죠. 그 덕분에 지금은 프랑스 여권을 갖고 있어요."

"그럼 카말은 프랑스 사람이군요?"

"저 자신은 프랑스 사람이라 생각하죠. 하지만 진짜 프랑스 사람들은 저를 이민자로 대합니다. 우린 늘 이방인이죠. 파리는 런던과 달라요. 런던에서는 사람들이 모두 스스로를 이방인이라 여기며 적당히 섞여 살아가죠. 하지만 파리에서는 프랑스인은 프랑스인끼리, 북아프리카인은 북아프리카인끼리, 터키인은 터키인끼리 살죠."

카말은 개인적인 이야기를 많이 털어놓지는 않았다. 아내가 있고 아이가 둘 있다는 말을 했지만, 지나가는 말로 흘렸을 뿐이다. 내가 아이들 이름을 묻자 카말은 얼른 말을 돌렸다.

카말은 미국에서 내가 무슨 일을 했는지, 아내와 왜 헤어졌는지 물었고 나는 사실대로 이야기해 주었다.

"제자라는 그 여자 이야기를 더 들려주세요."

"그 이야기를 하자면 길어요."

"그 여자는 지금 어디 있습니까?"

"그것도 이야기가 길어요."

"말을 아끼시는군요."

"당신보다 더하겠어요?"

카말이 씩 웃었다.

"지금은 뭘 하세요?"

"소설을 쓰고 있어요."

"돈이 돼요?"

"그럴 리가?"

"그럼 생활은 어떻게 하죠?"

"아끼며 살아요. 이제 육주 뒤면 돈이 바닥나겠죠."

"그 다음에는?"

"몰라요."

"일자리를 얻길 원하세요?"

"사실 취업비자도 없어요. 미국인이 프랑스에서 일자리를 찾기란 아주 힘들죠."

"대학도 많은데 교수 자리가 있는지 알아보지 그러세요?"

그럴 수도 없었다. 그 경우 내가 10년 동안 재직한 대학교에 의뢰해 내 경력사항을 확인할 테고⋯⋯.

"그건 곤란해요."

카말이 담배를 물며 말했다.

"그렇군요. 그럼 생계를 이어가기 힘들겠군요."

"그렇다고 할 수 있죠."

"그럼……혹시 다른 일자리에 관심 있습니까?"

"아까 말했지만 지금 취업하면 불법……."

"그건 상관없습니다."

"왜요?"

"그 일 자체가 합법적이지 않으니까요."

6

'그 일'이란 아주 쉬웠다.

카말이 말했다.

"야간경비를 서는 일입니다. 사무실에 앉아 책을 읽거나 글을 쓰거나 라디오를 듣거나 텔레비전을 봐도 상관없습니다. 자정에 나와 새벽 여섯 시에 퇴근하죠."

"그럴 리가요? 뭔가 다른 일이……."

"아뇨, 정말 그 일이 전부입니다."

"어떤 회사인데요?"

"그건 알려고 하지 마세요."

"불법적인 회사입니까?"

"그것도 알려고 하지 마시라니까요."

"마약?"

"아뇨."

"총기류?"

"아뇨."

"인신매매?"

"아뇨."

"대량 살상 무기?"

"그냥 사업입니다. 하지만 무슨 사업을 하는지는 모르는 게 좋아요. 몰라야 호기심도 생기지 않을 테니까."

"경찰이 현장을 덮치면 어떡하죠?"

"그럴 일은 없습니다. 경찰은 아예 모르니까요."

"경찰이 모른다면 야간경비가 왜 필요하죠?"

"그냥 필요해요. 의심스러우면 안 해도 됩니다. 그렇지만 엿새 밤 근무에 삼백 유로면 보수도 괜찮지 않나요?"

"하룻밤에 오십 유로라고요?"

"계산이 정말 빠르시군요. 시간당 팔 유로가 조금 넘죠. 딱히 힘든 일도 없고, 그냥 앉아 있기만 하면 돼요. 어쩌다 누가 오면 인터폰을 들고 들여보내면 되는데, 누가 오는 일도 드물어요. 일이라곤 그게 전부죠."

물론 그게 '전부'일 리 없을 것이다. 정말이지 수상쩍은 일이었다. 자칫 돌이킬 수 없는 위험에 처할 수도 있었다. 잘못하면 철창신세를 지게 될 수도 있었다. 그러나 점점 '까짓것 무슨 상관이람?' 이라는 생각이 나를 사로잡았다.

'이미 모든 걸 잃었는데 더 잃을 게 뭐 있겠어.'

그렇게 생각하자 마음이 한결 편안해졌다.

'상관없어. 형편이 곤궁할 때에는 위험을 무릅쓸 수밖에.'

"하룻밤에 육십오 유로를 받게 해주신다면 일하겠습니다."

카말이 흐흐 웃었다. 내가 낚였다는 걸 알아챈 것이다.

"받아들일 줄 알았습니다."

"육십오 유로 밑으로는 안 할 겁니다."

"그건 걱정 마세요. 육십오 유로를 받게 해줄 테니까."

"어떻게 확신하죠?"

"당장 일할 사람이 필요하니까."

카말이 내 잔에 위스키를 따랐다. 이제 위스키가 목을 넘어가도 전혀 따갑지 않았다. 이미 술에 취했기 때문이다.

카말이 담배에 불을 붙이며 말했다.

"힘들다고 너무 안달하며 살지는 말아요."

"내가 안달하며 산다고요?"

"늘 안달하며 살잖아요. 오늘은 술기운을 빌려서라도 푹 주무세요. 내일 저녁 여섯 시에 다시 여기서 만나요. 그때 결과를 알려 줄 테니까."

이튿날 저녁에 인터넷카페로 갔다. 카말은 누군가와 통화하고 있다가 나에게 컴퓨터 앞으로 가 있으라고 손짓했다. 메일함에 새 메일이 들어와 있었다. 아드낭 부인이 보낸 메일이었다. 카말이 전화를 끊고 나서 번역해 주었다.

해리 릭스 씨께

오늘 아침에 돈이 도착했습니다. 많은 액수라 깜짝 놀랐습니다. 돈을 보내 주신 것에 대해 다시 한 번 감사드립니다. 정말이지, 이 돈 덕분에 저희 가족은 당분간 걱정 없이 살 수 있게 됐습니다. 해리 릭스 씨와 그 주변 모든 분들께 신의 가호가 있길 바랍니다.

　'주변 모든 분들? 내 주변에는 아무도 없어.'
카말이 말했다.
"정말 좋은 일을 하셨어요. 좋은 일에는 늘 보답이 따르죠."
"늘 그런 건 아닙니다."
"정말 냉소적이군요. 그렇지만 이번에는 정말로 보답이 따랐어요.
하룻밤에 육십오 유로를 벌게 됐으니까요. 그 조건을 관철하기가 그
리 쉽진 않았죠."
"누구한테 관철했다는 말이죠?"
"그런 일에는 상관하지 않기로 했잖습니까?"
"알았어요. 언제부터 일하면 됩니까?"
"괜찮으시다면 오늘 당장."
"좋아요."
"밤 열한 시 반까지 여기로 오세요. 일할 곳까지 제가 안내하겠습니다."
"여기서 멀어요?"
"아뇨."
"급여는 어떻게 받죠?"
"매일 오후 한 시 이후에 이 카페에 급여봉투가 있을 겁니다. 아침
여섯 시에 일이 끝나니까 푹 자고 일어난 다음에 여기로 와서 돈을 찾
아가시면 됩니다. 아, 회사에서는 일주일에 엿새만 일하면 된다고 했
는데, 혹시 하루 더 일하고 싶으면……."
"일할 수 있어요."
"좋습니다."

"노트북과 책을 가져가도 될까요?"

"물론입니다. 시간을 때우기 위한 거라면 라디오든 뭐든 다 가져가도 괜찮아요. 자리에 가만 앉아 있다 오면 되는 일이니까."

인터넷카페를 나와 라디오를 30유로에 사들고 방으로 돌아왔다. 통조림 수프를 따고, 치즈와 빵을 조금 썰고, 라디오 음악방송에서 베토벤 콘서트를 들으며 간단하게 저녁을 먹었다. 커피를 한 주전자 만들어 다 마셨다. 밤새 깨어 있어야 하니까.

다시 인터넷카페에 갔다. 노트북, 라디오, 메모패드, 펜, 조르주 심농(벨기에 출신의 소설가로, 2백 편에 가까운 소설을 남김)의 소설 《맨해튼의 방 세 개》 등을 넣은 작은 가방을 들고 왔다. 카말은 카페 문을 닫으려고 정리를 하고 있었다.

카말이 커다란 에비앙 병 두 개를 꺼내며 말했다.

"밤을 새려면 물이 필요할 거예요."

카말은 컴퓨터가 다 꺼졌는지 확인하고 나서 카페 조명을 껐다. 카말과 나는 밖으로 나갔다. 카말은 커다란 철제셔터를 내리고 자물쇠를 채웠다.

카말이 페티트제큐리 가를 내려가면서 말했다.

"여기서 그리 멀지 않아요."

페티트제큐리 가를 다 지나 포부르 프와소니에르 가로 접어들었다. 길을 건너 남성복 점포를 지났다. 나에게도 익숙한 곳이었다. 모퉁이만 돌면 내 방이었기 때문이다. 이 근처 식당에서 맛없는 샌드위치를 사먹은 적이 있었다. 그 옆 식당에서 7유로짜리 저녁을 먹은 적도 있었다. 테이블이 네 개인 이 작은 식당 뒤에 작은 문이 있는 줄은 몰랐다. 길에서 3미터쯤 쑥 들어간 곳에 작은 문이 있었다. 문까지 가는 3

미터의 골목은 아주 좁아 허리둘레가 40인치가 넘는 사람은 지나다닐 수 없을 것 같았다. 철문이었다. 문 위에는 문 앞쪽만을 비추는 작은 카메라가 달려 있었다. 문 옆에는 숫자 키패드가 달린 인터컴스피커도 있었다.

카말이 숫자 여섯 개를 누르며 말했다.

"문의 비밀번호는 163226이에요. 어디 적어 두지 말고 그대로 외워요."

"왜 적어두면 안 되죠?"

"안 되니까요. 1, 6, 3, 2, 2, 6. 알았죠?"

나는 소리 내어 번호를 말하고는 머릿속에 확실히 집어넣기 위해 한 번 더 되풀이했다.

"잘했어요."

카말은 그렇게 말하고는 문을 열었다. 알전구 하나로 불을 밝힌 복도가 나왔다. 벽은 페인트칠을 전혀 하지 않은 콘크리트였고, 바닥도 마찬가지였다. 앞에 계단이 있고, 3미터 높이에 문이 있었다. 복도 끝에는 문이 또 있었고, 그 문 너머에서 낮게 윙 하는 소리가 들려왔다.

기계 소리? 가끔 사람 목소리?

하지만 귀가 멍멍해서 소리의 정체를 제대로 알 수 없었다. 내가 소리에 집중하고 있으니까 카말이 어깨를 떠밀었다.

"계단을 올라가요."

계단 위에 있는 문도 철문이었다. 이번에는 열쇠 두 개로 문을 열었다. 문이 몹시 뻑뻑한지 카말이 어깨를 문에 대고 밀었다. 문 너머는 작은 방이었다. 처음 들어온 복도처럼 콘크리트 구조였다. 가로 세로가 3미터쯤 되는 방에는 낡은 철제책상과 의자가 놓여 있었고, 폐쇄회로 모니터가 책상 한쪽에 놓여 있었다. 모니터에는 바깥 철문의 앞쪽이 뿌옇게 비쳤다. 모니터 옆에 키패드와 스피커가 있었다.

이 방에서 연결되는 문은 두 개였다. 문 하나는 열려 있었는데, 화장실이었다. 화장실의 벽과 바닥도 콘크리트 구조물이고 어두웠다. 다른 하나는 나무문으로 빗장이 채워져 있었다. 창은 없었다. 라디에이터가 하나뿐이라 난방이 충분하지 않을 것 같았다.

"여기서 일해야 합니까?"

"싫으면 지금이라도 그만두면 돼요."

"똥통 같은 곳이군요. 춥고 어두운 똥통."

"라디에이터 온도는 더 높일 수 있어요."

"아무래도 다른 난방기구가 더 필요할 것 같은데요."

"내가 전기난로를 사오죠."

"책상에 놓을 스탠드도 필요해요."

"알았어요. 오늘 당장 일을 시작할 수 있습니까?"

"좋아요. 오늘 당장 시작하죠. 하지만 페인트와 필요한 물품들을 사려면 돈이 필요해요."

"페인트를 칠하는 건 좋은데 근무시간에만 해야 합니다."

"낮에 근무하는 사람도 있습니까? 낮에도 경비가 필요하지 않을까요?"

"그건 몰라도 됩니다."

카말이 주머니에서 두툼한 돈뭉치를 꺼내더니 나에게 350유로를 건넸다.

"그 돈이면 페인트, 붓, 난로, 스탠드 따위를 사는데 충분할 겁니다. 영수증은 반드시 저에게 주세요. 경비 처리가 까다롭거든요."

카말이 담뱃불을 붙이고 나서 말했다.

"자, 지금부터 근무 요령을 설명할게요. 이 방에 자정까지 도착하세요. 방에 들어오면 일단 안에서 자물쇠를 잠가요. 그 다음에는 책상에서 뭘 해도 상관없어요. 그 대신 모니터에서 눈만 떼지 말아요. 수상한 사람이 보이면 2를 두 번 누르세요. 그러면 다른 사람이 해결할 겁니다. 방문객은 문 앞에서 인터컴을 누를 테고, 그러면 여기 스피커로 연결됩니다. 그때 1을 두 번 누르고 '네?' 라고 한마디만 하세요. 제대로 된 방문객이면 '몽드 씨를 만나러 왔습니다.' 라고 할 겁니다. 그러면 키패드의 '열림' 단추를 누르세요. 문이 열립니다. 그 다음에는 아래층 사람들에게 방문객이 왔다고 알려야 합니다. 그럴 땐 2와 3을 눌러요."

"그럼 아래층 사람들은 뭘 하죠?"

"방문객을 반기겠죠. 누가 인터컴을 눌러놓고 '몽드 씨를 만나러 왔습니다.' 라고 말하지 않으면 즉시 2와 4를 누르세요. 불청객이 왔다는 걸 알리는 신호죠. 그 다음 일은 아래층 사람들이 알아서 처리할 거예요."

"아래층 사람들은 불청객이 올까봐 신경을 많이 쓰는군요."

"아래층 사람들에게는 절대로 신경 쓰지 마세요. 아예 관심을 두지 않는 게 좋아요."

"가령 경찰이 나타나면……."

"걱정 말아요."

카말이 화장실 옆에 있는 문의 빗장을 벗기며 말했다.

"이 문은 항상 열려 있어요. 모니터를 통해 경찰이 보이면 이 문으로 도망쳐요. 이 방의 입구 문은 안으로 잠가 두니까 도망칠 시간이 충분해요. 경찰이 이 방까지 어찌어찌해서 들어온다고 해도 이 건물을 빠져나갈 수 있어요. 이 문에서 이어진 통로는 옆 건물 지하실로 연결되죠. 옆 건물에서 나가면 마르텔 가예요. 경찰은 절대로 못 찾아요."

"미친 짓이야."

속으로 생각한 말이 엉겁결에 밖으로 튀어나왔다.

"지금이라도 하기 싫으면 안 해도 괜찮아요."

"아래층에서 하는 일이 사람을 괴롭히는 일이 아니라고 약속할 수 있어요?"

"적어도 다치는 사람은 없어요."

나는 당장 결정지어야 한다는 사실을 알고 잠깐 말을 멈췄다가 물었다.

"누군가를 직접 만나야 하는 일은 없죠?"

"자정에 왔다가 새벽 여섯 시에 나가면 돼요. 어디에 갈 필요도 없어요. 사람은 저 모니터로만 보면 돼요. 다른 사람에게 얼굴을 드러낼 일도 없어요."

"알겠습니다. 하죠."

카말이 말했다.

"좋아요."

카말은 내가 눌러야 할 갖가지 번호들을 다시 한 번 상기시키고 나서 열쇠뭉치를 건네며 덧붙였다.

"한 가지 더 당부하죠. 자정 전에는 여기에 절대로 오지 마세요. 그리고 여섯 시까지는 반드시 자리를 지켜야 해요. 모니터로 경찰을 발견한 경우를 빼고는 여섯 시 이전에는 절대로 방을 비우지 말아요."

"안 그러면 제가 호박으로 변하나요?"

"비슷한 일이 생길지도 모르죠. 알았죠?"

"알았어요."

"자, 이제 문제없죠?"

"예, 확실히 알았어요."

7

첫날은 아무 일 없이 그냥 지나갔다. 나는 노트북을 책상에 올려놓고 일하려 했지만 알전구의 누런 빛 때문에 눈이 어지러웠다.

5백 단어만 쓰자.

라디에이터 온도를 올려도 더 이상 사무실은 따뜻해지지 않았다. 에비앙 2리터를 마셨고, 소변을 예닐곱 번이나 보았다. 그나마 대변이 마렵지 않아 다행이었다. 좌변기도 아닌 변소에서 쪼그려 앉아 대변을 볼 자신이 없었다.

가져온 소설책을 읽었다. 새벽 4시쯤 졸음이 밀려와 책상에 앉은 채 깜박 잠이 들었다. 화들짝 놀라 잠에서 깨어나 모니터에서 혹시 못 보고 지나친 게 있지 않은지 살폈지만 모니터 화면은 그대로였다.

다시 소설을 읽으며 졸음과 싸웠다. 역시나 지루하긴 마찬가지여서 방을 꾸미는 데 필요한 물건들이 뭔지 메모했다. 손목시계를 여러 번 확인한 끝에 마침내 6시가 됐다.

나는 안으로 잠근 문의 자물쇠를 열고 불을 껐다. 밖으로 나가 문을 잠그고 나서 계단을 내려왔다. 계단 아래 커다란 철문 뒤쪽에서 무슨 소리가 들리지는 않는지 귀를 기울였다. 아무런 소리도 들리지 않았다. 정문을 열어보니 바깥은 아직 깜깜했다. 습한 공기가 뼛속까지 스며들었다. 여섯 시간 동안 차가운 콘크리트건물 속에 있었던 탓인지 새벽공기가 더욱 차게 느껴졌다. 밖으로 나가 문을 잠그면서도 혹시나 누군가 뒤에서 나를 망치로 내려치지 않을지 걱정하며 주위를 살폈다.

다행히 골목에는 오가는 사람이 없었다. 문을 다 잠그고 나서 재빨리 거리로 나갔다. 경찰도 없었다. 파카를 입은 덩치 큰 사람도 없었다. 나는 몽톨롱 가에 있는 작은 빵집까지 쉬지 않고 걸었다.

배가 몹시 고파 빵집에서 산 크루아상 하나를 걸어오면서 먹었다. 방에 도착해 뜨거운 물로 샤워하고 나서 티셔츠와 잠옷 바지로 갈아입고 코코아를 만들었다. 빵을 코코아에 찍어먹으니 생각보다 맛있었다. 알람을 오후 2시에 맞추고, 침대에 눕자마자 잠에 곯아떨어졌다.

오후에 잠에서 깨 새벽이 지나야 다시 잘 수 있다고 생각하니 기분이 묘했다. 인터넷카페에 가보니 내 몫의 봉투가 있었다. 돈을 못 받는 건 아닐까 걱정했는데 약속대로 65유로가 봉투에 들어 있었다.

카페에는 카말이 아닌 다른 사람이 있었다. 말이 없고 부루퉁한 표정의 20대 남자는 턱수염을 기른 얼굴에 이마에 멍 자국이 나 있었다. 메카가 있는 쪽으로 하루에 예닐곱 번씩 절을 하느라 생긴 멍 자국이었고, 회교도라는 걸 드러내는 상징이었다.

나는 남자에게 물었다.

"카말은 어디 있죠?"

"난 몰라요."

"봉투를 잘 받았고, 고마웠다고 전해주세요."

인터넷카페를 나와 페인트가게로 갔다. 흰색 페인트와 롤러, 페인트 판, 붓 등을 샀다. 당장 물건을 사무실에 옮겨놓고 싶었지만 '자정 전까지 절대 가지 마라'는 카말과의 약속을 지켜야 했다.

페인트칠 재료들을 방에 두고, 내 방의 가구를 샀던 잡화점으로 갔다. 그 가게에서 전기히터를 구입했다. 페인트칠 재료들을 사무실까지 가져가는 게 문제였다. 11시쯤 사무실이 있는 골목 입구로 갔다. 담에 쓰레기를 쌓아둔 곳이 있었다. 내가 바라던 곳이었다. 낡은 신문지들과 페인트 두 통을 들고 다시 와 신문지를 깔고 페인트를 숨겼다. 두 번 더 집과 골목을 오간 뒤에야 필요한 물건들을 다 가져다둘 수 있었다.

파라디스 가의 술집에서 맥주 한 잔을 마시며 자정이 되기를 기다렸다. 작고 지저분한 술집이었다. 포마이카 테이블, 낡은 카운터, 몸에 딱 달라붙는 청바지를 입은 터키 출신 여자 바텐더, 문신을 지나치게 많이 한 남자 종업원, 프랑스 록뮤직이 흐르는 주크박스, 술에 취해 테이블에 엎어진 세 남자들, 바 스툴을 차지한 몸집이 거대한 남자가 카페를 이루는 풍경이었다.

내가 맥주를 주문하려고 바에 다가갔을 때 바 스툴을 차지한 남자가 나를 흘깃 쳐다보았다. 오마르였다. 오마르도 나를 알아보고 욕설을 퍼부어댔다. 처음에는 영어였다.

"좆같은 미국 놈, 좆같은 미국 놈, 좆같은 미국 놈."

다음은 프랑스어였다.

"이 자식은 내가 오줌 누는 방식이 마음에 안 든대."

그런 다음 자기 여권을 꺼내 흔들어댔다.

"나는 추방 못 시킬 거다, 개새끼야."

그러고 나서 터키어로 혼자 중얼거리기 시작했다. 맥주를 다 마신 나는 오마르가 폭발하기 전에 술집을 나갈 생각이었다. 바로 그때 오마르가 바 카운터에 머리를 처박고 잠이 들었다.

여자 바텐더가 맥주 한 병을 내 앞으로 가져왔다.

"오마르가 싫어하는 걸 보니 당신은 좋은 사람이군요."

나는 고맙다고 인사하고 나서 시계를 보았다. 11시 53분. 남은 맥주를 세 번에 걸쳐 다 마시고 나서 자리에서 일어섰다.

정확히 자정에 골목으로 들어가 문을 열었다. 숨겨놓은 물건들을 세 번에 걸쳐 문 안쪽 복도에 들여놓고 문을 잠갔다. 복도 끝의 철문에서는 전날에도 들었던 윙 소리가 났다. 그 소리는 무시하고 위로 올라갔다.

사무실에 물건들을 들여놓고 문도 안에서 걸어 잠갔다. 전기히터 플러그를 꽂고, 라디오 주파수를 파리재즈 방송에 맞췄다. 페인트 통 하나를 열고 벽을 칠하기 시작했다.

그날 밤에도 별일 없었다. 사무실 벽을 두 번이나 칠했다. 내 본연의 일도 잊지 않았다. 누군가 골목에서 얼씬대지는 않는지 수시로 모니터를 확인했다. 시계는 어느새 5시 45분을 가리키고 있었다. 두 번이나 칠했는데도 아직 콘크리트의 회색빛이 보였다. 하루 정도는 더 페인트칠을 해야 할 것 같았다.

6시 정각에 사무실에서 나왔다. 아직 어두운 거리를 걸으며 크게 두 번 숨을 들이쉬고 빵집으로 향했다. 이번에도 빵을 사서 가는 길에 먹고, 방에 들어와 코코아를 만들어 한 개를 더 먹었다. 조피클론의 도움을 받아 일곱 시간 동안 잠에 빠져들었다가 알람소리에 깨어났다.

오후 2시, 새로운 하루가 시작됐다.

그날 밤, 비로소 벽을 다 칠했다. 이번에는 목재로 된 부분을 칠하기 시작했다. 여섯 시에 사무실을 나왔다. 이튿날 목재 부분의 칠도 다 마쳤다.

그날 아침 6시, 빈 페인트 깡통과 칠 도구들을 사무실에서 빼내 골목 입구의 쓰레기더미에 버렸다. 그날 오후, 일어나서 인터넷카페로 봉투를 받으러 갔다. 사흘째 계속 인터넷카페 카운터에는 카말 대신 턱수염을 기르고 이마에 멍이 든 청년이 앉아 있었다.

내가 청년에게 물었다.

"이제 카말은 안 나오는 건가요?"

"카말은 멀리 떠났어요."

"나한테는 그런 말이 없었는데……."

"집안 문제라던데요."

"혹시 전화번호 알아요?"

"왜 카말을 찾죠?"

"우린 서로 친했으니까. 카말한테 무슨 일이 있으면……."

"내게는 카말의 전화번호가 없어요."

더 이상 질문하지 말라는 뜻이 담긴 단호한 목소리였다. 내 시급봉투를 집어든 나는 아무 말도 하지 않았다. 하지만 곧 다른 말을 꺼냈다.

"사무실에 필요한 게 더 있어요. 윗사람한테 전해줘요."

"뭔지 말해 봐요."

"소형 냉장고와 전기 주전자가 있어야겠어요. 커피나 뜨거운 물 없이는 밤을 새면서 일하기가 힘들어요. 바닥 깔개도 필요해요. 콘크리트 바닥에서 한기가 올라와……."

"그렇게 전하죠."

청년이 내 말을 끊고, 바닥을 걸레로 닦기 시작했다. 대화 끝.

그날 밤 사무실에는 냉장고가 기다리고 있었다. 낡긴 했지만 작동은 잘 되는 편이었다. 냉장고 위에는 새로운 전기주전자도 놓여 있었다. 물을 채우고 얼마 안 있어 금세 팔팔 끓었다. 정작 커피나 차가 없다는 게 문제였지만 적어도 내 요구사항을 잘 들어준다는 게 확인되었다. 바닥 깔개는 아직 없었지만……

일을 시작하고 나서 첫 번째 방문객이 나타났다. 1시 48분에 책상 위 인터컴에서 벨소리가 울렸다. 나는 깜짝 놀라 읽고 있던 소설에서 눈을 떼고 모니터를 주시했다. 흐릿한 모니터 영상 때문에 얼굴을 알아볼 수는 없었지만 한 남자가 서 있었다.

나는 일순 바짝 긴장해 수화기를 들고 말했다.

"네?"

조금 혀짤배기소리였고, 프랑스어를 모국어로 쓰는 사람이 아니라는 게 분명했다.

"몽드 씨를 만나러 왔는데요."

나는 1을 두 번 눌렀다. 아래쪽에서 철컥 문이 열리는 소리가 들려왔다. 곧 문이 닫히는 소리가 이어졌다. 나는 2를 두 번 눌러 방문객이 왔다는 걸 내 '동료들'에게 알렸다. 아래층 복도에서 발소리가 들렸다. 노크소리, 문이 열렸다가 닫히는 소리 그 다음에는 아무런 소리도 나지 않았다. 계속 모니터를 주시했지만 더 이상의 방문객은 없었다.

나는 근무시간이 끝나자마자 집으로 돌아왔다.

며칠 뒤, 사무실에 바닥 깔개가 구비됐다. 나는 노트북을 가져와 소설을 썼다. 달리 할 일도 없어 소설 쓰기에 매진했다. 벨을 누르는 사람도, 건물 안으로 들어오려는 사람도 없이 며칠이 흘러갔다. 그러다가 어느 날 밤 네 명이 각기 찾아와 몽드 씨를 찾았다. 나는 1을 눌렀고, 문이 열리고 닫혔다. 발소리가 나고 다른 문이 열리고 닫혔다. 그리고 아무 일도 없었다.

한 달이 또 지나갔다. 2월이 지나고 3월이 되면서 해가 길어졌다. 날씨는 아직 추웠지만 햇빛은 좀 더 화사해졌다. 평소라면 '5주 동안 일하면서 하루도 쉬지 않았어' 라는 생각이 머리를 떠나지 않았겠지만 나는 자동 조종 장치로 움직이는 기계가 된 느낌이었다. 일하고, 자고, 급여봉투를 받고, 영화를 보고, 다시 일하고……. 쉬는 날이 있으면 그 흐름이 깨질 것 같았다. 흐름이 깨지면 여러 가지 일들을 생각하게 되겠지. 내 상황을 생각하게 되면…….

나는 아무런 변화도 없는 하루하루의 흐름에 내 몸을 맡겼다.

어느 날, 영화를 보고 나서 파라디스 가의 술집에서 맥주를 마시다가 누군가 두고 간 신문을 집어 들고 읽기 시작했다. 사회면 오른쪽 아래 구석에 '실종 남성 사체로 발견' 이라는 기사가 보였다. 카말 파텔이라는 사람이었고, 사진도 있었다. 사진은 흐릿했지만 인터넷카페에서 나에게 일자리를 소개해준 바로 그 카말이 분명했다. 기사 내용은 간단했다.

어젯밤 카말 파텔(35)의 시체가 페리페리크 근처 쓰레기통에서 발견되었다. 경찰은 시체가 심하게 부패돼 치아 기록으로 신원을 확인했다. 사망 원인과 정확한 사망 시간은 부검이 끝나봐야 알 수 있다고 했다. 미망인 칼라 파텔 씨는 남편이 친척집 방문 차 터키로 여행을 떠난 것으로 알았다. 1972년 터키에서 태어난 카말 파텔은 1977년부터 프랑스에서 살았으며, 파라디스 가에 있는 인터넷카페에서 일하며…….

나는 남은 맥주를 한 번에 다 마셨다. 신문을 움켜쥐고 인터넷카페로 갔다. 턱수염 청년이 카운터 뒤에 있었다. 청년 앞에 신문을 내던지며 물었다.

"신문기사 봤어요?"

청년은 표정 하나 변하지 않고 말했다.

"봤는데, 왜요?"

"안 놀랐어요?"

"오늘 아침, 처음 기사를 봤을 때는 조금 놀랐죠."

"조금? 카말이 죽었어요."

"나도 카말 부인처럼 그가 터키에 간 줄 알았어요. 그런데……."

"배후에 누가 있죠?"

"난 아무것도 몰라요. 카말은 내 직장동료일 뿐이에요. 개인적으로 그리 가까운 사이도 아니었어요."

"카말과 사이가 안 좋은 사람도 있었나요?"

"무슨 대답을 듣길 원하죠? 나는 몰라요. 나는 개인적으로는 카말을 잘 몰라요."

거짓말이 분명했다. 청년은 내 눈을 계속 회피했다.

"장례식이 열릴까요?"

"터키에서 열리겠죠."

"당신은 그걸 어떻게 알죠?"

청년은 자신이 내 함정에 걸려들었다는 걸 깨닫고 움찔했다.

"그냥 그렇지 않을까 짐작했을 뿐이에요. 이제 문 닫을 시간입니다."

청년이 얼른 자리에서 일어섰다.

"메일을 확인하고 싶어요."

"안 됩니다."

"오 분이면 돼요."

"그럼 얼른 확인하세요."

내 메일함을 열었다. 동료 교수 더그 스탠리가 보낸 메일이 와 있었다.

해리에게

벌써 자네를 못 본 지 꽤 오랜 시간이 흘렀네.

이곳 상황을 말해주지. 이제 자네에 대한 소문은 잠잠해졌네. 수잔과 가드너 롭슨은 공공연히 함께 다니고 있어. 수잔은 자네 문제 때문에 정신적으로 많이 힘들 때 가드너 롭슨이 위로를 해주었다고 말하고 다니지. 하지만 그 일이 터지기 훨씬 전부터 두 사람이 가까운 사이였다는 건 공공연한 비밀이었다네. 자네만 그 사실을 모르고 있었던 셈이야. 자네에게 귀띔했어야 하는데 내 불찰이었네. 내가 그 사실을 자네에게 미리 알렸다면 일이 이 지경까지 되진 않았을 텐데…….

가드너 롭슨은 자네가 파리에서 밑바닥 생활을 한다는 소문을 퍼뜨리고 다닌다네. 더 나쁜 건 메건이 자네의 형편을 말해줬다고 떠벌리고 다니는 거야. 자네가 메건에게 신세를 한탄하는 메일을 보내면서 은근히 수잔에 대한 비난을 퍼붓고 있다는 것이지.

이런 일에 메건을 이용하다니……. 정말이지 롭슨을 한 대 갈겨주고 싶어. 하지만 롭슨은 학장이잖은가? 권력을 쥐고 있으니 나로서는 어쩔 수 없는 일이네.

자네에게 이런 사실을 알리는 게 과연 옳은 일인지 생각해봤어. 이제 인생의 서막이 끝났다고 생각하게. 롭슨의 말처럼 자네가 파리에서 힘들게 살고 있더라도 분명 다시 좋아지리라 생각하네. 자네는 반드시 상황을 좋게 만들 수 있는 사람이니까. 아, 그리고 이 오하이오주에도 좋은 소식이 하나 있어. 롭슨이 대학 차원에서는 자네를 고소하지 않겠다고 했네. 그 개자식이 자네를 계속 괴롭혀도 소용없다는 걸 깨달은 것이겠지.

메건을 만나지 못하는 것이 자네에게는 가장 참기 힘든 일일 거라 생각하네. 지금은 어떤지 몰라도 메건 역시 자네를 이해하게 될 걸세. 다만 시간이 좀 걸리겠지.

마지막으로 자네가 부담 없이 들었으면 좋겠는데, 필요하다면 내가 일천 달러를 보내겠네. 생각 같아서는 더 많이 보내고 싶지만 자네도 알다시피 교수 월급이 워낙 박봉이라……. 자네가 노숙자가 되는 건 싫으니까 돈이 필요하면 언제든지 말하게.

부디 잘살기를.

더그 스탠리

추신 : 내가 추천한 호텔에 묵었는가? 별일 없이 잘 지냈으면 좋겠네. 다른 사람 몇몇에게도 그 호텔을 추천했는데 프런트직원한테 당했다더군.

'메건 역시 자네를 이해하게 될 걸세.'라고?

수잔과 롭슨이 메건 앞에서 나를 지속적으로 모함하는 한 내 딸이 나를 이해하기란 어려울 것이다.

'롭슨이 나쁜 소문을 퍼뜨리고 다닌다고?'

이제 사람들이 나를 어떻게 생각하든 상관없었다.

'답장' 단추를 누르고 답신을 적었다.

메일은 잘 읽었네. 자네 말이 맞아. 이제 내 인생의 서막은 끝났네. 그 대학에 다시는 돌아갈 일도 없으니 내 소문이 어떻게 나든 상관없어. 롭슨이 더 이상 법적 조치를 취하지 않기로 결정한 건 그나마 다행스러운 일이야. 메건과 다시 연락하기 위해 많이 애를 쓴 건 사실이라네. 메건과 다시 연락하게 됐을 때 내가 얼마나 기뻤는지……. 하지만 메건이 메일을 쓰다 수잔한테 들켰지. 그 다음은 말 안 해도 알걸세.

파리 생활이 그리 형편없진 않다네. 물론 낭만적인 생활과는 거리가 멀지. 나는 파리10구에 위치한 낡은 건물의 작은 방에 살고 있어. 불법 취업도 했지. 야간경비 일이라네. 밤새 경비를 보며 글을 쓸 수 있어 좋은 직업이지.

돈을 보내주겠다는 자네 말에 얼마나 감동했는지 몰라. 새삼 자네야말로 진정한 친구라는 걸 알았네. 하지만 내 사정이 아직은 자네의 도움을 받아야 할 만큼 절박하지는 않아. 어쨌든 아직은 물위에 떠서 숨을 쉬고 있으니까.

아, 나도 그 호텔에서 며칠 묵었다네. 자네 친구들 말이 맞아. 프런트직원은 정말 괴물이었어.

또 연락하세.

그 메일을 보내고 나서 《뉴욕타임스》 웹사이트를 열고 신문기사를

보고 있자니 새 메시지가 도착했다는 알림이 떴다. 더그 스탠리의 답
장이었다.

해리에게

그곳 상황이 절망적이진 않다는 말이 무엇보다 반가웠네. 강의시간
이 다 됐지만 자네에게 얼른 답장을 보내지 않을 수 없군. 파리생활에
유용한 정보를 한 가지 전해주겠네. 사람들을 만나고 싶거나 일요일
밤을 쓸쓸히 혼자 보내기 싫으면 살롱을 찾아가 보게. 질 하인스가 14
구 작업실에서 여는 살롱이 좋아. 하지만 더 특별한 경험을 원한다면
로레인 허버트를 찾아가게. 로레인은 루이지애나 출신인데 1970년대
초에 파리에 가서 일요일 밤마다 살롱을 열고 있지. 판테온 근처의 큰
아파트에서 살롱을 연다네. 로레인은 따로 누군가를 초대하지는 않
아. 그러니까 아래 전화번호로 전화해 살롱에 가겠다고 말하기만 하
면 되네. 로레인이 자기 살롱을 어떻게 알았느냐고 물으면 나에게 소
개를 받았다고 말하게.

계속 연락하길 바라네.

더그 스탠리

턱수염 청년이 저쪽에서 말했다.

"이제 문 닫을 시간이에요. 어서 나가요."

나는 로레인 허버트의 전화번호를 쪽지에 적어 주머니에 집어넣었
다. 하지만 아무리 외로워도, 파리6구 고급아파트에 잘난 사람들이 모
여 자신이 얼마나 잘났는지 떠들어대는 자리에는 끼고 싶지 않았다.

하지만 더그 스탠리가 나를 생각해 알려준 전화번호니까 예의상으로라도 적어두지 않을 수 없었다.

턱수염 청년이 또 헛기침을 했다.

"알았어요. 곧 나갈 거요."

나가는 내 뒤통수에 대고 턱수염이 말했다.

"카말은 어리석었어요."

"왜 그렇게 생각하죠?"

"죽었으니까요."

그 말이 내 머릿속에 박혀 떠나지 않았다. 이후 며칠 동안 신문을 살피며 카말 사건과 관련한 소식이 없는지 찾아보았다. 전혀 없었다. 나는 턱수염에게 카말 소식을 들은 게 없는지 물었다. 턱수염은 카말 사건이 자살로 처리된 것 같다고 했다.

"그건 어디서 들었어요?"

"떠도는 소문이죠."

"어디에서 그런 소문이 떠돌죠?"

"그냥 떠돌아요."

"어떻게 자살했답니까?"

"칼로 목을 그었대요."

"나보고 그 말을 믿으라고요?"

"나도 들은 이야기니까 믿지 않아도 상관없어요."

"길을 가다가 칼로 자기 목을 긋고 자기 자신의 몸을 쓰레기통에 던져 넣을 수 있는 사람이 있을까요?"

"난 그냥 들은 대로 말한 것뿐이에요."

"누구한테 들었는데요?"

"그게 그리 중요해요?"

턱수염은 가게 뒤쪽으로 사라졌다. 왜 그때 거기서 달아나지 않았을까? 내 방으로 가서 얼른 짐을 싸들고 다른 곳으로 가 몸을 숨기지 않았을까?

그러나 그 다음에는? 그 다음에는?

파라디스 가의 작은 술집에 앉아 나는 계속 '그 다음에는?'이라는 질문을 머릿속으로 되뇌었다. 그 와중에 나도 모르게 여자 바텐더의 엉덩이 곡선, 브이넥 티셔츠 사이로 드러난 가슴골을 힐끔거렸다. 수잔에게 쫓겨난 후 처음으로 섹스를 하고 싶은 충동을 느꼈다. 요즘은 내가 곤경에 처해 있다 보니 어떤 여자와도 친밀한 관계를 맺을 수 없었다.

맥주를 마시자 부쩍 더 성욕이 일었다. 여자 바텐더도 내 눈길을 의식하고 미소를 지었다.

'저 미소는 내가 좋다는 뜻인가?'

내 맘대로 그렇게 믿고 싶었다. 카말의 죽음도 자살이라 믿고 싶었다.

'자, 이제 자정이 다 됐으니 일하러 가볼까.'

그날 밤, 수첩을 펼치자 쪽지가 떨어졌다. 로레인 허버트의 전화번호가 적힌 쪽지. 나는 그 번호를 뚫어져라 쳐다보았다.

'내가 잃을 게 뭐가 있어? 그냥 파티일 뿐이잖아.'

이튿날 오후, 그 번호로 전화하자 어떤 남자가 받았다.

"파티가 아니라 살롱입니다."

전화 목소리만으로도 잘난 체하는 태도가 느껴졌다.

"이번 주에도 살롱을 엽니까?"

"매주 거르지 않죠."

"저도 참석해도 될까요?"

"글쎄요. 조건이 까다롭긴 한데……. 성함이?"

나는 이름을 말했다.

"어디서 오시는지……."

"지금은 파리에 있지만 원래 미국 오하이오 주 출신입니다."

"오하이오 주에도 사람이 사나요?"

"글쎄, 제가 거기 있을 때만 해도 사람이 살더군요."

"하시는 일은?"

"소설가입니다."

"작품이……."

"아직 출간 예정입니다."

한숨소리가 들려왔다. 수화기 너머 남자가 '작가 지망생은 이제 그만'이라고 말하는 듯했다.

"입장료로 이십 유로를 받습니다. 봉투에 성함을 적고 그 안에 입장료를 넣어주세요. 문 번호를 알려드릴 테니 메모하세요. 살롱이 여는 날에는 다섯 시 이후로는 전화를 받지 않습니다. 지금 문 번호를 잘못 적어놓으면 입장하지 못합니다. 그리고 다른 사람은 데려오실 수 없습니다."

"혼자 갈 겁니다."

"아, 그리고 금연입니다. 허버트 부인은 담배를 싫어하죠. 일곱 시에서 일곱 시 반 사이에 오시면 됩니다. 옷차림은 알아서 하시면 되고, 궁금하신 게 더 있습니까?"

"주소를 알려 주세요."

나는 주소를 받아 적었다.

"돋보일 수 있도록 준비를 잘 갖추세요. 돋보여야……."

"저는 돋보이는 사람입니다."

전화선 너머 남자가 사악하게 웃으며 말했다.

"그날 보면 알 수 있겠죠."

8

　　판테온 근처의 엄청나게 큰 아파트라는 말이 실감났다. 나는 일요일 저녁에 생미셸 거리에서 뤽상부르공원 쪽으로 걸어갔다. 물론 신경 써서 옷을 입었다. 검정셔츠, 검정바지, 검정 가죽재킷 차림이었다. 전날 중고 옷을 파는 상점에서 산 것들. 추운 밤이었다. 가죽재킷은 찬바람을 막지 못했다. 7시가 되려면 아직 15분이나 남아 있었다. 근처 카페에서 위스키를 주문했다. 위스키와 함께 온 계산서를 보니 11유로였다.

　　위스키 한 잔에 11유로라? 파리6구답군.

　　위스키를 마시며 카페에서 시간을 보낼 수도 있었지만 7시 30분까지 살롱에 입장해야 했다. 위스키를 마저 마시고, 테이블에 11유로를 내려놓고 카페를 나왔다. 그 돈이면 내 하루 식비가 해결된다는 생각은 접어두기로 했다.

주소는 수플로 가 19번지였다. 화려한 동네로 알려진 19번지의 크고 웅장한 6층 건물. 위치상으로나 고급스런 로비로 보아 아주 고가의 아파트일 거라는 생각이 들었다. 다시 말해 로레인 허버트의 아파트에 들어서기 전부터 내 자신이 몹시 초라하게 생각되었다.

정문에 키패드가 있었다. 전화로 들은 번호를 눌렀다. 문이 열렸고, 안으로 들어가니 인터폰이 있었다. 인터폰의 여러 버튼 중 '로레인 허버트'라 적힌 버튼을 눌렀다. 나와 통화했던 남자가 인터폰을 받았다.

"성함을 말씀하세요."

내 이름을 말했다.

"잠시만 기다리세요.……사층 왼쪽입니다."

엘리베이터를 탔다. 4층에 닿기 전부터 시끌벅적한 소리가 들려왔다. 엘리베이터가 열리고 왼쪽으로 갔다. 초인종을 누르자 문이 열렸다. 검정 바지와 검정 터틀넥을 입은 키 작은 남자가 서 있었다. 남자는 스테인리스스틸 메모판과 고급 펜을 들고 있었다.

"해리 릭스 씨입니까?"

나는 고개를 끄덕였다.

"저는 허버트 부인의 비서 헨리 몽고메리입니다. 봉투를 주시겠습니까?"

헨리 몽고메리는 봉투에 적힌 내 이름을 확인하고 나서 말했다.

"코트는 왼쪽 첫 번째 방에 보관하십시오. 음식은 주방에 마련되어 있습니다. 코트를 맡기신 다음 다시 여기로 오세요. 제가 허버트 부인께 손님을 소개해야 하니까요."

몽고메리가 가리킨 복도로 갔다. 높은 천장에 벽은 흰색이었다. 벽면 대부분을 큰 추상화가 차지하고 있었다. 클라인과 로스코 작품의 모작이었다.

옷걸이에 재킷을 걸고 있을 때 뒤에서 목소리가 들려왔다.

"해리 릭스 씨, 부인께서 기다리십니다."

몽고메리가 따라오라고 손짓했다. 복도를 지나 왼쪽으로 돌자 커다란 응접실이 나왔다. 이 아파트의 다른 곳과 마찬가지로 흰 벽에 높은 천장이었고, 질 낮은 그림이 걸려 있었다.

홀은 사람들이 입고 있는 옷 때문에 온통 검정색으로 보였다. 그나마 나도 검정색 옷을 입어 다행이었다. 허버트 부인의 누드화를 보고 있는데, 몽고메리가 내 어깨에 손을 얹더니 내 몸을 돌렸다. 눈앞에 덩치 큰 여자가 서 있었다. 180센티미터가 넘어 보이는 키에 100킬로그램이 넘을 것 같은 몸무게의 소유자. 여자의 얼굴은 가부키 분장을 한 사람처럼 전체가 하얗고 입술만 빨갰다. 목에는 별자리 상징의 금목걸이를 걸고 있었고, 열손가락 모두에 반지를 끼고 있었다. 반지 모양도 모두 독특했다. 백발을 길게 땋아 등 뒤로 늘어뜨렸으며 카프탄 차림에 샴페인 잔을 들고 있었다.

몽고메리가 내 어깨에 손을 얹은 채 허버트 부인 쪽으로 몸을 기울여 귓속말을 했다. 그러자 허버트 부인이 갑자기 생기 넘치는 표정을 지었다.

"아, 안녕하세요, 해리."

"안녕하세요, 허버트 부인······."

"앞으로는 그냥 로레인이라 불러주세요. 글을 쓰신다고요?"

"예, 소설을 씁니다."

"혹시 제가 읽어 본 작품이 있을까요?"

"아직 출간된 소설은 없습니다."

"아, 걱정 말아요. 인생은 길잖아요."

허버트 부인은 응접실을 얼른 둘러보고 나서 검정 코듀로이 재킷, 검정바지, 검정티셔츠 차림의 40대 초반 남자에게 큰 목소리로 말했다.

"체트, 소개시켜주고 싶은 분이 있어요."

체트가 나를 살피며 다가왔다.

"해리, 체트와 인사해요. 체트도 미국인이죠. 체트는 소르본대학 교수고, 해리는 글을 쓴다고 하네요."

부인은 그 말을 남기고 자리를 떠났다. 체트는 낯선 사람과 즐겨 대화를 나누는 타입이 아니었다. 우리 둘 사이에는 금세 어색한 기운이 감돌았다.

내가 먼저 물었다.

"뭘 가르치십니까?"

"언어분석."

아주 간단한 대답이었다. 내가 다시 물었다.

"프랑스어로요?"

"네, 프랑스어로."

"대단하십니다."

"그런가요? 어떤 글을 쓰십니까?"

"소설을 쓰려고……."

"그렇군요."

체트는 나와 대화하는 중에도 눈으로는 다른 곳을 열심히 살피고 있었다.

"지금 초고 작업 중인데……."

"멋지네요. 만나서 즐거웠습니다."

체트는 그 말을 끝으로 사라졌다.

나는 바보가 된 느낌에 그 자리에 가만히 서 있었다.

주위를 둘러보았다. 모두들 대화에 열중하고 있었다. 생기 넘치고 편안한 모습이었다. 나만이 예외였다. 술을 마실 생각으로 주방에 갔다. 화이트와 레드, 두 가지 와인이 테이블에 놓여 있었다. 그저 그런 와인이었다. 먹을 것이라고는 라자니아와 바게트 빵이 전부였다.

허버트 부인은 입장료를 20유로나 받으면서 음식 준비에는 돈을 쓰지 않은 듯했다. 음식을 모두 차리는 데 기껏해야 4백 유로쯤 들었을까. 도우미 여자 두 명의 급료로 1백 유로를 더 쓴다 해도, 한 번 살롱을 여는 데 쓰이는 경비는 고작 5백 유로면 충분할 것이다. 그날 모인 사람만 해도 1백 명이 족히 넘었다. 그 사람들이 다 입장료를 냈다면 허버트 부인은 오늘밤 1,500유로를 번다는 계산이 나왔다. 한 해에 마흔 번 살롱을 연다고 치면 6만 유로를 버는 셈이었다.

이 살롱에 빠지지 않고 단골로 오는 사람이 많다는 걸 금세 알 수 있었다. 체트도 그런 사람으로 보였다. 클로드라는 남자 역시 단골로 보였다. 클로드는 호리호리한 몸에 검정 슈트를 입고 안경을 꼈는데, 키가 작고 표정이 어두웠다. 마치 장 피에르 멜빌 감독이 1950년대에 만들었던 갱스터 영화의 악당 같았다.

클로드가 영어로 나에게 물었다.

"무슨 일을 하십니까?"

"프랑스어도 할 줄 압니다."

"아, 하지만 로레인은 살롱에서 영어를 쓰는 걸 더 좋아하죠."

"하지만 여기는 파리잖아요."

"아뇨, 여기는 허버트 부인의 파리죠. 허버트 부인의 파리에서는 영어를 써야 합니다."

"저를 놀리시는 거죠?"

"허버트 부인은 프랑스어를 잘 모르거든요. 레스토랑에서 음식 주문을 하는 정도죠."

"파리에서 오래 살았다고 들었는데……."

"삼십 년을 살았죠."

"그런데 프랑스어를 몰라요? 말도 안 돼."

"파리에는 프랑스어를 못하는 사람이 의외로 많습니다. 파리는 포용력이 큰 도시니까."

"백인한테만 포용력이 크죠."

클로드는 나를 미친 사람 보듯 쳐다보았다.

"백인이면서 왜 그런 말씀을 하시죠? 이 살롱은……사상의 원천이죠."

나는 클로드에게 물었다.

"어떤 사상을 추구하는데요?"

"저야 뭐 딱히 추구하는 사상은 없습니다. 저는 프랑스어 개인 강습을 하죠. 강습비도 비싸지 않게 받아요. 제가 아파트로 찾아가서 프랑스어 강습을 해드릴 수도 있습니다. 프랑스어 실력을 키우고 싶으시다면……."

클로드가 명함을 내밀었다.

"여기 와서 영어로 말하면 되는데 프랑스어 실력을 키울 필요가 있습니까?"

클로드는 피식 웃었지만 어색한 웃음이었다.

"무슨 일을 하십니까?"

"소설을 쓰고 있습니다."

클로드가 앞쪽 사람들을 가리키며 말했다.

"여기 있는 사람들은 대개 글을 씁니다. 다들 지금 쓰고 있는 책 이 야기를 하는데……."

클로드는 그렇게 말하고는 사라졌다.

클로드의 말은 거짓이 아니었다. 나 역시 작가 지망생을 네 명이나 만났으니까. 그 중 한 명은 우리 모두가 '잃어버린 세대'라는 둥, 부시 행정부 시대의 억눌린 정치의 산물이라는 둥 어디서나 들을 수 있는 헛소리를 늘어놓았다.

나는 무뚝뚝하게 "예, 우리는 잃어버린 세대죠."라고 대답할 수밖에 없었다.

그러자 그 남자가 물었다.

"지금 저를 놀리시는 겁니까?"

"왜 그렇게 생각하십니까?"

내 말에 남자는 인상을 쓰고는 다른 곳으로 가버렸다.

나는 술을 퍼마시기 시작했다. 맛없는 레드와인이었지만 세 잔을 연거푸 마셨다. 그나마 술김에 사람들과 섞일 용기가 생겼다. 나는 애완동물이 겁먹을 정도로 생기지만 않았다면 어떤 여자에게라도 수작을 걸어보기로 마음먹었다.

나는 곧 재키와 이야기를 나누기 시작했다. 재키는 새크라멘토에서 온 이혼녀였다.

"이혼이 제 인생의 오점이긴 하지만 위자료로 목장을 얻었어요. 새 크라멘토에서 작은 홍보회사를 운영하는데, 주 정부 일을 맡아서 하고 있어요. 살롱은 여행 안내서를 보고 찾아왔죠. 일요일 밤마다 파리 예술가들이 모이는 곳이라더군요. 아, 글을 쓰신다고요? 출판사는 어디? 아, 그렇군요."

그 다음은 《로이터통신》에서 경제부 기자로 일하는 앨리슨과 대화를 나눴다. 덩치가 큰 영국여자. 앨리슨은 기자 일은 마음에 들지 않지만 파리는 좋아한다고 했다. 매주마다 이 살롱에 오고, 아직 자신이 찾고 있는 '특별한 친구'를 만나지 못해 외롭다고 했다.

"내가 너무 독점욕이 강한 게 문제죠."

"진심으로 그렇게 생각하십니까?"

"마지막으로 만난 애인이 그렇게 말했는데, 그 말이 아직 머릿속에서 떠나지 않네요."

"그 말이 옳다고 생각하십니까?"

"그 사람 부인은 그렇게 생각하겠죠. 그 사람은 부인과 이혼하고 나와 결혼하겠다고 했는데 결국 약속을 지키지 않았죠. 헤어질 무렵, 그 사람의 아파트 앞에서 주말 내내 기다렸지만 끝내 집 밖으로 나오지 않았어요. 그래서 그 사람의 메르세데스벤츠 차창을 벽돌로 박살냈죠."

"좀 지나쳤네요."

"내 말을 들은 남자들은 다 그렇게 말하더군요. 남자들이란 그 사람처럼 다 비겁하니까. 남자들은 죄다 쓰레기죠."

나는 그녀에게서 멀어지며 말했다.

"만나서 반가웠습니다."

"그래, 달아나. 페니스 달린 비겁한 놈들. 너도 똑같아."

나는 주방으로 가서 응접실에서 이야기를 나누는 사람들을 둘러보았다. 모두들 자기를 내세우지 못해 안달하는 모습이었다. 나는 더 이상 그 자리에 있기 싫었다. 속물스러웠기 때문이 아니라 나 자신의 부끄러운 모습이 들여다보였기 때문이다. 신선한 공기가 필요했다.

나는 응접실을 지나 발코니로 갔다.

맑고 차가운 밤이었다. 별은 없지만 보름달이 발코니를 비추고 있었다. 발코니는 좁고 길었다. 발코니 한쪽 끝에 서서 심호흡을 몇 번 했다.

시계를 보았다. 아직 9시였다. 여기에서 5분 거리에 영화관이 몇 군데 있으니 9시 30분에 시작하는 영화를 볼까?

영화가 끝나면 11시 30분 정도 될 테니까 자정까지 사무실에 가기 힘들 것이다.

"이런 곳에서 시간을 보내기에는 너무 아깝다고 생각하죠?"

분명 여자 목소리였다. 발코니 저쪽 끝에서 들려온 낮고 허스키한 목소리. 여자는 어둠 속에 가려져 윤곽밖에 보이지 않았다. 붉은 담배 불빛만이 어둠을 뚫고 선명하게 보였다.

"내 생각을 모르시잖아요?"

"그래요. 그냥 넘겨짚어 봤어요. 저녁 내내 불편해 보이던데요. 살롱이 맘에 안 들죠?"

"저녁 내내 나를 지켜봤어요?"

"그냥 가끔씩 보았을 뿐이에요. 여자를 꼬드기려 애쓰다가 실패해 발코니로 나와 심호흡을 하며……."

"뛰어난 심리분석이네요. 그럼 이만 실례하겠습니다."

내가 안으로 들어가려 할 때 여자가 말했다.

"조금 놀렸다고 쌀쌀맞게 돌아서는 거예요? 늘 그래요?"

나는 다시 몸을 돌렸다. 여자의 모습은 여전히 윤곽만 보였다.

"처음 보는 사람을 놀리는 것도 이상한 일 아닌가요?"

"그냥 지나가는 말로 몇 마디 했을 뿐인데 아주 심각하게 반응하네요."

"이런 장난을 그다지 좋아하지 않아서……."

"장난? 누가 지금 장난을 친다는 거죠?"

"당신이."

"사실 난 그쪽을 꼬드기는 중인데……."

"평소에도 이런 식으로 남자를 꼬드깁니까?"

"그럼 어떻게 해야 제대로 꼬드기는 거죠? 앨리슨처럼 할까요? 그 미친 여자처럼?"

"미친 여자?"

"설마 그 여자한테 그렇게 심한 말을 듣고도 감싸주려는 건 아니죠?"

"앨리슨이 나를 지칭해 심한 말을 하지는 않았어요."

"'페니스 달린 비겁한 놈들, 너도 똑같아.' 가 심한 말이 아니라면……."

"그 말을 어떻게 다 기억하죠?"

"그때 나도 가까이 있었으니까."

"나는 못 봤는데……."

"그 사이코한테 푹 빠져 내 존재가 눈에 안 들어왔겠죠."

"우리 대화를 다 엿들었군요?"

"다 들었어요."

"엿듣는 건 예의가 아니라고 배우지 않았나요?"

"네."

내가 말했다.

"미안해요."

"뭐가요?"

"내가 바보 같은 소리를 했어요."

"늘 그렇게 자책하세요?"

"그런 것 같군요."

"엄청나게 힘든 일을 겪었죠? 그 뒤로 줄곧 자기 자신을 의심하게 됐죠?"

정적. 나는 아랫입술을 꽉 깨물었다.

'내가 그렇게 속이 다 들여다보이는 사람이었나?'

"미안해요. 내 말이 심했어요. 못 들은 걸로 해주세요."

"사실은 정확하게 맞는 말이었어요."

담뱃불이 밝게 타오르더니 발코니 아래로 맴을 돌며 떨어졌다. 담배를 던진 여자가 어둠 속에서 나왔다. 달빛을 받은 여자의 자취가 드러났다. 나이는 중년쯤 돼 보였지만 아직 젊음을 유지하고 있었다. 풍성한 갈색머리는 어깨 길이로 잘 다듬어져 있었고, 중간키에 허리는 날씬했고, 허벅지는 풍만했다. 달빛이 여자의 얼굴을 비추자 목에 난 긴 흉터가 보였다. 수술 자국 같았다. 20년 전만 해도 남자깨나 따랐을 미모였다. 나이는 들었지만 피부는 여전히 매끈했고, 눈가에만 살짝 주름이 잡혀 있었다.

"많이 취한 것 같아요."

"당신은 사람의 마음을 꿰뚫어 보는 심령술사 같아요."

"술 취한 사람을 다른 사람보다 잘 알아보는 것뿐이에요."

"많이 취했다고 자백하지 않을 수 없군요."

"술 마신 게 죄는 아니죠. 나는 술을 잘 마시는 남자가 좋아요. 아픈 과거를 지우려고 술을 마시는 남자는 더욱 좋고."

"술을 마신다고 아픈 과거가 지워지나요?"

"세상을 비관적으로 보시는군요."

"아니, 나 자신을 비관적으로 보죠."

"당신 자신을 싫어하는군요."

"당신이 뭔데……."

여자는 장난치는 게 재미있다는 듯 눈을 반짝이며 웃었다. 그 웃는 모습을 보는 순간 갑자기 그 여자와 자고 싶었다.

"내가 뭐냐고 물었죠? 나로 말할 것 같으면 파리6구 아파트 발코니에 서 있는 여자, 인생의 길을 잃고 헤매는 어느 미국인과 이야기를 나누고 있는 여자죠."

여자는 담배 한 개비를 입에 물었다.

"이번에는 내가 당신에 대해 말해 볼까요? 소르본대학교 기호학 교수죠? 미국인의 문화에 대해 논문을 쓴 적이 있고……."

"아뇨. 당신이야말로 논문을 써 학위를 받은 교수였을 거예요."

"내가 교수였던 건 어떻게 알았죠?"

"그냥 직감이죠. 전공은……."

"영화이론. 그렇지만 이제는 교수가 아니죠."

"학교에서 쫓겨났어요?"

"어떻게 그리 잘 알아요? 내 뒷조사를 했어요?"

여자는 또 씩 웃었다.

"그냥 어림짐작으로 말하는 거예요."

"동유럽 출신이죠?"

"네, 헝가리."

"그런데 프랑스어를 완벽하게 구사하는군요."

"프랑스에서 태어나지 않는 한 프랑스어를 완벽하게 구사하기는 힘들죠. 그래도 파리에서 오십 년쯤 살다보니 비슷하게 따라 하고 있어요."

"오십 년? 태어나자마자 프랑스에 왔겠군요."

"아무리 사탕발림이어도 듣긴 좋네요. 1957년에 파리에 왔는데 그때 나이가 일곱 살이었어요. 아, 이제 비밀을 하나 밝혔네요. 내 나이."

"당신은 나이와 관계없이 아름다워요."

"말도 안 되는 사탕발림."

"듣기 싫어요?"

"그럴 리가?"

"성함이?"

"마지트 카다르."

"마지트 카다르? 헝가리 사람 중에서 카다르라는 유명인물이 있지 않나요?"

"헝가리를 공산화한 인물. 저와 그 사람은 아무런 상관이 없어요."

"카다르가 헝가리에서는 흔한 성인가요?"

"흔하다고 할 수는 없어요. 댁은 성함이?"

"또 말을 돌리시는군요."

"댁의 이름을 듣고 나서 내 이야기를 할게요."

나는 내 이름을 말했다.

마지트가 말했다.

"프랑스어를 정말 잘하시네요."

"미국인 치고 잘한다는 말씀이죠? 누구나 미국인은 무식하다고 생각하나 봐요."

"상투적인 생각은 기본적으로 진실이다."

"조지 오웰."

"조지 오웰은 헝가리에서 아주 인기 있던 작가죠."

"공산 정권 당시에 인기 있었다는 뜻인가요?"

"네, 바로 그런 뜻이에요."

"하지만 1957년에 프랑스로 왔다면 스탈린 치하에서는 살지 않았잖아요?"

"꼭 그렇지만은 않아요."

마지트가 담배를 깊게 빨았다.

"그 말은……."

"꼭 그렇지만은 않다고요."

여자의 목소리는 차분하지만 단호했다. 그 이야기는 더 이상 하고 싶지 않은 게 분명했고, 나는 화제를 돌렸다.

"헝가리 농담은 하나밖에 몰라요. '회전문에서 뒤따라 들어갔다가 먼저 나올 수 있는 사람은 헝가리 사람뿐이다.' 빌리 와일더가 한 농담이죠."

"영화과 교수 맞네."

"맞아요. 영화과 교수였어요."

"음, 어디 보자. 지금은 소설가가 되려 하고 있죠. 저 한심한 살롱에 온 사람들 중 절반이 그러하듯이."

"예, 작가 지망생입니다."

"왜 자기 자신을 '지망생'이라 부르죠?"

"아직 출간된 소설이 없으니까."

"일주일에 며칠이나 글을 쓰죠?"

"매일 씁니다."

"그럼 작가가 맞아요. 실제로 글을 쓰고 있잖아요. 진짜 예술가와 예술가인 척하는 사람을 구분하려면 실제로 작품에 매진하고 있는지

가 기준이 되어야죠."

나는 마지트의 손을 살짝 쓰다듬었다.

"그렇게 말해줘서 고마워요."

마지트가 별일 아니라는 듯 고개를 갸웃했다.

나는 화제를 돌렸다.

"마지트는 예술가 지망생이 아니죠?"

"그래요. 지망생도 아닐뿐더러 예술가는 더더욱 아니죠. 단지 번역가일 뿐이에요."

"프랑스어를 헝가리어로 번역하는 일?"

"네, 헝가리어를 프랑스어로 번역하기도 하죠."

"일이 많아요?"

"그리 많지 않아요. 1970년대와 1980년대에는 일이 많았어요. 프랑스에서 헝가리 현대작가들의 인기가 대단했거든요. 우습게 들리겠지만 프랑스 사람들의 문화적 호기심은 늘 존경스러울 따름이죠."

"그럼 프랑스의 다른 면들은 그다지 존경스럽지 않다는 뜻인가요?"

"그렇다고 말할 수도 있죠."

"프랑스를 별로 안 좋아하시는군요."

"그런 말은 안 했어요. 내 말은 그저……."

"무슨 말인지 알아요. 하지만 프랑스를 그다지 좋아하지 않는다는 느낌이 들었어요."

"그냥 가치중립적인 거죠. 어떤 나라든 배우자든 작품이든 친구든 가치중립적인 게 좋지 않나요?"

"결혼했어요?"

"어머나, 잘 생각해 보세요. 내가 결혼했다면 이런 살롱에 와서 시간을 허비하겠어요?"

"뭐, 불행한 결혼생활을 하고 있다면……."

"그럼 애인을 만나겠죠."

"애인 있어요?"

"괜찮은 남자라면 만나고 싶어요."

나는 다시 마지트의 손에 내 손을 얹으려 했다. 마지트가 얼른 손을 뒤로 감췄다.

"내가 왜 이런 대화를 시작했다고 생각해요?"

"자만심 때문에."

"좋은 대답이네요."

마지트가 이번에는 내 손 위에 자기 손을 포갰다.

"정말 남편이 없어요?"

"그걸 꼭 알아야 해요?"

"그냥 호기심이죠."

"전에는 있었어요."

"그런데 지금은?"

"이야기를 하자면 길어요."

"자녀는?"

"딸이 있어요."

"알겠어요."

"아니, 당신은 몰라요. 아무것도."

정적.

내가 말했다.

"미안해요, 내가 그만 생각 없이……."

마지트가 내 입술에 손가락을 가져다 댔다. 나는 그 손가락에 입을 여러 번 맞추었다. 손가락에서 손으로 내 입술이 점점 내려가자 마지트가 나를 살며시 밀쳐냈다.

마지트가 속삭였다.

"아직은 싫어요."

나도 속삭였다.

"알았어요."

"자, 언제 이혼했어요?"

"분위기 깨는 질문에는 정말 일가견이……."

"나에게 남편이 있는지, 자식이 있는지 물었잖아요. 그러니까 나에게도 물어볼 권리가……."

"몇 달 전에 헤어졌어요. 이혼 수속 중이고요."

"아이는?"

"애가 있는지 어떻게 알았어요?"

"아까 내가 딸 이야기를 할 때 그쪽 표정이 갑자기 어두워보였어요. 그때 아이가 있다는 걸 알았죠."

내가 물었다.

"자식을 그리워하는 마음은 절대로 단념이 되지 않죠."

마지트가 나직이 대답했다.

"그럼요."

마지트가 내게 바짝 다가왔다. 우리의 몸이 딱 붙었다. 나는 벽에 등을 기대고 한 손으로 마지트의 엉덩이를 받쳤고, 마지트는 내 셔츠를 벗기고 내 가슴을 손으로 쓸었다. 마지트는 다른 한 손을 내 사타구니에 가져다댔다. 내 페니스가 지퍼를 팽팽하게 만들 만큼 단단해졌다.

내가 옷을 위로 올리려하자 마지트가 갑자기 몸을 떼어냈다.

마지트가 나직하게 속삭였다.

"여기서는 싫어."

나는 몸을 숙여 마지트의 입술에 부드럽게 키스했다. 손으로 마지트의 몸을 안고 싶었지만 손은 대지 않았다.

"그럼 어디로?"

"우리 집은 여기서 멀지 않지만……어쨌든 오늘은 싫어."

"다른 약속이 있다는 핑계는 싫어."

"아니, 일이 있어."

나는 시계를 보았다. 9시 30분이었다.

"오늘은 나도 힘드네. 자정에 일하러 가야 해."

"무슨 일?"

"야간경비."

"아."

마지트는 핸드백에서 담배 한 개비를 꺼냈다.

"생활비가 필요해서?"

"지적인 유희를 위해 야간경비를 서는 사람은 없잖아."

"그런데 뭘 지키는 거야?"

"모피 창고."

나는 지나가던 길에서 본 창고를 떠올리며 그렇게 둘러댔다.

"그렇게 특이한 일을 어떻게 찾았어?"

"말하자면 사연이 길어."

"사연이란 늘 길지."

마지트는 구식 라이터로 담배에 불을 붙이고 나서 나에게 물었다.

"어디 살아?"

"파리10구."

"생마탱 근처의 화려한 작업실?"

"야간경비를 하고 있다면……."

"모피 창고라면 페티트제큐리 근처겠네."

"페티트제큐리와 나란히 있는 거리에서 살아."

"파라디스?"

"잘 아네."

"한 도시에서 사십오 년을 살면 그 도시가 훤히 보여. 집에 전화 있어?"

"아니."

"그럼 쪽방에 살겠네?"

"하나를 말해주면 열을 아는군."

"집에 전화가 없다고 해서 추리해 봤어. 어쨌든 요즘은 모두가 휴대폰을 가지고 다니니까."

"나는 그 모두에서 열외라 할 수 있지."

"나도."

"기계 문명에 반대하는 건가?"

"늘 연락을 받아야 할 필요가 없어서 안 쓰는 것뿐이야. 하지만 나에게 연락하고 싶으면……."

마지트가 핸드백에서 명함을 꺼내 건넸다.

마지트 카다르

번역가

우편번호 75005

파리 린네 가 13번지

전화 01.43.44.55.21

"오후까지 자니까 아침에는 전화 받기 곤란해. 다섯 시 이후면 언제
든 전화해도 좋아. 나도 한밤중부터 일하기 시작하거든."

"한밤중이 글을 쓰기에는 가장 좋지."

"글을 쓰는 건 당신이고, 나는 번역이야. 번역이란 아침의 말들을
저녁의 말들로 옮겨 그리는 것이다."

"전화할게."

"기다릴게."

내가 키스하려고 몸을 기울였지만 마지트는 손으로 입을 막고 이를
다물었다.

마지트가 말했다.

"또 만나."

"또 만나."

마지트는 안으로 들어갔다.

발코니에서 혼자 한참 동안 서 있었다. 밤공기도 바람도 느낄 수 없
었다. 나는 방금 일어난 기묘하고 특별한 만남에 완전히 사로잡혔다.
여자와 처음 만나자마자 몇 분 안에 격정적인 키스와 포옹을 나눈 적
이 있었던가? 수잔과도 이렇게 열정적인 적은 없었다. 나는 늘 지나치
게 예의를 차리고 몸을 사렸다. 예외가 있다면⋯⋯.

'아니, 그 일은 떠올리지 마. 오늘은 안 돼.'

몽고메리가 발코니에 나타나 말했다.

"여기 숨어 계신 겁니까?"

"맞습니다."

"손님들과 잘 어울리셔야 하는데……."

"여기서 어떤 분과 대화하고 있었어요. 그 분은 방금 저와 대화를 나누고 집안으로 들어갔죠."

그렇게 말하면서도 왜 변명을 늘어놓는지 내 모습이 한심했다.

"발코니에서 안으로 들어오는 사람은 없었는데요."

"이 아파트를 구석구석 다 지켜보십니까?"

"그럼요. 이제 안으로 들어가실까요?"

"이제 돌아가야 해요."

"벌써 가시게요?"

"네."

몽고메리는 내가 손에 쥔 명함을 흘깃 보았다.

"좋은 분을 만나셨나봅니다."

나는 얼른 명함을 셔츠 주머니에 집어넣었다.

"글쎄, 그거야 모르죠."

"가시기 전에 허버트 부인께 인사해야 합니다."

권유나 제안이 아닌 명령조였다.

"그럼 앞장서세요."

허버트 부인은 자기 누드화 아래에 서 있었다. 빈 잔을 들고 이야기를 나눌 상대를 애타게 찾고 있는 듯한 표정이었다. 하지만 나는 부인이 바라는 대화 상대는 아닐 것이다.

"해리 릭스 씨께서 가시겠답니다."

"아직 밤은 시작도 안 했는걸."

허버트 부인이 그렇게 말하고 깔깔 웃었다.

"저는 밤에 일합니다. 그래서……."

"예술에 몸을 바쳐야 할 시간이군요. 존경스러워요. 그렇지, 몽고메리?"

몽고메리가 아무런 감정도 실리지 않은 목소리로 말했다.

"예, 아주 존경스럽습니다."

"우리 집에서 즐거운 시간을 보냈나요?"

"예, 아주 즐거웠습니다."

"일요일 밤에 혼자 있기 외로우면 우리 살롱이 있다는 걸 명심하세요."

"예, 명심하죠."

"해리 닉스 씨가 쓴 책을 빨리 보게 되기를 바라요."

"저도 그러기를 바랍니다."

"여자들에게 인기가 많을 것 같아요. 당신은 아주 위험한 남자야."

"전혀 그렇지 않습니다."

"여자들은 '자유롭고 외로운 예술가'를 좋아하니까."

허버트 부인은 그렇게 말하며 내 손가락을 깍지 끼었다.

나는 살며시 손을 빼내며 말했다.

"즐거운 저녁시간을 갖게 해주셔서 다시 한 번 감사드립니다."

허버트 부인이 심술궂은 목소리로 말했다.

"좋은 사람을 만났군요."

나는 셔츠 주머니에 들어 있는 마지트의 명함을 떠올리며 대답했다.

"예, 그런 것 같습니다."

9

책상에 앉아 일에 몰두하려 했지만 허버트 여사의 살롱 발코니에서 벌어진 일들이 계속해서 머리에 떠올랐다. 마지트와 포옹을 나눈 지 여섯 시간이 지났지만 그녀의 향수 냄새가 내 옷, 손, 얼굴에 여전히 달라붙어 있었다. 입술에도 그녀의 느낌이 그대로 남아 있었고, 그녀의 낮고 허스키한 목소리도 계속해서 귓전을 울렸다.

마지트의 명함을 열 번도 넘게 꺼내보았다. 명함의 전화번호를 수첩에도 적고, 책상 위에 둔 메모지에도 적어두었다. 혹시라도 명함을 잃어버릴 수도 있다는 불안감 때문이었다. 하루에 500단어씩 쓰기로 마음먹었는데 마지트에 대한 생각 때문에 도무지 집중이 되지 않았다.

시간은 몸이 절로 배배 꼬일 정도로 더디게 흘렀다. 얼른 일과를 마치고 거리에 나가 복잡한 머릿속을 정리하고 싶었지만 정해진 시간보다 일찍 사무실에서 나가면······.

나는 내 자신이 근무시간을 다 채우리란 걸 잘 알고 있었다.

그 다음에는…….

오후 5시까지 참지 못하고 마지트에게 전화하겠지. 당장 마지트를 만나지 않고는 못 견디겠으니 택시를 타고 마지트의 집으로 달려가…….

그러면 제대로 시작도 해보기 전에 끝장날 거야.

'침착해야 해.'

그날, 오후 2시에 눈을 떴다. 인터넷카페에 들러 급여봉투를 챙기고, 작은 카페에 가서 밥을 먹었다. 산책을 오래 하다가 브라디에서 9시 30분에 시작하는 클로드 샤브롤의 영화 〈부정한 여인〉을 보았다. 영화의 줄거리는 진부했다. 아내의 부정 사실을 알게 된 남편이 아내의 정부를 죽이고……. 하지만 샤브롤은 뜻밖의 전개를 펼친다. 아내는 남편이 정부를 죽인 사실을 알고도 히스테릭한 반응을 보이거나 경찰에 고발하지 않는다. 오히려 남편을 도와 공모자가 된다.

여러 해 동안 가깝게 지낸 사람은 공모자가 되기 쉽다. 사람들은 자기 자신과 함께 잠자리에 드는 사람이 대단히 이성적이며 자신과 크게 다르지 않은 생각을 품고 산다고 믿지만 곧 사실이 아니라는 걸 알게 된다. 자기 아닌 타인의 생각은 절대로 다 알 수 없다. 그럼에도 나는 마지트와 친밀한 관계를 시작하려고 필사적이었다.

참자. 참자.

하루가 더 지나고 나서야 나는 마지트에게 전화를 걸었다. 공중전화에서 전화카드를 넣고 번호를 눌렀다. 벨이 울렸다. 한 번, 두 번, 세 번, 네 번……이런, 외출했나?……다섯 번, 여섯…….

"여보세요."

잠이 덜 깬 목소리였다.

"마지트, 나예요. 해리."

"당신인 줄 알았어요."

"내가 잠을 깨웠어요?"

"아뇨, 잠깐 졸았을 뿐이에요."

"나중에 다시 걸까요?"

"뭘 그렇게 예의를 차려요? 당신 전화를 기다리던 참이었어요. 어제는 전화하지 않을 거라 생각했죠."

"그걸 어떻게 알았죠?"

"그냥 직감으로 알아요. 당신은 내가 몹시 보고 싶어도 하루쯤 기다렸다가 전화할 사람이죠. 그렇지만 오늘은 넘기지 않을 거라 생각했어요. 오늘도 그냥 넘어간다면 나에 대해 관심이 없다는 뜻이니까. 내가 다섯 시 이전에는 전화하지 말라고 했더니 정확히 다섯 시에 전화한 것만 봐도……."

"내 속이 그렇게 훤히 들여다보여요?"

"그건 내가 한 말이 아니라 당신이 한 말이잖아요."

"그런가? 당신은 내가 보고 싶지 않았어요?"

"미국인들은 늘 이렇게 직접적이라니까."

"아직 내 질문에 대답하지 않았어요."

"지금 어디죠?"

"주시우 역 근처."

"우리 집 앞에 있는 지하철역이네요. 삼십 분만 여유를 줘요. 여기 주소는 알고 있죠?"

"예."

"정문 번호는 S877B예요. 삼층 오른쪽 문."

마지트의 집은 주시우 역에서 도보로 3분 거리였다. 그 동네는 아파트와 1960년대에 유행한 콘크리트 건물들이 뒤섞인 곳이었다. 나중에야 알았지만 그 콘크리트 건물들은 대학캠퍼스였다. 파리 곳곳을 돌아다녀봤지만 주시우 역 부근은 그때 처음 와 보았다.

식물원을 발견하고 깜짝 놀랐다. 파리5구 한가운데에서 녹지를 만나다니 뜻밖이었다. 큰 나무들을 지나치자 초원이 나왔다. 내가 영화감독이라면 〈한 여름 밤의 꿈〉의 도시 판 영화를 찍을 때 로케이션 장소로 삼고 싶을 만큼 아름다운 곳이었다.

식물원에는 작은 전망대가 설치된 언덕이 있었다. 눈앞에 장관이 펼쳐지기보다는 지붕과 굴뚝만이 보였다. 그래도 오후 햇살을 받은 그 풍경은 볼만한 그림이었다.

나는 언덕을 내려와 식물원을 나왔다. 길 건너 상점에서 차가운 샴페인을 샀다. 아랍인 주인에게 콘돔이 있느냐고 묻자 그가 내 눈을 피하며 말했다.

"다음 모퉁이에 자판기가 있어요."

나는 콘돔자판기 앞으로 걸어가 2유로짜리 동전을 집어넣었다. 콘돔 세 개가 든 플라스틱 통이 나왔다. 시계를 보았다. 5시 2분 전이었다.

린네 13번지는 19세기 건물이었다. 한쪽 옆에는 케밥 식당이, 다른쪽에는 이탈리아 식당이 있었다. 나는 수첩에 적어 놓은 문 번호를 눌렀다. 철컥, 잠금장치가 풀리는 소리와 함께 나는 문을 열고 안으로 들어갔다. 정문을 지나니 중앙마당이었다. 그러나 내가 사는 집과 달리 이 아파트의 중앙마당은 밝고 화사했다.

두 번째 동 현관에 붙은 명판에서 마지트 카다르를 찾았다. 이름이 없었다.

'내가 동을 잘못 찾았나?'

분명 주소는 맞고, 정문의 키도 맞았다.

'그런데 왜 이름이 없지?'

계단을 올라갔다. 금방이라도 허물어질 것 같은 내 집 건물과 달리 계단 난간도 윤기가 반지르르 흐르는 나무로 되어 있었다. 계단 가운데에는 카펫이 깔려 있었고, 3층에 올라오자 문이 두 개 있었다. 왼쪽 문에는 작게 '리에제'라고 쓴 문패가 붙어 있었다. 오른쪽 문에는 문패가 없었다.

나는 문패가 없는 문의 벨을 눌렀다. 손에 땀이 났다. 어떤 노파가 나와 걷잡을 수 없이 화를 내면 프랑스어를 모르는 미국인 행세를 하고는 얼른 도망쳐야지.

하지만 문이 열렸고 마지트가 거기에 서 있었다.

마지트는 검정 터틀넥 차림이었다. 가슴 굴곡이 터틀넥 스웨터 때문에 더욱 도드라져 보였다. 소박한 치마를 걸쳤음에도 매우 여성적이고 세련되어 보였다. 불빛을 받은 마지트의 얼굴에서는 빛이 났고, 눈에는 왠지 모를 슬픔이 어려 있었다.

마지트는 살짝 웃으며 나를 반겼다.

"깜박 잊고 아래층 명판에 내 이름이 없다는 말을 빠뜨렸어요."

"그래요. 처음에는 조금 당황했지만……."

마지트가 몸을 숙여 내 입술에 키스했다.

"저런 가엾어라! 집을 잘못 찾아온 줄 알았겠군요."

내 손이 등을 더듬으려 하자 마지트가 몸을 뒤로 살짝 빼냈다.

"시간은 많아요. 일단 집으로 들어와 긴장을 풀어요."

"내가 긴장한 게 눈에 보여요?"

"아주 뚜렷이."

마지트를 따라 안으로 들어갔다. 커다란 방 두 개로 이루어진 아파트였다. 방 하나는 퀸 사이즈 침대가 놓인 침실이었다. 침실 벽 한쪽, 움푹 들어간 공간에 욕조와 세면대가 있었다. 침실을 통해 작은 문을 지나자 거실이 나왔다. 거실 한쪽 벽은 주방이었다.

찬장과 주방 용품들은 모두 1970년대 제품들이었고, 붉은색 벨벳이 덮인 커다란 소파, 페이즐리 무늬 벨벳으로 덮인 침대 겸 소파, 가죽으로 된 안락의자 따위가 놓여 있었다. 방의 한쪽 끝은 바닥부터 천장까지 통유리로 되어 있었고, 창밖으로 마당이 내다보였다.

창 옆에 비치된 골동품 책상 위에는 30년 전쯤 유행한 빨간색 올리베티 타자기가 놓여 있었고, 벽을 따라 세워진 책꽂이에는 헝가리와 프랑스에서 발간한 책들이 꽂혀 있었다. 도스 패소스, 헤밍웨이 등이 쓴 미국소설도 보였다. LP음반이 꽂혀 있는 책꽂이가 세 개나 되었다. 슈베르트, 브루크너, 베르크 등 클래식 음반이 주를 이루었다. CD는 없고 턴테이블과 앰프뿐이었다. 그 흔한 텔레비전도 없었고, 낡은 텔레풍켄 단파 라디오뿐이었다.

남은 벽 공간에는 색 바랜 가족사진들이 걸려 있었다. 인테리어를 바꾸지 않은 지 오래되었지만 집안 분위기는 주인을 닮아 따뜻하고 아늑한 느낌을 주었다. 고향을 떠나 홀로 일하는 번역가와 아늑하고 깔끔한 집안 분위기는 잘 어울리는 한 쌍이었다.

"아주 멋져요."

"복고풍을 좋아한다면 제법 멋지게 보이겠죠. 가끔은 첨단 분위기로 바꿔볼까 생각하지만 잘 안 되더군요."

"세상의 변화를 달가워하지 않는 입장이군요?"

"아마 그럴지도."

"평소 저 수동타자기로 번역작업을 해요?"

"컴퓨터는 아예 다룰 줄도 몰라요."

"시디도 안 틀어요?"

"아버지가 모아놓은 LP레코드가 좋아요. 어머니와 난 파리에 온 지 한참 지나서야 아버지가 모아둔 LP레코드를 받았어요."

"아버님은 같이 안 오셨군요?"

"아버지는 내가 헝가리를 떠나기 전에 돌아가셨죠."

"갑자기 세상을 떠나셨군요?"

"맞아요."

마지트의 어투에서 아버지의 죽음에 대해 이야기하기 싫은 느낌이 묻어났다.

"아버지는 대단한 음악광이라 음반을 정말 많이 모았죠. 엄마와 나는 작은 가방만 한 개씩 들고 부다페스트를 떠났어요. 파리에서 살 수 있는 영주권을 얻고 나서야 헝가리정부에 요청해 우리가 쓰던 물건을 보내달라고 했죠. 이 음반들은 그때 부다페스트에서 부쳐온 것들이죠. 간혹 내가 산 음반들도 있어요. LP판 대신 CD가 나올 때 난 이렇게 생각했어요. '내가 평생 들을 음악이 LP레코드로 다 있는데 굳이 CD로 바꿔야 할 필요가 있을까?'"

"쇼핑을 좋아하지 않는군요?"

"쇼핑은 절망에서 나온 행동이니까."

"그건 좀 지나친 표현 아닌가요?"

마지트가 담배에 불을 붙이며 되물었다.

"하지만 사실이잖아요. 사람들은 시간만 나면 쇼핑을 해요. 쇼핑은

이 시대 사람들의 가장 중요한 문화가 됐어요. 쇼핑은 사람들의 생활이 얼마나 공허한지를 확인시켜주는 증거죠."

나는 조금 어색하게 웃었다.

"자, 나도 '절망에서 나온 행동'으로 이걸 가져왔어요."

마지트는 내가 건넨 종이봉투에서 샴페인 병을 꺼냈다.

"그다지 좋은 샴페인은 아니지만……."

"괜찮아요. 우리 집 앞 가게에서 샀죠?"

"그걸 어떻게 알았죠?"

"난 그 가게가 1970년대에 처음 문을 열었던 날도 생생하게 기억해요. 가게 주인 무스타파는 알제리 오란 출신이고……."

"카뮈와 동향이군요."

"무스타파는 처음 가게를 열었을 때 낯가림이 심해 무척이나 수줍음을 탔어요. 삼십 년 정도 장사를 하더니 능글맞아지더군요."

마지트가 주방에서 잔 두 개를 가져와 조리대에 올려놓고 퐁 소리가 나게 샴페인 코르크 마개를 땄다.

"샴페인 따는 솜씨가 보통이 아니군요."

"아니, 그저 그래요."

"파리에서 삼십 년쯤 살다보면 샴페인 따는 솜씨도 좋아지나 봐요?"

마지트가 씩 웃으며 잔을 건넸다. 나는 잔을 받아 단숨에 마셨다.

"자잘한 일에는 신경 쓰지 않는 성격 같아요."

"헝가리 사람은 냉소적이죠."

"나 같은 미국인은?"

"샴페인을 단숨에 마시죠."

"예의에 어긋난다는 말인가요?"

"어머, 이제는 내 마음속을 들여다보시네."

마지트가 내 얼굴 가까이 다가와 얼른 입을 맞추었다.

"속을 들여다보다니요? 무슨 말씀인지. 칭찬은……."

"듣는 사람에게 힘을 주죠."

마지트가 다시 입을 맞췄다. 그런 다음 내 샴페인 잔을 주방 조리대에 내려놓았다. 마지트가 다시 내 옆으로 와 나를 자기 쪽으로 끌어당겼다. 우리는 순식간에 소파에 같이 누웠다. 마지트가 내 바지를 내렸고, 내 손은 마지트의 몸을 구석구석 애무했다. 우리 입술은 딱 달라붙은 채 떨어지지 않았다. 미처 콘돔을 꺼낼 겨를도 없이 나는 마지트의 몸 안으로 들어가 있었다. 마지트가 손톱으로 내 뒤통수를 할퀴었지만 내버려두었다. 우리는 서로에게 완전히 몰입해 있었기에.

한참 동안 섹스에 몰입한지라 내 몸은 완전히 지쳤다. 마지트는 여전히 내 몸 아래에서 눈을 감은 채 한쪽 팔로 내 몸을 끌어안고 있었다. 침묵의 순간. 그러다가 마지트가 한쪽 눈만 뜨고 말했다.

"나쁘지 않았어."

우리는 비틀거리며 소파에서 일어났다. 마지트는 샴페인을 들고 침대로 가자고 말했다. 나는 샴페인 병과 잔 두 개를 들고 마지트를 따라 침실로 갔다.

"섹스를 마치고 나서 옷을 벗기는 처음이네."

"섹스를 마쳤다고? 누가?"

"다 마쳤다는 뜻은 아니었어."

나는 깨끗한 시트 안으로 몸을 밀어 넣었다.

마지트가 다시 옷을 벗었다. 옷 벗는 모습을 지켜보자니 마지트가 말했다.

"그렇게 뚫어지게 쳐다보지 마."

"아름다워서 쳐다보는 거야."

"방금 섹스를 끝낸 여자라면 누구나 다 예뻐 보이지."

"아니, 당신은 특별히 아름다워."

마지트가 웃으며 시트 사이로 들어왔다.

"사탕발림인줄은 알지만 기분이 괜찮아."

"계속 내 말을 믿어주지 않을 거야?"

"여자는 쉰 살이 넘으면 다 끝났다고 생각할 수밖에 없어."

"당신은 마흔도 안 돼 보여."

"내 나이를 정확하게 알면서."

"맞아, 나는 그 비밀을 알고 있지."

"나이는 비밀에 끼지도 못해."

"그럼 다른 비밀이 있단 말이야? 어두운 비밀?"

"어두운 비밀이라면……."

"이제 그런 이야기는 그만."

나는 손으로 마지트의 등을 쓰다듬고 목에 입을 맞추었다.

"정말 어두운 비밀이 있어?"

마지트가 웃었다.

"세상에. 당신처럼 말을 있는 그대로 받아들이는 사람은 처음 봤어."

"알았어. 이제 입 다물게."

"당신 입은 내 입술에 키스할 때나 써."

우리는 다시 섹스를 했다. 처음에는 서두르지 않고 천천히 몸을 움직이다가 곧 소파에서의 첫 섹스처럼 격렬해졌다. 마지트는 두 번째 때도 믿기지 않을 만큼 열정적으로 섹스에 집중했다. 그처럼 몰입하는 여자는 처음이었다.

두 번째 섹스를 마치고 나서 잠시 침묵의 시간이 흘렀고, 마지트가 일어나서 담배와 재떨이를 가져왔다. 나는 샴페인을 잔에 따랐다.

마지트가 담배에 불을 붙이며 말했다.

"파리에 살면서 당신도 많이 관대해진 거야?"

"그게 무슨 말이야?"

"담배를 피운다고 주의를 주지 않아서 하는 말이야. 미국인들은 건강과 관련된 일에는 독재자처럼 굴잖아. 미국인들한테 '담배가 폐에 얼마나 나쁜지 아느냐?'는 말을 정말 많이 들었거든."

"미국인이라고 다 까다로운 건 아니야."

"뭐, 내가 만난 미국인은 하나같이……."

"미국에 간 적 있어?"

"아니."

"음……허버트 부인 살롱에서 까다로운 미국인들만 만났군."

"거기에는 아주 가끔 갈 뿐이야."

"그럼 그날 난 대단한 행운을 잡은 셈이네."

"그렇다고 할 수 있지."

"거길 좋아하지 않는다면서 왜 가끔 가는 거야?"

"싫어하지도 않아. 허버트 부인은 좀 이상한 사람이야. 어떤 사람은 허버트 부인의 인생을 예술 작품에 비유하던데 터무니없는 얘기지. 허버트 부인은 1960년대에 잠깐 예술가의 뮤즈 역할을 했을 뿐이야. 그 다음에는 부자와 결혼했다가 곧 이혼했고……."

"그럼 그 커다란 아파트도 위자료로 받은 건가?"

"바로 그거야. 허버트 부인의 남편은 자크 자벨이라는 사람이었어.

영화제작자인데 당시 파리의 큰손으로 통했지. 그가 제작한 영화는 주로 소프트 포르노였지만 어쨌든 돈은 많이 벌었어. 그 당시만 해도 허버트 부인은 마네킹처럼 예쁘고 섹시했지. 자크 자벨은 허버트 부인과 결혼하고 나서도 정부를 둘씩이나 두고 혼외정사를 즐겼지. 허버트 부인은 도덕관념이 투철한 미국 사람답게 남편의 외도를 이해하지 못했어. 결국 이혼을 요구했어. 허버트 부인이 위자료로 받은 재산은 아파트가 전부였어. 나이가 들면서 허버트 부인의 미모는 점점 빛바래고, 시대변화에도 잘 적응하지 못했지. 허버트 부인이 고심 끝에 찾아낸 일이 바로 인물 큐레이팅이었어. 꽤 괜찮은 틈새시장을 찾아낸 거지. 살롱은 기대 이상으로 좋은 수입원이 되어 주었어. 게다가 허버트 부인은 단 몇 시간일 뿐일지라도 자신이 꽤 중요한 인물이 된 것 같은 기분을 느낄 수 있었지. 허버트 부인과 살롱에 대한 이야기는 이게 끝이야. 일 년에 두 번쯤 살롱에 가. 가끔 그렇게 사람들을 만나보는 것도 재미있으니까."

"친하게 지내는 친구는 없어?"

"없어. 남편과 딸을 잃은 뒤로는……."

"남편을 잃었다고?"

마지트는 고개를 끄덕였다.

"그 뒤로는 줄곧 혼자 지냈어. 고독한 생활이 더 편하고 좋으니까."

"때론 고독이 좋을 때도 있지."

"소설을 쓰려면 고독을 즐길 줄 알아야지."

"난 혼자 지낼 수밖에 없는 처지야. 야간경비를 하는 동안 글을 쓸 수 있어 다행이야."

"밤새 경비를 서?"

"밤 시간에는 아무도 방해하지 않는 방에서 혼자 지내. 가끔 모피를 가지러 온 사람을 들여보내주기만 하면 되지."

"이십사 시간 돌아가는 모피 대리점이 있던가?"

"거기는 그렇더라고."

"그 일은 어떻게 구했어?"

나는 파리에 도착해 끔찍한 호텔에 묵게 된 일, 형편없는 프런트직원과의 다툼, 아드낭의 친절, 파라디스 가에 방을 얻게 된 일, 야간경비 일을 하게 된 사연 등을 마지트에게 들려주었다.

"마치 피카레스크 식 소설 같아. 그 호텔 프런트직원 이름이 뭐라고 했지?"

"브라세. 파리16구 라퐁텐 가에 있는 〈셀렉트호텔〉 직원이야. 당신도 미운 사람이 있으면 그 호텔로 보내."

"알았어. 잘 새겨두지. 하지만 소설 소재로는 제법 괜찮지 않아? 호텔 프런트직원에게 수모를 당한 끝에 쪽방을 얻어 살게 된 미국 남자이야기. 당신은 프랑스어를 아주 열심히 공부했나봐. 미국 어디에서 살았다고 했지?"

"오하이오 주 이튼."

"난 처음 듣는 곳이야. 뭐, 나야 미국에 가본 적도 없으니까."

"미국 사람들 중에서도 오하이오 주의 이튼을 아는 사람은 많지 않아. 그나마 크류대학교 아니면 알려질 일이 없는 도시지. 크류대학교도 삼류일 뿐이지만……."

"거기서 인생이 엉망이 된 거야?"

나는 가만히 고개를 끄덕였다.

"이야기를 하자면 길겠지?"

"그 이야기는 꺼내고 싶지도 않아."

"그래, 이야기하지 않아도 돼."

마지트가 나에게 키스하고 나서 담배를 끄고 샴페인을 마셨다.

"자, 미안하지만 이제 그만 헤어져야 할 시간이야."

"뭐?"

"난 할 일이 있어."

"그렇지만 아직……."

나는 손목시계를 내려다보았다.

"여덟 시도 안 됐어."

"벌써 여덟 시지."

"저녁 내내 같이 있을 줄 알았는데……."

"미안하지만 그럴 수 없어."

"왜?"

"말했잖아. 할 일이 있다고."

"알았어."

"마치 나가기 싫다고 떼를 쓰는 어린애 같아."

마지트는 두 손으로 내 얼굴을 감쌌다.

"다른 뜻이 있는 건 아니야. 그냥 지금 일이 바빠서 그래. 다음에 또 만나기로 약속해."

"언제?"

"사흘 뒤에."

"사흘이나 기다리라고?"

마지트가 내 입술에 손가락을 가져다댔다.

"정말 어린애 같아."

"빨리 다시 만나고 싶어."

"알았어. 사흘 뒤에 만나면 되잖아."

"아니……."

마지트가 다시 내 입술에 손가락을 댔다.

"손가락을 너무 많이 쓰는 것 아냐?"

"알았어."

마지트가 몸을 숙여 나와 입을 맞추고 나서 말했다.

"사흘 뒤에 봐."

"몇 시?"

"같은 시간에."

"많이 보고 싶을 거야."

"그래, 나도."

10

정말이지 견디기 힘든 사흘이었다. 이전처럼 오후 2시에 일어나 인 터넷카페에 급여봉투를 받으러 갔다. 시네마테크에서 오후 시간을 보 내고, 값싼 저녁을 사 먹고, 카페에서 시간을 죽이다가 사무실에 나가 글을 썼다. 새벽이 되어 크루아상을 사들고 집으로 갔다.

깨어 있는 동안에는 늘 마지트 생각을 했다. 마지트와 함께 보낸 그 날 오후의 일들이 계속 머릿속에서 어른거렸다. 그 순간순간이 빠짐 없이 다 떠올랐다. 마치 내 머릿속에서 무한반복으로 상영되는 영화 같았다. 마지트의 살 냄새가 코에서 계속 맴돌았다. 내 몸에 닿았던 손 톱의 느낌도 선연했다. 더 깊이 나를 받아들이려고 다리를 들어 올리 던 마지트의 모습이 눈에 선했다. 섹스가 끝나고 나서 나누었던 교감도.

수잔은 나와의 섹스가 만족스럽지 않다며 몇 달 동안이나 나를 멀 리 했다. 문제가 뭔지 솔직히 털어놓으라고 말했지만 그저 '기계적이

다' 라는 말만 되풀이했다. 나중에 알았지만 수잔은 그때 이미 가드너 롭슨 학장과 밀회를 즐기고 있었다.

'또 시작이야? 그냥 지금 느끼는 행복에 충실해. 아픈 과거를 끄집어내 지금의 행복을 가로막지 마.'

행복이라고? 딸을 만날 수도 없는데 어떻게 행복할 수 있지? 이건 행복이 아니라 열병일 뿐이야.'

하지만 사랑으로 느껴지기도 했다.

'이봐, 넌 사랑에 굶주린 십대 소년은 아니잖아?'

그래도 난 마지트를 만날 날을 손꼽아 기다렸다.

'너무 절망적인 상황이라 외로운 거야.'

마지트는 아름다워.

'곧 예순 살이 될 여자야.'

그래도 아름다워.

'커피 마시고 정신 차려.'

마지트는 아름답다니까.

'커피를 많이 마시고……'

결국 실망하게 될지도 몰라.

다시 마지트의 아파트를 찾아가면 불장난은 한 번으로 족하다며 내쫓지는 않을까?

그래, 그대로 받아들이기에는 너무나 황홀한 현실이야.

마침내 마지트와 약속한 날이 되었다. 약속 시간은 5시였지만 그보다 훨씬 일찍 마지트가 사는 동네에 갔다. 식물원에서 시간을 보내다가 전에 들렀던 가게에서 샴페인을 샀다. 마지트의 아파트 건물 정문에서 3분 정도 어슬렁거리면서 정확히 5시가 되기를 기다렸다. 정문

키 번호를 누르고 계단을 올라가 마지트의 집 문 앞에 섰다. 너무 많이 긴장한 탓에 정신이 어질어질했다. 벨을 누르고 30초가 지나도록 아무런 대답이 없었다. 다시 벨을 누르려고 할 때 안에서 발소리와 잠금장치를 푸는 소리가 들려왔다.

문이 열렸다. 마지트는 검정 터틀넥 스웨터와 검정 바지 차림이었다. 한 손에 담배를 들고 얼굴에 희미한 미소를 머금고 있는 그녀는 눈부셨다.

"당신은 진득하게 기다릴 줄을 몰라."

나는 마지트를 껴안으려 했지만 그녀가 한 손으로 내 가슴을 막고 내 입술에 가볍게 키스만 했다.

"진정해. 시간은 많으니까."

마지트는 소파로 나를 이끌었다. 음악이 흐르고 있었다. 경쾌한 실내악이었다.

마지트가 샴페인을 받아들며 말했다.

"매번 이런 걸 사오지 않아도 돼. 값싼 보르도 와인이면 충분하니까."

"장미 꽃다발, 곰 인형, 샤넬 넘버5 같은 선물은 필요 없다는 뜻이야?"

마지트가 피식 웃으며 말했다.

"그런 선물공세를 펼친 애인도 있긴 했어. 하트 모양의 꽃다발, 루이 16세 샹들리에처럼 생긴 귀고리……."

"당신이 무척이나 마음에 들었나봐."

"그냥 순간적인 열정에 휩싸였던 거지. 남자들은 다 어린애 같거든. 원하는 걸 손에 넣으려고 기를 쓰는 어린애."

"물질보다는 마음? 다이아몬드보다는 책이 더 좋은 거야?"

마지트가 일어서서 잔을 가져왔다.

"당신이 유머감각을 되찾은 것 같아 정말 기뻐."

"지난번에는 내가 유머감각이 없는 사람처럼 보였어?"

"그런 건 아니지만 지금처럼 밝은 모습이 더 보기 좋다는 뜻이야."

"지난번에는 내 모습이 밝지 않았어?"

"왠지 좀 우울해보였어."

마지트가 샴페인을 따랐다. 나는 '당신이 시키는 대로 사흘 동안 잘 참았어' 라고 말하고 싶었지만 대신 "이 음악은?" 이라고 물었다.

"당신도 예술에 조예가 깊잖아. 직접 맞혀봐."

"현대음악이지?"

"맞아."

마지트가 샴페인 잔을 건넸다.

"집시 분위기도 느껴지고."

나는 샴페인을 한 모금 홀짝였다.

"그것도 맞아."

마지트가 내 옆에 앉았다.

"그럼 작곡가가 동유럽 사람이겠네."

"지금까지는 훌륭했어."

마지트가 내 허벅지를 쓰다듬었다.

"자나체크?"

"그럴 수도 있겠지."

나는 당장 꼿꼿이 발기했다.

"아, 아니야. 자나체크는 체코 사람이잖아. 당신은 헝가리 출신이고."

마지트가 내 목에 입술을 댔다.

"헝가리 사람이라고 해서 헝가리 음악만 듣진 않아."

"그래도……."

마지트가 다시 내 사타구니에 손을 대더니 바지 지퍼를 내렸다.

"바르토크. 벨라 바르토크."

"맞았어. 정말 훌륭해."

마지트의 손이 내 바지 속으로 들어왔다.

"작품 이름은?"

"현악4중주곡."

"그건 너무 빤하잖아. 현악4중주곡 몇 번?"

마지트는 그렇게 말하며 발기한 내 페니스를 바지에서 빼냈다.

"몰라."

마지트가 내 페니스를 손으로 애무하자 내 몸은 잔뜩 긴장했다.

"맞혀 봐."

"3번?"

"어떻게 알았어?"

"그냥 아무 숫자나 댄……."

나는 미처 말을 다 마치지 못했다. 마지트가 내 페니스를 입에 넣고 고개를 아래위로 움직이며 오럴을 시작했기 때문이다. 절정에 다다르기 전 몸 안으로 들어가고 싶다고 말했지만 마지트는 입술을 더 격렬하게 놀렸다. 나는 참지 못하고 폭발했다.

몸을 일으킨 마지트가 샴페인을 쭉 마시고 나서 담배에 불을 붙였다.

"이제 긴장이 좀 풀려?"

마지트가 나에게 물었다.

"조금."

나는 마지트를 끌어안으려 했지만 그녀는 내 손만 잡을 뿐 몸을 맡기지는 않았다. 내가 진하게 키스하고 나서 등을 손으로 어루만지자 그녀는 몸을 피하며 말했다.

"오늘은 곤란해."

마지트가 몸을 뒤로 빼며 담배를 피워 물었다.

"혹시 내가 뭘 잘못했어?"

마지트가 살짝 웃었다.

"당신은 이혼한 전처 때문에 상처를 많이 받았나봐."

"그게 내 질문과 무슨 상관이야?"

"나는 오늘만큼은 섹스하고 싶은 마음이 없다고 했을 뿐인데, 당신은 뭔가 잘못했는지를 묻잖아. 그러니까 당신은 여자한테 상처를……."

"나는 그 이유가 궁금해서……."

"오럴섹스는 되고 섹스는 곤란한 이유?"

"뭐, 그렇게 직접적으로 말한다면야……."

"그것 봐, 내가 자기를 거부한 것처럼 말하잖아. 나는 그저……."

"그래, 아무 말 안 할게."

"그래."

"바르토크를 들으면서 오럴섹스를 한 건 처음이야."

"어떤 경험이든 처음은 있지."

"그 선물 공세를 퍼붓던 남자에게도 바르토크를 들으며 오럴섹스를 해줬어?"

"그건 일종의 질투?"

"아니, 그냥 질문."

"그럼 대답해주지. 그 남자를 만날 때에는 남편이 살아있을 때였어. 그래서 우린 그 남자 사무실 근처의 작은 아파트에서 몰래 만났지."

"선물은? 선물은 이 집으로 보냈어?"

"응."

"남편이 그 선물을 보고도 화내지 않았어?"

"질문이 너무 많아."

마지트는 담배를 끄고 한 개비를 더 꺼내 불을 붙였다.

"내가 그 남자와 바람을 피우기 시작할 때부터 남편도 모든 사실을 알고 있었어."

"도대체 그게 무슨……."

"자, 내가 설명할게. 1975년이었어. 남편 졸탄은 CIA에서 돈을 대는 연구소에 다녔어. 헝가리 라디오 방송을 듣고 분석하는 일을 했지. 그런데 경기가 나빠지면서 남편은 일자리를 잃었어. 우리 딸 주디트는 당시 두 살이었지. 나도 그때에는 번역 일을 막 시작할 무렵이었고, 정말이지 돈이라곤 한 푼도 없었어. 그러다가 갑자기 일거리가 하늘에서 뚝 떨어진 거야. 헝가리의 치과 재료를 수입하는 프랑스 회사에서 지루한 설명서를 번역하는 일이었어."

"헝가리가 치과 재료로 유명해?"

"나도 그 일을 맡기 전까지는 몰랐어. 여차저차해서 번역을 맡기로 했고, 그 회사에서는 설명할 게 있으니 사무실로 나와 달라고 했어. 담당자 이름은 코르티였는데, 배가 나온 데다 얼굴이 푸석푸석하고 눈빛이 서글픈 오십대 남자였어. 전형적인 중년 직장인의 얼굴이었지. 코르티는 나를 보자마자 잠시도 눈을 못 떼는 거야. 삼십 분쯤 일 이야기를 하고 나서 코르티가 점심을 사겠다고 했어. 코르티는 나를 아주 분위기가 좋은 레스토랑으로 데려갔어. 그가 값비싼 와인을 시키더니 가족 이야기를 묻기에 솔직하게 이야기해주었지. 그러자 코르티는 자기 결혼생활이 얼마나 불행한지 털어놓더군. 결혼생활이 끔찍하기 짝이 없지만 부인이 독실한 가톨릭신자이고 사회적인 체면도 있어 이혼할 생각은 없다더군. 그렇지만 여자를 만나고 싶다며 내가 아주 매력적이고 지적으로 보인다나? 그는 내가 유부녀라는 사실이 오히려 마음에 든다며 삼백 프랑을 줄 테니 일주일에 한 번만 만나달라고 했어. 그때 내 형편으로는 결코 적은 돈이 아니었지. 일주일에 한 번씩, 두 시간만 코르티를 만나주면 삼백 프랑이 생기니까."

"그런 제안을 받고도 놀라지 않았어?"

"코르티는 내가 놀라거나 수치심을 느끼지 않도록 점잖게 제안했어. 나는 생각해 보겠다고 대답했지. 그날 집에 와서 졸탄과 그 문제에 대해 이야기했어. 이튿날 코르티에게 전화해 제안을 받아들이겠다고 했지. 하지만 일주일에 사백 프랑을 받아야겠다고 했어. 코르티는 당장 좋다더군."

"당신 남편이 그걸 알고서도 묵인했단 말이야?"

"이상하게 들릴 거야. 아내가 몸을 팔게 내버려둘 남편은 없으니까. 하지만 졸탄은 섹스에 대해서는 실용적인 생각을 가진 사람이었어. 그때 우린 알거지신세였고, 사백 프랑이면 엄청나게 큰돈이었지. 코르티는 섹스도 몇 분을 넘기지 못했어. 조루였거든. 코르티가 바라는 건 여자에게 부드러운 대우를 받는 것이었어. 대화를 나누며 위로를 받을 수 있는 여자가 필요했던 거지. 난 일주일에 한 번씩 코르티를 찾아갔어. 나에게는 옷을 다 벗게 했지만 코르티는 팬티도 벗지 않았지. 내가 다리를 벌리고……."

"그렇게 자세하게 이야기하지 않아도 돼."

"왜? 내 이야기가 듣기 거북해?"

"은밀한 부분까지 구체적으로 설명할 필요는 없잖아."

"왜 그렇게 청교도적이야?"

"그게 아니라⋯⋯."

"작가라면 오히려 내 이야기를 반기면서 들었어야지. 글을 쓸 때는 구체적인 묘사가 중요하잖아. 뭐, 어쨌든 코르티는 절대로 옷을 다 벗지는 않았어. 그에게는 섹스만이 중요한 게 아니었다는 걸 설명하기 위해 그때 일을 자세히 묘사한 거야."

"아무튼 서글픈 계약이었네."

"난 결코 서글프지 않았어. 서로 원해서 맺은 계약이었으니까."

"그 관계가 얼마간이나 계속됐어?"

"삼년."

"삼년씩이나? 세상에."

"그 돈으로 이 아파트를 샀어."

"딸의 방은?"

"아주 작은 방이 있어."

"어디에?"

"저쪽에."

마지트가 왼쪽 벽에 있는 문을 가리켰다.

"저런 곳에 방이 있는지 몰랐어."

"작가가 되려면 세부적인 걸 놓치지 말아야지."

그 방은 이제 무슨 용도로 쓰는지 묻고 싶었지만 참았다.

"그 관계는 왜 끝났어?"

"상황이 그렇게 됐어."

"당신 남편은 참 너그러운 사람인가 봐."

"딱히 너그러운 사람이라고 규정지을 수는 없어. 누구나 그렇지 않을까? 사람에 따라 아주 강한 면이 있는가 하면 약한 면도 있으니까. 남편을 사랑했지만 때로는 미워했지. 남편도 나와 비슷한 감정을 갖고 있었을 거야. 남편도 여자 문제에 있어서는 성자행세를 하지 않았으니까."

"남편에게도 여자가 있었어?"

"예쁜 꽃을 많이 숨겨둔 비밀의 화원이랄까?"

"당신도 그냥 묵인해주었단 말이야?"

"남편은 비밀스럽게 다른 여자를 만났기 때문에 내가 자존심을 상하는 일은 없었지. 난 오히려 다른 여자들 덕분에 우리의 결혼생활이 비교적 잘 유지되었을 거라 생각해."

나는 고개를 절레절레 흔들었다.

마지트는 그런 나를 보고 말했다.

"내 이야기에 충격 받았어?"

"미국이라면 상상도 못할 일이니까."

"미국이 아니더라도 쉽게 상상할 수 있는 일은 아니지. 하지만 결혼한 부부들의 속내를 깊이 들여다보면 어떤 부부라도……."

"미국사람들은 사회통념상 일탈을 하면 벌을 받는다고 생각하지."

"그건 나도 알아."

"어떻게 알아?"

"책에 많이 나오는 얘기니까. 미국에서는 중요한 게 하나 더 있잖아. 바람을 피우더라도 '들키지는 마라.'"

"아니, '일탈 행위는 반드시 대가가 따른다.'를 더 중요시하지."

"쾌락을 즐기면서 벌 받을 일을 생각해야 한다는 건 정말로 삭막하지 않아?"

"사회통념에서 벗어나지 않는 쾌락이어야 하는 거야."

"사회통념에서 벗어나야 진정한 쾌락을 누릴 수 있잖아. 안 그래?"

마지트는 그렇게 말하면서 내 얼굴을 손가락으로 어루만지고 내 입술에 키스했다. 내가 더 진하게 키스하자 이번에는 몸을 뒤로 빼지 않았다. 하지만 몇 분 뒤에는 다시 슬그머니 몸을 빼냈다.

"아까도 말했지만, 오늘은……."

"알았어. 오늘은 곤란하다고."

"사흘 뒤에는 꼭……. 자, 이제 그만 돌아가."

"이렇게 빨리?"

"할 일이 있어."

"알았어."

10분 뒤, 나는 거리에서 지하철역으로 서둘러 발걸음을 옮겼다. 마지트의 아파트에서 있었던 일들을 나름대로 분석해보려 애썼지만 온통 의문투성이였다.

'오늘은 곤란해.'

한 시간도 안 돼 나를 쫓아내야 할 만큼 바쁜 일이란 무엇일까? 뚱뚱한 중년남자 이야기는 왜 꺼냈을까? 마지트가 나를 시험한 게 아닐까? 내가 그런 일을 받아들일 마음의 준비가 되어 있는지 떠본 게 아닐까? 내가 그런 일을 겪으며 살아온 여자를 받아들일 수 있는지 확인해본 게 아닐까? 만약 내가 그런 마지트를 원하지 않는다면…….

그러나 나는 그런 마지트라도 만나길 원하고 있었다.

나는 밤이 되어 사무실로 일하러 갔다.

'이 감방 같은 곳에서 어떻게 여섯 시간을 보내지? 이제 이 일에는

질렸어. 일주일에 하루를 쉬면 육십오 유로가 매주 수입에서 빠져나
갈 텐데, 그래도 생활에는 지장이 없을까?

그런 생각으로 머리가 복잡했다.

이튿날 인터넷카페의 턱수염 청년에게 일주일에 엿새만 일하겠다
고 했더니 그다지 반응이 좋지 않았다.

"위에서 좋아할 것 같지 않은데요. 매일 경비가 필요하니까."

"처음 카말에게서 일 제안을 받았을 때에는 일주일에 엿새만 일해
도 된다고 했어요."

"카말은 죽었어요. 하루도 빠지면 안 돼요."

"누군가 하루만 교대해주면 안 될까요?"

"안될 것 같아요."

"어쨌든 이야기는 해봐요."

"이야기는 해보겠지만 대답은 뻔해요. 안 된다고 할 거예요."

그러나 이튿날 급여봉투를 받으려고 인터넷카페에 들렀을 때 턱수
염이 나를 보며 씩 웃었다.

"윗사람한테 말했더니 괜찮대요. 하긴 누구나 하루는 쉬어야죠. 그
럼 금요일에 쉬어요. 그 대신 일주일 중 하루는 오후 여섯 시부터 일해
주면 좋겠대요."

"그러면 열두 시간을 계속 일해야 하잖아요."

"그러면 돈을 원래대로 다 받을 수 있잖아요."

안 돼. 마지트는 늘 오후 5시에 오라고 하니까.

"오전 여섯 시부터 정오까지 일하면 안 될까요?"

"그렇게는 안 될걸요."

"윗사람한테 한번 물어봐요."

이튿날 턱수염은 급여봉투를 건네며 말했다.

"윗사람이 물어보래요. 여섯 시간 더 일하는 게 왜 안 되는지?"

"저녁에는 데이트를 해야 하니까."

"아, 그대로 전할게요."

턱수염은 나를 보지도 않고 말했다.

이제 세 시간만 지나면 마지트를 만날 수 있었다. 일주일에 두 번 들러 스테이크를 먹는 작은 카페에 갔다.

자리에 앉자 웨이터가 주문을 받았다. 나는 웨이터에게 신문이 있는지 물었다. 웨이터가 《파리지엔》을 가져왔다. 신문을 휙휙 넘겼다. 내가 신문을 좋아하는 이유는 도시생활이 어떤지 실감나게 해주는 사소한 범죄와 사건 사고 관련 소식이 있기 때문이었다.

자동차를 훔친 십대 소년들이 체포됐다. 보험회사 중역이 자동차를 몰고 가다가 트럭과 부딪쳐 사망했다. 옆집의 자동차 유리를 부숴 이웃 간에 싸움이 벌어졌다. 16구의 작은 호텔 프런트직원이 뺑소니 사고를 당했다.

뭐? 잠깐…….

호텔 직원, 뺑소니 사고로 전신마비

라퐁텐 가 셀렉트호텔의 오전 담당 프런트직원인 필립 브라세(43)가 어제 오후 호텔 앞에서 차에 치어 전신이 마비됐다. 목격자에 따르면 메르세데스벤츠 C클래스가 호텔 앞에 서 있다가 퇴근하는 브라세를 향해 돌진했다. 호텔 맞은편에서 식당을 운영하는 트링 타손 씨는 벤츠 운전자가 고의로 브라세 씨를 친 것 같다고 말했다. 메르세데스벤츠는 번호판이 보이지 않게 가려져있었다. 경찰은 정황상 사고가 아니라 계획적인 범죄로 보고 수사에 착수했다. 현재 브라세는 생클루드 병원에서 안정을 취하고 있으며, 담당의사인 오드레트 박사는 전신마비가 영구적으로 계속될지는 아직 알 수 없다고 했다.

'세상에! 그 개자식이 밉긴 했지만 이런 끔찍한 일을 당하다니. 아마도 그동안 수많은 적을 만들었나 보네.'

네 시간 뒤, 나는 그 일을 마지트에게 이야기했다. 우리는 벌거벗고 침대에 누워 이야기를 나누고 있었다. 마지트는 내가 아파트에 나타나자마자 나를 침대로 끌고 가 내 바지를 벗기고 자기 치마를 올렸다. 내가 몸속으로 들어가자 마지트는 다리를 꽉 조이면서 허리를 움직일 때마다 크게 신음소리를 내뱉었다.

마지트가 섹스를 마치고 나서 말했다.

"옷을 다 벗고 잠시 쉬다 가."

나는 마지트가 시키는 대로 옷을 다 벗고 침대에 누웠다. 마지트는 주방으로 가서 잔을 가져왔다. 그리고 내가 사온 샴페인을 따랐다. 마지트는 샴페인을 사오지 말라고 했지만 나는 그 정도 사치를 그만둘 수는 없었다. 마지트가 담배를 들고 샴페인 코르크 마개를 땄다. 담뱃재가 시트에 조금 떨어졌다.

내가 말했다.

"하인이 할 일이 또 생겼군."

"내가 바로 그 하인이야?"

"자긴 정말 아름다워."

나는 마지트의 다리를 쓰다듬었다.

"전에도 말했어."

"하지만 사실이잖아."

"거짓말쟁이. 내 질문은 계속 피하기만 하고⋯⋯."

"무슨 질문?"

"지난번에 물었던 거."

"뭐였더라?"

"전처 때문에 얼마나 상처를 받았는지 물었잖아."

나는 마침내 대답했다.

"심하게 상처를 받았지. 하지만 나에게 상처를 준 사람은 결국 나 자신이었다는 걸 깨달았어."

"그건 자기가 전처의 말에 휘말렸기 때문이야. 평생 그렇게 자책이나 하면서 살 거야?"

"정신과의사 흉내는 그만 내."

"더 이상 자책하지 마."

"알았어."

나는 시선을 피했다.

"누군가를 죽인 적 있어?"

"얘기가 너무 심하게 나가는⋯⋯."

"그냥 단순한 질문이야. 누군가를 죽인 적 있어?"

"아니, 당연히 없어."

"그럼 왜 자책해? 전처를 배신해서?"

"그것도 이유일 수 있지."

"들키지 않았다면 죄책감도 없었겠네?"

침묵. 나는 또 시선을 피했다.

"들키지 않을 비밀이란 없어. 안타까운 사실이지만 그게 인간이야.

죄책감을 완전히 벗어던질 수도 없지."

"내가 날마다 어떤 죄책감을 느끼며 사는지 그렇게 알고 싶어? 자, 그럼 내 이야기를 들어봐."

그렇게 해서 나는 〈셀렉트호텔〉 프런트직원이 당한 사고에 대해 이야기했다.

마지트는 내 이야기를 다 듣고 나더니 말했다.

"사고가 아닌 것 같은데."

"그래서 나도 죄책감을 느껴. 내가……."

"아니, 내가 말하지. 당신이 그 나쁜 놈을 저주해서 그런 일이 생겼다는 거야?"

"뭐, 그런 셈이야."

"그건 그 사람의 운명이야. 누군가 그 사람을 정말 미워했겠지. 그래서 벌을 내리기로 작정했겠지. 당신과 아무런 상관도 없는 일이야. 그런데도 죄책감을 느껴?"

"나쁜 일을 당해 지옥에나 떨어지라고 빌었거든."

"그래서 그 사람이 당한 사고가 자기 탓이란 거야?"

"그건 아니지만 양심의 가책을 느껴."

마지트가 샴페인 잔을 부딪쳤다.

"심한 자책감은 하루아침에 생기는 게 아니야. 혹시 자기 어머니께서……."

"그런 이야기는 정말 싫어."

"자기 어머니께서 무척이나 엄하셨어?"

"그래, 맞아. 우리 어머니는 나 때문에 인생이 불행해졌다며 무던히 나를 괴롭혔어."

"정말?"

"그래, 정말 우리 어머니는 그랬어. 나 때문에 당신 인생이 엉망이 됐다고 했어."

"왜?"

"나를 임신하기 전에는 잘 나가는 기자였는데……."

"얼마나 잘 나갔는데?"

"법원 출입 기자였나 봐."

"그냥 흔한 기자였을 뿐이잖아."

"《클리블랜드 플레인 딜러》 지 기자."

"유명신문이야?"

"클리블랜드에서는 유명신문이지."

"법원 재판을 취재하는 기자였을 뿐인데 자기 자신을 뭔가 대단한 일을 하는 사람으로 여긴 거야?"

"그런 셈이지. 어머니의 인생 계획에 자식은 포함되지 않았었나 봐. 그 당시 어머니 나이가 마흔 살이었거든. 어머니는 결혼도 안 하고 일에 매달려 살다가 갑자기 나이를 의식하기 시작했대. 육십 대에 정년 퇴직하고 나서 혼자 외롭게 살게 되진 않을까 두려워진 거야. 작은 아파트에서 혼자 살다가 죽었는지 살았는지 아무도 모르는 삶이 되지 않을까, 해서."

"마흔이 될 때까지 한 번도 결혼하지 않았어?"

"그래, 마흔이 되어서야 어머니는 내 아버지 톰 릭스를 만난 거야. 내 아버지는 클리블랜드에서 보험으로 성공한 분이었는데 한번 결혼했다가 이혼한 전력이 있었지만 아이는 없었어. 아버지가 증인으로 나선 자동차사고를 어머니가 취재하게 됐었나봐. 두 분 다 외로운 처

지였으니 금세 가까워지게 됐겠지. 게다가 두 사람 다 술을 좋아해
서……."

"결국 술 때문에 당신이 태어나게 됐네."

"출산을 원하지 않는데 덜컥 임신한 어머니는 나를 낳을지 말지
심각하게 고민했나봐."

"어머니가 그런 이야기를 자기한테 직접해주었어?"

"내가 열세 살 때였어. 어머니가 심부름을 시켰는데 내가 안 하겠다
고 버티니까 잔뜩 화가 나 고래고래 소리를 지르셨지. 그때 어머니가
했던 말이 아직도 머리에서 생생하게 떠올라. '내 자궁에 있을 때 널
긁어냈어야 했어. 그렇게 하지 못한 게 내 인생 최대 실수야.'"

"그것 참 듣기 좋은 말이네."

마지트가 담배를 눌러 껐다.

"물론 어머니도 술김에 내뱉은 말이었지. 어쨌든 아버지는 나를 낳
아 키우자며 어머니를 설득했대. 하지만 뜻하지 않은 임신으로 어머
니의 건강이 몹시 나빠졌고, 석 달 동안 병원에 입원할 수밖에 없었나
봐. 그때는 1963년이었으니 임신 휴가나 육아 휴가 같은 제도가 없던
때잖아. 신문사에서는 어머니를 즉시 해고했대. 어머니에게는 너무나
절망적인 일이었지. 어머니는 《클리블랜드 플레인 딜러》지를 늘 아주
서글픈 목소리로 '내 신문'이라 불렀을 정도니까."

"그래서 당신은 졸지에 어머니의 인생을 망친 인간이 됐다는 거야?
당신 어머니는 아직 살아 계셔?"

나는 고개를 가로저었다.

"아버지는 1987년에 폐암으로 돌아가셨고, 어머니는 1995년에 돌
아가셨어. 담배와 술이 원인이었지. 신문사에서 해고되고 나서 어머

니는 조금씩 서서히 자기 자신을 죽이고 있었던 거야. 자, 이제 그만하고 다른 이야기를 하는 게 어때?"

"당신이 왜 매사에 자책감이 심한지 이제 알았어."

"자책감은 시간이 갈수록 증식하니까."

"호텔 프런트직원이 사고를 당한 것도 자책하는 거야?"

"저주하지 말 걸 그랬다고 후회할 뿐이야."

"당신이 왜 그 따위 쓰레기 같은 놈을 동정해야 돼? 그는 남을 괴롭히는 인간이야. 몹쓸 짓을 했으니 대가를 치러야지."

"눈에는 눈, 이에는 이?"

"사필귀정이라는 말도 있어."

"그런 말을 믿어?"

"물론이야."

마지트가 나를 보며 씩 웃었다.

"농담이지?"

"아니, 진담이야."

그리고 마지트는 내 손목시계로 시간을 확인했다.

"또 시간이 다 됐다고 말하려는 거야?"

"어떻게 알았어? 방금 그 말을 하려고 했는데."

"대단하셔."

그런 다음 나는 다시 뒷말을 덧붙였다.

"대단하다는 말은 내 심술로 들렸겠군. 하지만……"

"해리, 사흘 뒤에 만나."

"같은 시간에?"

마지트가 내 머리를 쓰다듬었다.

"자긴 하나를 배우면 열을 안다니까."

나는 생각했다.

'배워? 뭘?'

11

지금까지 일관되게 유지해오던 일과를 바꾸기로 했다. 일주일에 사흘은 조깅을 했다. 이틀은 영화를 보는 대신 미술관이나 박물관을 둘러보기로 했다. 하지만 무엇보다 중요한 일과는 일주일에 두 번씩 마지트를 만나는 것이었다. 단지 섹스 때문만은 아니었다. 적어도 마지트를 만나는 몇 시간만큼은 내 불행한 삶에서 벗어날 수 있었다. 마지트는 '세상에 나 혼자' 라는 생각을 잊게 해주었다.

단지 불만이라면 마지트가 나와 어느 정도 거리를 두려 한다는 것이었다. 네 번째 만난 날에도 마지트는 나를 소파로 데려가더니 오럴을 했다. 몸을 만지려 하자 내 손길을 뿌리치며 '오늘은 곤란해' 라고 말했다. 하지만 사흘 뒤 다시 만난 우리는 열정적으로 섹스를 했다. 침대에 나란히 누워 도란도란 나누는 대화도 다정했다. 그날, 마지트가 그만 돌아가라고 했을 때 나는 이렇게 말했다.

"함께 시내에 나가 저녁식사를 하지 않을래?"

"나는 일을 해야 하고, 자기도 일하러 가야 하잖아."

"자정까지 출근하면 되니까 아직 두세 시간은 함께 있을 수 있……."

마지트가 내 말을 끊으며 말했다.

"정말 밤새 가만히 앉아 모피를 지키는 거야?"

"응."

"회사 사람은 만나봤어?"

"근처 인터넷카페에서 급여봉투를 받아."

"인터넷카페 직원이 중간 연락책이야?"

"그런 셈이지."

"그 건물에서 사실은 다른 일이 벌어지고 있을지도 모르잖아. 궁금하지 않아?"

"그저 모피 창고일 뿐이야."

"거짓말인 거 다 알아."

침묵. 마지트가 다시 말을 이었다.

"나에게 거짓말을 했다고 죄책감을 느끼는 건 아니지?"

"진실이 뭔지 나도 잘 몰라. 미안해."

"왜 자기가 미안해? 남자들은 어차피 다 거짓말쟁이인데."

"노코멘트."

"그래, 죄책감을 갖는다는 건 나쁜 일은 아니야. 다만 당신은 거짓말에 대해 지나칠 정도로 강박관념을 가지고 있어서 문제야. 아마도 당신 전처 때문이겠지. 당신 전처는 결혼생활에서 정직이 우선이라고, 신뢰가 깨지면 끝장이라고 귀 따갑게 말했을 테니까."

나는 자못 긴장했다.

전에 수잔이 그런 말을 했던 것에 대해 마지트에게 이야기한 적이 있던가?

"단지 추측일 뿐이야. 미국인들은 지나치게 도덕성을 강조하니까 당신 전처도 다를 바 없을 거라 생각했어."

"프랑스 사람들은 달라?"

"적어도 프랑스 사람들은 두 가지의 다른 세계가 공존한다는 걸 인정하지. 이를테면 가정에 대한 책임감과 자유로운 생활이 팽팽하게 줄다리기를 하며 균형을 유지해가는 거야. 뒤마도 말했어. '결혼의 사슬이란 너무 무거워 여러 사람이 운반해야 한다'라고. 하지만 가정에 대한 책임감과 개인의 자유가 수시로 부딪쳐서는 곤란하겠지. 둘 사이에 팽팽한 균형을 유지해야 하니까. 당신은 전처에게 온갖 일을 다 솔직하게 털어놓았을 것 같아."

"그래, 솔직했어. 내가 바보였나 봐."

"그러면서 동시에 가정을 지키지 못한 것에 대해 죄책감도 느끼잖아."

"아무튼 외도를 들켰으니까."

"들킨 것과 고백하는 건 다른 문제야. 다른 여자와 침대에 있다가 와이프에게 들킨 남자 이야기 알아? 그 남자는 벌거벗은 채로 침대에서 뛰어내리면서 소리쳤대. '나, 아니야. 나, 아니야'라고."

"나는 그런 식으로 발뺌하는 데 익숙하지 않아."

"당신은 거짓말을 하는 게 불편할 뿐이야. 거짓말이 윤리적으로 나쁘다고 생각하기 때문이지. 하지만 거짓말은 인간의 보편적인 특징이고 때로는 필요하기도 해."

"거짓말이 필요하다고?"

"당연하지. 거짓말이 없다면 세상을 어떻게 살아가겠어? 그리고 가장 큰 거짓말이 뭔지 알아? '사랑해' 야."

"당신은 남편을 사랑하지 않았어?"

마지트는 담배를 꺼내 물었다.

"당신은 곤란한 질문을 받을 때마다 담배를 피우나봐."

"오호라, 관찰력이 제법 뛰어난데? 난 남편을 사랑했어. 가끔."

"가끔?"

"당신은 누군가를 지속적으로 사랑할 수 있어?"

"내 딸을 지속적으로 사랑하고, 내 딸이 원한다면 뭐든지 할 수 있어."

"이제 그 딸은 당신과 대화를 나누지도 못하는데?"

"내가 그런 이야기까지 했어?"

"내가 당신의 과거에 대해 말할 때마다 왜 그렇게 깜짝 놀라? 혹시 내가 심령술사는 아닌지 걱정돼? 난 그냥 논리적으로 추리해서……."

"내가 그렇게 속이 다 들여다보여?"

"어느 누구에게나 인생은 특별하지만 한편으로는 대개들 비슷하게들 살지 않아? 어떤 사람이 여기저기 흘린 증거를 보면 그의 인생을 추측하기란 그리 어렵지 않아. 하지만 당신이 굳이 이야기하고 싶지 않다면……."

"당신도 딸 이야기를 피하는 건 나와 다름없잖아."

"우리 딸은 죽었으니까."

"어떻게 그런 일이?"

"듣고 싶어?"

"듣고 싶어."

마지트가 시선을 돌려 창밖을 보았다. 그녀는 담배를 몇 모금 빨아들이고 나서 이야기를 시작했다.

"1980년 6월 22일이었어. 졸탄이 주디트를 데리고 뤽상부르공원에 다녀오겠다기에 나는 한 시간 뒤에 저녁상을 차릴 테니까 근처 식물원이나 둘러보고 빨리 돌아오라고 했어. 하지만 주디트는 반드시 뤽상부르공원에 가겠다고 고집을 부렸고, 졸탄은 주디트가 바라는 건 뭐든 다 들어주는 아빠였지. 졸탄은 택시를 타고 뤽상부르공원에 다녀오겠다고 했어. 그러다가 잠시 생각하더니 온 식구가 함께 나가 저녁을 먹고 영화 〈판타지아〉를 보고 오는 게 어떨지 제안했어. 나는 그때 이미 스파게티소스를 만들고 있었지. 당시 나는 융통성이라곤 조금도 없던 때라 졸탄에게 한 시간 뒤에는 꼭 돌아오라고 명령하듯이 말했어. 졸탄은 나에게 너무 딱딱하게 살지 말자고 했고, 나는 우리 집에서 규율을 지키는 사람이 한 명쯤은 있어야 한다고 말했어. 그러자 졸탄이 나에게 욕설을 퍼부었지. 옆에 있던 주디트는 왜 엄마 아빠는 늘 싸우는지 따지고 들었어. 졸탄은 나 때문이라고, 내가 뭐든 자기 마음대로 하기 때문이라고 주디트에게 말했지. 나는 졸탄에게 한심하기 짝이 없는 인간이라고, 내가 이 결혼생활을 유지하는 이유는 오로지 주디트 때문이라고 말했어. 급기야 주디트는 울음을 터뜨렸고, 졸탄은 이제 결혼생활에 질렸다고 소리쳤어. 졸탄은 주디트를 데리고 밖으로 나가면서 자기들은 저녁을 먹고 올 테니까 그 빌어먹을 스파게티소스에 빠져 죽든지 말든지 맘대로 하라며 문을 쾅 닫아버리고 나갔어."

마지트는 잠시 아무 말이 없다가 다시 말을 이었다.

"시간이 한참이나 흘렀어. 세 시간, 네 시간, 다섯 시간. 나는 두 사람이 밥을 먹고 나서 영화를 보고 오는 거라고 생각했어. 하지만 극장은 우리 아파트에서 걸어서 십분 거리밖에 되지 않았어. 열한 시가 되자 슬슬 걱정이 되기 시작하는 거야. 자정이 되자 덜컥 무서워졌지. 새벽 한 시에는 몹시 불안해 어쩔 줄 모르는 상태가 됐어. 머릿속에 갖가지 시나리오가 떠올랐지. 처음에는 졸탄이 너무 화가 나 호텔을 잡았을지도 모른다고 생각했어. 하지만 졸탄은 집에 들어오지 않는 것으로 와이프에게 복수할 만큼 치사한 인간은 아니었지. 나는 졸탄의 그런 면이 좋았어. 그래서 계속 살았는지도 몰라. 정말 이상하지 않아? 우리는 자신의 인생에서 가장 중요한 사람을 가끔 몹시 심하게 비난하고 나서 후회하지. 그 비난은 사실상 자기 자신을 향한 것인데도……."

마지트는 다시 말을 멈추고 길게 담배를 빨았다.

"두 시가 되기 전에 경관들이 들이닥쳤어. 계단에서 웅성대는 소리가 들리자 나는 단박에 직감했어."

침묵.

"경관들은 아주 침착했어. 사고가 있었으니 병원으로 같이 가자고 하더군. 나는 순식간에 히스테릭해져서 무슨 일인지 말하라고 경관들에게 소리쳤지. 한 경관이 자기들도 사고가 발생했다는 것 말고는 아는 게 없다고 했어. 그리고 다른 경관이 나를 진정시키려는 듯 내 어깨에 손을 얹었지. 그때 알아챘어. 졸탄도 주디트도 모두 죽었다는 걸. 까마득한 절벽에서 떨어지는 기분이었지. 아직까지도 그때의 기분이 생생하게 기억나. 다리가 휘청거렸지만 어찌어찌해서 화장실까지 걸어갔어. 변기를 붙잡고 토했어. 차라리 변기 물에 얼굴을 처박고 죽고 싶었지. 죽음밖에 다른 선택은 없을 것 같았어. 토하고 있는 동안 경관한 명이 화장실에 들어와 내 옆을 지키고 서 있었어. 내가 자해를 할지 모른다고 생각한 거야. 내가 변기에 머리를 대자 경관이 말하더군. '마음을 단단히 먹어야 합니다.' 다 토한 뒤에 경관이 나를 부축했어.

변기 물을 내리고 세면대에 차가운 물을 받았어. 내가 세수를 하자 경관이 수건을 내 머리에 둘러주고 동료에게 뭐라고 소리쳤지. 다른 경관이 내 코트를 가져와 나에게 입혔어. 나는 경관들의 부축을 받고 경찰차에 올라 병원으로 갔어. 경관이 작은방으로 나를 데려가더군. 십오 분이나 기다렸지만 오히려 다행이었지. 더 오래 기다릴수록 끔찍한 일은 더 뒤로 미뤄졌을 테니까."

마지트는 말을 멈추고 나서 새 담배에 불을 붙였다.

"아마 그 십오 분 동안 담배를 여섯 개비쯤 피웠을 거야. 문이 열리고 남자 두 명이 들어왔어. 퉁퉁한 몸집에 우울한 표정의 중년남자들이었지. 한 명은 흰 가운을, 다른 한 명은 정장을 입고 있었어. 의사와 형사였지. 의사는 내 옆에 앉고, 형사는 뒤에 서서 나를 지켜보았어. 의사는 나와 눈을 마주치려고 애썼어. 의사가 말을 꺼내더군. '이런 말씀을 드리게 되어 유감입니다만……' 경관들이 내 아파트 문을 노크한 순간부터 애써 유지했던 인내심이 의사의 말을 듣는 순간 와르르 무너졌어. 아마 십 분도 넘게 울었을 거야. 상처 입은 동물처럼 비명을 지르며 흐느껴 울었지. 의사가 나를 진정시키려고 내 손을 잡으려 했지만 나는 의사를 밀쳤어. 진정하라는 의사의 말에 나는 당신이라면 진정할 수 있겠느냐고 고함을 질렀어. 마침내 의사가 설명을 시작했어. '뺑소니……길을 건너다가……졸탄은 즉사하고 따님은 십오 분 전에 세상을 떠났고……부군은 따님을 살리려고 최선을 다했지만 목이 부러지고 내상이 너무 심해서……' 형사는 목격자가 뺑소니차의 번호를 적었으니 곧 운전자를 체포할 수 있을 거라고 했어. '단순사고 같지만, 혹시나 해서 여쭙겠습니다. 주변에 혹시라도 부군을 죽이려고 획책할 만한 사람은 없었나요?' 나는 다시 소리치기 시작했어.

졸탄은 야심이라곤 없는 몽상가인데 원한을 살 일이 뭐 있겠느냐고. 형사가 말하더군. '그렇군요. 이런 상황에서 대답하기 어려운 질문을 드려서 죄송합니다.' 나는 또 소리쳤어. 졸탄과 주디트를 보겠다고. 하지만 사람들은 시신이 너무 많이 훼손되었으니 보지 않는 게 좋겠다며 나를 말렸어. 나는 더 격하게 소리쳤어. 상태가 어떻든 상관없다고. 꼭 봐야 한다고. 의사는 그래도 보지 않는 게 좋겠다고 말렸어. 졸탄은 자동차 바퀴에 머리가 다 으깨졌고, 주디트는 자동차에 몇 미터나 끌려가서 얼굴이……. 나는 그 말을 듣고 발작을 일으켰어. 책상을 발로 차고, 손톱으로 내 얼굴을 쥐어뜯고, 벽에 머리를 찧었어. 경관과 형사가 나를 붙잡더군. 나는 벗어나려고 몸부림쳤어. 의사가 밖으로 나가더니 간호사를 데려왔지. 죽겠다고 소리치고 있는데, 누가 내 웃옷을 내리더니 팔에 주사를 놓았어. 그리고 눈앞이 깜깜해졌고……. 다시 정신이 들었을 때에는 정신병동 침대에 묶여 있었어. 담당 간호사가 말하기를 내가 이틀 동안 혼수상태였다는 거야. 몇 시간 뒤에 형사가 왔어. 의사는 내가 이제 진정됐다고 결론짓고 묶어두었던 속박을 풀어줬어. 그래서 나는 침대에서 윗몸을 일으켜 앉았지만 음식은 전혀 입에 대지 않았지. 형사는 그냥 형식적인 절차로 나를 찾아왔어. 뺑소니 운전사를 체포했대. 이름은 앙리 두프레. 커다란 제약회사의 이사래. 뺑소니 사고를 쳤을 때에는 만취 상태였던 게 틀림없었다더군. 이튿날 아침에 체포했는데 그때까지도 혈중알코올 농도가 꽤 높았대. 그렇게 취한 상태였으니 아마 누구를 쳤는지도 모른 채 매달고 달렸을 거라더군. 형사가 계속 말했어. 졸탄과 주디트의 신원은 이웃 사람을 통해 확인했고, 장례업자가 얼굴을 복원했으니 이제 내가 보고 싶으면 봐도 좋다고……. 하지만 그때 나는 시체를 보기 싫다고 말했어. 도저히 볼 용기가 없다고……."

 침묵.

 "파리에는 친구가 별로 없었어. 내 정부인 코르티가 나를 만나러 왔
지. 나는 여전히 약에 취해 있었고, 자살할지 몰라 감시를 받고 있었
어. 어쨌든 코르티는 내 모습을 보고 크게 놀랐지. 코르티는 정말 친절
했어. 아주 나직한 목소리로, 장례비는 자신이 다 부담하겠으며, 내가
건강을 회복하고 병원에서 나온 뒤에 장례를 치를 수 있도록 장례업
자에게 시체를 며칠 더 맡아두도록 부탁하겠다고 했어. 하지만 나는
장례식에 참석하지 않겠다고 말했어. 시체를 못 보겠다고. 곧장 화장
하라고. 화장한 재는 마음대로 하라고. 이제 내 남편과 딸은 죽었는데
그깟 재가 무슨 상관이냐고. 코르티는 이성적으로 나를 설득하려 했
지만, 나는 아무 말도 귀에 들리지 않았어. '당장 화장해요.' 나는 소
리쳤고, 코르티는 조용히 고개를 끄덕이며 안타깝지만 어쨌든 내 말
대로 따르겠다고 했지. 며칠 뒤에 병원에서 퇴원했어. 코르티가 차를
보냈어. 텅 빈 아파트로 돌아왔지. 졸탄과 주디트가 죽기 전의 집 그대
로였어. 내가 만들던 스파게티소스가 레인지 위에서 썩고 있었어. 벽
난로 앞에는 주디트의 책과 인형이 있었지. 졸탄이 늘 앉던 의자 팔걸
이에는 그가 평소에 쓰던 안경이 그대로 놓여 있었어. 졸탄이 읽던 책
도 그대로 있었지. 모라비아의 《경멸》. 그 소설 알아?"

 "알아. 고다르 감독이 영화로 만들기도 했잖아."

 "졸탄과 사이가 좋았던 때에 함께 그 영화를 본 기억이 났어. 우리
사이가 삐걱거리기 시작하면서 졸탄은 그 소설과 영화에 집착했어.
모라비아 소설의 주인공처럼 졸탄은 아내에 대한 존경을 잃었다고 생
각하고, 그 주인공과 자신을 동일시한 거야. 나는 졸탄과 주디트에게

늘 불평만 늘어놓는 사람이었으니까."

"죄책감을 느껴?"

"물론이야. 퇴원하고 나서 며칠 뒤에 6구 경찰서에서 전화가 왔어. 형사가 서류를 작성해야 하니까 내 이야기를 들어야겠대. 그때 알았는데, 뺑소니차 번호를 적은 목격자가 사고를 당하기 전의 주디트와 졸탄을 보았대. 졸탄이 길 건너에서 빈 택시를 보고 주디트와 황급히 길을 건너다가……."

"당신 잘못은 아니야."

"내 잘못이야. 내가 저녁시간에 맞춰 빨리 오라고 재촉하지만 않았더라도……."

"그건 억지야. 당신도 그게 억지라는 걸 잘 알잖아."

"나에게 좀 더 융통성이 있었더라면, 그 빌어먹을 스파게티소스에 집착하지 않았더라면……."

또 침묵. 나도 감히 입을 열 수 없었다. 마침내 마지트가 말했다.

"이제 그만 돌아가."

"알았어."

"내가 너무 딱딱하게 군다고 생각하지?"

"아니, 나는 한 번도 그렇게 생각한 적 없어."

"말은 안 하지만 당신 얼굴만 봐도 알 수 있어. 당신은 남는 시간도 많은데 내가 늘 돌아가라고 말하고, 사흘에 한 번씩만 만나자고 하는 게 싫잖아."

"마지트, 그렇지만 괜찮아."

"거짓말. 괜찮지 않아. 싫지만 그냥 참을 뿐이지."

"뭐, 당신도 그럴 만한 사정이 있을 테니까."

"속이 다 들여다보이는데 이성적인 척하지 마."

"남녀 사이에서는 누구나 그런 척을 하지 않을까? 더구나 이렇게 기묘한 만남일 경우에는."

"그래, 이제 자기 입으로 실토하네, 기묘한 만남이라고. 자, 우리 만남이 기묘하다고 생각한다면 왜 그만두지 않지? 자, 나를 욕해 봐. 내가 뭐든 마음대로 하는 나쁜 년이라고."

"내가 나간 뒤에는 무슨 일을 해?"

"무슨 일? 그냥 일해."

"거짓말."

"맘대로 생각해."

"지금 번역하는 책은 뭐야?"

"내가 어떤 일을 하는지 당신에게 말할 필요는 못 느끼겠는걸."

"사실 아무 일도 안 하지?"

"자기가 돌아간 뒤에는 내 볼일을 봐."

"남자가 또 있어?"

"내가 그렇게 성욕에 집착하는 여자로 보여?"

"아니, 온통 수수께끼인 여자 같아."

"해리, 이제 여기서 나가면 다시는 돌아오지 마."

"왜 드라마 같은 상황을 만들지 못해서 안달이야?"

"나는 다른 사람과 좋은 결과를 맺을 수 없으니까."

"그건 과거에서 벗어나지 못했기 때문에⋯⋯."

"정신과의사 흉내를 내지 말라고 말한 사람이 누구였지? 당신은 나를 몰라. 전혀."

"하지만 조금 전에 다 이야기했잖아. 그런 슬픈 이야기도⋯⋯."

"그 이야기에 감동했어? 아니면 당신 전처와 딸에게 늘 억눌려 살던 생각에⋯⋯."

"왜 그렇게 심한 말을 해?"

"그러니까 우리 이제 그만 만나."

"내가 다시는 이 집에 오지 않게 만들 수 있는지 시험해보는 거야? 당신이 자책감에서 벗어나면⋯⋯."

"자, 이제 옷 입고 나가서 다시는 오지 마."

하지만 나는 거칠게 마지트를 껴안고 침대에 눕혔다. 마지트가 저항했지만 나는 그녀의 양팔을 침대에 꼼짝 못하게 누르고 몸 위로 올라갔다.

"자, 두 가지만 내 질문에 대답해."

마지트가 말했다.

"저리 꺼져."

"당신 목에 난 흉터⋯⋯."

마지트가 내 얼굴에 침을 뱉었다. 하지만 나는 상관하지 않고 마지트의 손과 다리를 더 세게 눌렀다.

"목에 난 흉터는 왜 생겼어?"

"자살하려다가 실패했어. 이제 만족해?"

나는 마지트의 팔을 놓았다.

마지트는 침대에 맥없이 누워 있었다.

"병원에서 퇴원한 뒤에 곧장 자살하려 했어?"

"이틀 뒤에. 코르티와 섹스를 하고 나서 그의 아파트에서 죽을 생각이었어."

"퇴원한 지 이틀밖에 안 됐는데 코르티가 섹스를 요구했단 말이야?"

"아니, 내가 먼저 요구했어. 코르티는 몹시 주저했는데 내가 고집을 부렸지. 늘 그랬듯이 이 분 만에 끝났어. 나는 주방으로 가서 칼을 쥐고……."

"코르티에게 벌을 주고 싶었던 거야?"

"그래, 사실 코르티는 나에게 아주 잘해주었지만……."

"하지만 코르티가 옆에 있을 때 자살시도를 했다는 건……."

"코르티의 도움을 받고 싶은 생각은 없었어. 제대로 목을 그으면 그 자리에서 죽으니까. 그런데 나는 제대로 목을 긋지 못했어. 코르티가 지혈을 하고 구급차를 불러서……."

"살아남았군."

"안타깝게도."

"코르티는?"

"병원에 일주일에 두 번씩 면회를 왔어. 내 앞으로 일만 프랑의 돈도 보냈어. 앞으로 잘 살라는 편지와 함께. 그 뒤로는 코르티를 만나지 못했어."

"뺑소니 운전자는?"

"그는 연줄이 많은 사람이었어. 그래서 교묘하게 빠져나갔지. 그가 나에게 합의하자면서 오만 프랑을 제안하더군. 나는 거절했어. 그런데 내 변호사가 그 돈을 받는 게 나을 거라 설득했지. 변호사는 돈을 더 받아 내겠다고 말했고, 결국 그 약속을 지켰어."

"그래서 합의금을 받았어?"

"내가 세상에서 가장 사랑한 두 사람의 목숨 값으로 칠만오천 프랑을 받았어."

"그 뒤로 뺑소니 운전자와는 만날 일이 없었고?"

"아니, 세상일이란 게 참 이상하지. 사고가 난 지 삼주 뒤에 그 사람 집에 강도가 들었어. 그는 칼에 심장을 찔려 그 자리에서 즉사했대."

"그때, 복수한 것 같은 기분이었어?"

"그렇다고 말할 수 있지. 그는 내 가족을 죽이고도 전혀 미안한 마음을 갖지 않았으니까. 사과의 말을 담은 작은 카드조차 보낸 적이 없어. 무조건 돈으로 다 해결하려 들었지."

"그러니까 강도에게 죽임을 당해도 싸다?"

"복수를 해도 양심의 가책은 남는다고 하지? 그건 헛소리야. 억울한 일을 당하면 누구나 복수를 꿈꾸게 되지. 똑같이 갚아주어야 한다고 생각하지. 복수하지 말아야 할 이유가 어디 있어? 뺑소니 운전자가 강도에게 죽임을 당하지 않았다면 나는 평생 복수만 생각하며 살았을 거야. 강도가 나를 위해 아주 큰일을 해주었지. 죽어 마땅한 사람을 죽였으니까. 나는 지금도 강도에게 고마워하고 있어."

"그렇다고 당신 마음의 상처가 다 나은 건 아니잖아."

"남편은 아무리 사랑했어도 결국 잊게 돼. 하지만 자식은 절대로 잊을 수가 없었어. 뺑소니 운전자는 죽었지만 내 슬픔은 여전히 가시지 않았지. 내 말 때문에 놀랐지?"

"어느 부분에서는 놀라기도 했지만……."

"그럼 다른 부분에서는?"

"당신을 이해할 수 있을 것 같아."

"당신도 복수를 하고 싶어?"

"내가 겪은 고통은 당신에 비하면 아무것도 아니야."

"그래, 당신 가족은 죽지 않았으니까. 하지만 가정도 직업도 모두 끝장났잖아. 게다가 딸과 연락도 못하고 지내지. 상황이 이런데도 괴롭지 않다면 거짓말이겠지."

"굳이 상기시키지 않아도 돼."

"하지만 늘 괴로워하잖아. 자책감을 벗어던지지도 못하고."

나는 일어서서 옷을 입기 시작했다.

마지트가 놀란 목소리로 물었다.

"벌써 돌아가게?"

"상담 시간이 다 끝난 것 아니야?"

"그래, 하지만 당신 생각은 조금도 변하지 않네. 왜 그럴까?"

나는 아무런 대꾸도 하지 않았다.

"솔직히 말해 봐. 누가 당신을 이렇게 만들었어? 당신도 복수하고 싶지 않아?"

"물론 마음이야 당장이라도 복수하고 싶지만 결국 실행에 옮기지는 않을 거야."

"당신은 너무 도덕적이라니까."

"그건 아니야. 사흘 뒤?"

"이런 만남을 계속하다니, 당신은 바보야."

"그래, 난 바보야."

"알았어, 사흘 뒤."

마지트는 담배를 한 개비 피워 물었다.

그날 밤, 사무실 책상에서 마지트가 들려준 이야기가 계속해서 뇌리를 떠나지 않았다. 어떻게 그런 일이 있을 수 있을까? 마지트의 냉정한 모습, 나와 얼마간 거리를 유지하려는 태도가 조금은 이해되었다. 마지트에게는 지울 수 없는 상처와 슬픔이 있다. 그렇다. 사람에게는 절대로 치유될 수 없는 비극이 있다. 다만 슬픔을 떠안은 채 적당히 적응하면서 살아갈 뿐이리라. 그러면서 차츰 상실감을 품고도 살아가는 방법을 터득하게 되리라.

억지로 일을 시작했다. 매일 쓰기로 한 500단어. 새벽 6시가 됐지만 나는 감옥 같은 좁은 공간에서 벗어날 수 없었다. 하루 쉬는 대신 열두 시간을 연속해서 일하기로 했기 때문이다. 또 다시 여섯 시간을 견뎌야만 했다. 나는 500단어를 더 쓰려고 애썼다. 도무지 글이 써지지 않을 때면 책을 읽었다. 그러다가 방을 빙빙 돌며 걷고, 콘크리트 바닥에 손바닥을 대고 팔굽혀펴기를 했다.

낮에는 방문객이 몇 명 있었다. 모니터에 비치는 영상은 밤보다 훨씬 선명했다. 방문객은 모두 터키 사람들 같았다. 그들은 암호를 말할 때 절대로 고개를 들지 않았다.

몽드 씨는 누굴까?

카말은 전에 말했다.

'모르는 게 좋아요.'

정오가 돼 밖으로 나갔다. 눈이 부셨다. 집으로 돌아가 알람을 저녁 7시에 맞췄다. 깊은 잠에서 깨어난 뒤 생각했다. 이런 생활이 과연 정상일까? 밤새 모니터를 지켜보고, 마지트를 사흘에 한 번씩 만나는 생활이 계속됐다. 이 이상한 일을 시작한 이후 줄곧 이어져온 일상에서 벗어나 겨우 하루 간의 휴식시간을 얻었지만 마땅히 할 일도 없었다.

시네마 그랑닥시옹으로 서둘러 갔다. 스탠리 큐브릭 감독의 〈스파르타쿠스〉가 8시 15분에 시작됐다. 영화가 끝날 때까지 내 머릿속에서는 '마지트의 집이 여기서 5분 거리인데' 라는 생각만이 맴돌았다. 그러나 길을 가다 우연히 발견한 멕시코 식당에 들어가 마가리타를 마시자 그 생각은 사라졌다. 칵테일과 밥을 먹었더니 음식 값으로 50

유로가 나왔다. 열두 시간을 연속해서 일했고, 겨우 몇 달 만에 처음으로 쉬는 날이 아니던가? 오늘 만큼은 돈 걱정을 접어두기로 했다.

식당을 나와 값비싼 쿠바 시가를 사 센 강을 바라보며 피웠다. 재즈 클럽에도 갔다. 밤 1시 30분이 넘으니까 입장료도 받지 않았다. 실력이 평범한 여자 재즈 가수가 듀크 엘링턴의 스탠더드 곡들을 불렀다.

연주가 다 끝났을 때 클럽에 남아 있는 사람이라고는 나밖에 없었다. 재즈클럽을 나와 10구로 걸음을 옮겼다. 2시가 넘은 시각, 10구는 텅 비어 있었다. 노숙자들과 간혹 나 같은 취객만이 거리를 지나다닐 뿐이었다.

걸어서 파라디스 가까지 왔다. 자동차 소음도 없어 내 발자국소리만이 울렸다. 그러다가 어디선가 시끄러운 음악 소리가 들려왔다. 내가 간혹 들렀던 카페의 문이 아직 열려 있었다.

카페 안으로 들어가자 내가 한때 눈길을 주었던 여자 바텐더가 웃으며 반겼다. 미처 주문도 하지 않았는데 여자는 내 앞에 맥주 한 잔을 내려놓더니 투명한 술 두 잔을 작은 잔에 따랐다. 그 술에 액체를 한 방울씩 넣자 우윳빛으로 변했다. 여자는 한 잔을 내 앞으로 내밀며 '세레페'라고 말했다. '세레페'는 터키 말로 '건배'라는 뜻이었다.

나는 여자와 잔을 부딪치고 나서 한 번에 쭉 들이켰다. 술이 목을 타고 내려갈 때 파스티스 같은 맛을 느꼈다. 하지만 술이 들어가자 도수가 높아서인지 속이 탔다. 얼른 맥주를 마셨다. 여자는 내가 괴로워하는 모습을 보며 희미하게 웃었다.

"라키는 위험한 술이죠."

여자는 그렇게 말하며 라키를 한 잔씩 더 따랐다.

여자의 이름은 야나였고, 카페 주인과는 부부 사이였다. 남편 네딤은 삼촌 장례식 때문에 터키에 갔다고 했다.

"터키 남자는 늘 삼촌 장례식이 있다고 핑계를 대요. 아니면 친구들과 모여 누구한테 앙갚음할 궁리를 하거나······."

"야나도 터키 사람이잖아요?"

"제 부모님은 터키 출신이지만 어려서 프랑스로 이민을 왔고, 저는 프랑스에서 태어났어요. 하지만 부모가 터키 사람이면 거기서 벗어날 수 없어요. 부모의 성화에 못 이겨 결국 네딤과 결혼했죠. 네딤은 먼 친척이에요. 대단한 멍청이고."

야나가 또 내 잔에 잔을 부딪치고 나서 단숨에 라키를 마셨다. 나도 야나를 따라 또 한 잔을 더 마셨다. 야나는 나에게 맥주를 건넸다.

야나가 말했다.

"라키는 취하기에 좋은 술이죠."

"그리고 살다보면 취해야 할 때도 많죠."

"그렇죠. 오마르한테 들었는데 미국인이라면서요?"

"예."

"그런데 왜 오마르가 사는 집에 살아요?"

"가난한 예술가라는 말을 들어 보셨어요?"

"예술가는 한 번도 만난 적이 없어요. 이 카페에는 너절한 개자식들만 드나드니까."

"예술가도 개자식일 수 있어요."

"그래도 뭔가 다른 개자식이겠죠."

야나는 구석에서 반쯤 기절한 두 취객에게서 마지막 주문을 받고, 라키를 석 잔 마시더니 묻지도 않은 자기 인생 이야기를 술술 털어놓았다. 그녀는 터키 이민자들이 주로 사는 이 지역에서 자랐고, 청소년

시절에는 아버지의 일을 도왔고, 아주 보수적인 부모 때문에 터키 사람인 네딤과 3년 전 결혼했다.

"빌어먹을! 제 부모가 스물한 번째 생일선물로 그 따위 신랑을 준비해두었지 뭐예요."

"저런!"

"그나마 여긴 사창굴이 아니라 술집이어서 다행이죠. 그 멍청이한테 일주일에 두어 번씩 마누라 노릇을 하느라 다리를 벌려야 한다는 게 끔찍해요. 그 인간은 내가 미처 느끼기도 전에 끝나버리죠."

우리는 라키를 연속으로 마셨다. 야나는 기침을 하면서도 담배를 계속 피워댔다. 마침내 우리는 완전히 취했다. 주변은 엉망이었다. 더러운 술잔들과 담배꽁초가 빼곡한 재떨이들이 마구 어질러진 테이블과 바.

야나는 주위를 둘러보며 몸서리쳤다.

"이게 제 인생이에요."

"이만 갈게요."

"아직 안 돼요."

야나가 일어서서 문쪽으로 가더니 문을 잠그고 안쪽 셔터를 내렸다. 그리고 내 앞으로 다가와 몽롱한 미소를 흘리며 내 손을 잡고 자기 치마 속으로 이끌었다. 내가 손가락으로 야나의 음부를 애무하자 곧 젖어들기 시작했고, 입에서 신음소리가 흘러나왔다. 나는 취했지만 내가 하는 짓이 얼마나 미친 짓인지 깨달을 만큼의 분별력은 있었다. 하지만 내 손가락은 야나의 음부 속으로 더욱 깊이 파고들었다. 곧 입술이 서로 맞부딪치는 순간 조금 남아 있던 이성마저 딱딱해진 페니스에 굴복했다.

뒷방에 간이침대가 있었다. 야나가 내 청바지를 벗겼다. 나는 야나의 팬티를 내렸다. 야나가 구두를 벗어던졌다. 우리는 한 몸이 되어 그대로 침대에 쓰러졌다. 간이침대가 요란하게 삐걱거렸다. 내가 안으로 들어가자 야나는 격렬하게 반응했다. 야나는 내 머리카락을 잡아당기고, 내 엉덩이를 꽉 쥐고, 내 혀를 물었다. 절정에 이르렀을 때 야나의 신음소리에 놀라 이웃사람 두어 명 정도가 잠에서 깼을지도 모른다.

볼일이 끝나자마자 야나는 일어났다.

"이제 카페를 청소해야 해요."

잠시 후 나는 청바지를 입었다. 입에 고인 침을 뱉었는데, 침이 아니라 피였다. 야나가 내 혀를 세게 물어 상처가 생겼던 것이다.

야나는 황급히 나를 카페에서 내보냈다. 작별인사도 없었다. 다만 혹시 누가 보고 있지는 않은지 파라디스 가를 휙 둘러보았다. 나는 조금 걸어가다가 담에 기대서서 방금 일어난 일을 머릿속으로 정리하려 애썼다. 머리가 깨어질 듯 아팠다. 혀에서는 계속 피가 났다. 집으로 비틀비틀 걸어가 소금물로 한참 동안 입을 헹구고 나서 진통제와 조피클론을 먹었다.

잠에 빠져들었다가 두 시에 깼는데 혀가 몹시 아렸다. 알람소리에 잠이 깬 게 아니었다. 누군가 내 문을 세게 두드리고 있었다. 침대에서 나와 혀를 움직이려 해보았지만, 아파서 움직일 수 없었다. 주방 싱크대에 달린 작은 거울 앞에서 입을 벌렸다. 혀의 색깔이 검게 변해 있었다. 노크소리는 더욱 커졌다. 문을 열자 오마르가 서 있었다.

오마르가 다짜고짜 말했다.

"일천 유로 내놔."

"뭐?"

입에 솜을 가득 문 듯한 목소리가 흘러나왔다. 그제야 나는 내가 말하기조차 힘든 상태라는 걸 깨달았다.

"당장 일천 유로를 내놓지 않으면 죽을 줄 알아."

"도대체 무슨 말……."

제대로 알아들을 수 없는 말이 내 입에서 흘러나왔다.

"왜, 말도 못 하겠어?"

"감기."

"거짓말. 그 여자가 혀를 깨물었지?"

그 말에 잠이 싹 달아났다.

"무슨 말인지……."

"오늘 새벽에 카페에서 나가는 걸 봤어."

"난 카페에 간 적도 없어."

"셔터도 내려져 있고 문이 잠겨 있더군. 그런데 조금 있다가 셔터가 올라가더니 그 여자가 바깥을 살폈어. 여자가 아무도 없는지 확인하고는 네 놈을 내보냈지. 다시 셔터가 내려가고. 자, 넌 나한테 딱 걸린 거야."

"나는 모르는 일이야."

"헛소리. 내가 길을 가다가 당황한 표정으로 거리를 살피는 그 여자를 보고, 숨어서 다 지켜봤어. 분명히 네 놈이었어. 네딤한테 다 말할 거야. 네딤이 네 놈 불알을 못 쓰게 만들어줄 거야. 내 입을 막으려면 당장 일천 유로를 내놔."

나는 문을 쾅 닫았다. 오마르는 다시 문을 쾅쾅 치기 시작했다.

"이번 주까지 일천 유로를 내놔. 안 그러면 네 놈은 당장 불알을 못

쓰게 될 거야."

낭떠러지로 떨어지는 기분이었다.

이런 끔찍한 일이 세상의 모든 남자들이 저지르기 쉬운 실수 때문에 벌어지다니!

나는 억지로 샤워를 하고 옷을 입은 뒤 거리로 나갔다. 인터넷카페로 급여봉투를 받으러 갔는데, 턱수염 청년이 나를 보며 능글맞게 웃었다.

벌써 그 일이 알려졌나?

하지만 턱수염은 아무 말도 하지 않았다. 그나마 다행이었다. 배에서 꼬르륵 소리가 났다. 하지만 딱딱한 음식은 혀 때문에 씹기 힘들 것 같았다. 할 수 없이 맥도날드로 초콜릿 밀크셰이크를 먹으러 갔다.

오후 3시, 맥도날드에 도착했을 때에는 비가 내리고 있었다. 그 시각 맥도날드 매장에는 노숙자들과 싼 음식만 찾는 가난한 이민자들뿐이었다. 몸은 파리에 있지만, 파리에서도 이방인인 사람들. 무시되고 경멸받는 사람들. 나라고 다른가? 나 역시 파리에서의 삶을 꿈꾸지 않았던가? 멋진 아파트, 지적이고 아름다운 애인, 고급 레스토랑에서 먹는 음식, 고급 술집에서 마시는 술, 유명세와 거기 따르는 혜택. 나도 파리에서 그런 삶을 바랐지만 낙오자로 살고 있었다. 오마르가 정말로 야나의 남편에게 내 이야기를 하면 어쩌나 걱정이 이만저만이 아니었다.

오마르에게 1천 유로를 준들 그 뒤로 또 협박하지 않는다는 보장이 없었다. 느와르 영화들에 자주 나오듯이 이런 경우 협박과 액수만이 점점 커질 뿐이었다. 따라서 오마르의 말에 굴복하면 안 된다. 하지만 오마르의 입을 막을 방법이 없었다.

마지트라면 특별한 답을 내놓겠지. 하지만 다른 여자와의 섹스 때문에 생긴 문제니까 대놓고 말할 수는 없었다. 마지트를 만나기 전까지 이틀 동안 나는 전전긍긍했다.

마지트에게 혀를 다친 이유를 어떻게 설명하지? 야나가 남긴 손톱 자국이 아직도 남아 있는데 그건 또 어떻게 설명하지?

이틀 동안 시간이 멈춘 듯 더디게 흘러갔다. 그러다가 나는 그나마 분별있는 행동을 했다. 병원을 찾아간 것이다. 의사는 50대 중반의 남자로 머리숱이 적고 몸은 뚱뚱했다. 그가 내 혀를 보더니 재미있다는 표정을 지었다.

"어쩌다 다쳤죠?"

나는 의사에게 사실대로 말했다.

의사는 별다른 치료법은 없다고 말했다.

"소금물로 입을 자주 헹궈요. 상처 부위를 깨끗하게 유지하면 절로 나을 겁니다. 일주일 뒤면 부기가 모두 가라앉을 겁니다. 다음부터는 너무 격렬하게 하지 말라고 애인한테 말하세요."

"다음은 없어요."

나는 야나와 콘돔 없이 섹스한 게 염려된다는 말도 의사에게 털어놓았다.

"프랑스 여자입니까?"

"네, 하지만 남편은 터키 사람이에요."

"남편도 여기 살아요?"

"예."

"그 여자가 마약을 해요?"

"아닐 것 같아요."

"그 여자 남편은?"

"술을 많이 마셔요."

"그 여자가 다른 남자들과도 잠자리를 하는 것 같던가요? 터키 출신 다른 남자들과?"

"글쎄, 백인만 좋아하는 것 같았어요."

"인종차별주의자들도 자기가 차별하는 인종과 섹스를 하죠. 경멸의 표시로 그럴 수도 있어요. 환자분은요? 다른 여자와 콘돔 없이 섹스를 해봤어요?"

"그렇긴 하지만 안전한 상대와 했어요."

"하나 더 묻죠. 성기 주변에 상처가 있어요?"

"제가 보기에 상처는 없는 것 같은데, 그래도 한번 봐 주시겠어요?"

의사는 귀찮은 듯 한숨을 쉬고 수술용 장갑을 꼈다. 그런 다음 나더러 일어나라고 손짓했다. 나는 바지와 팬티를 내렸다. 의사는 장갑을 낀 손으로 내 페니스를 작은 플래시로 비춰대며 샅샅이 확인했다. 의사는 삼십초 동안 철저히 살폈고, 나는 조금 부끄러웠지만 의사의 성실한 태도에 믿음이 갔다.

"에이즈 바이러스가 전염되는 경우는 성기에 상처가 나 있을 때죠. 선생의 경우 에이즈 바이러스가 전염될 확률은 아주 낮아요. 정말로 운이 나쁜 경우에만 전염되니까."

"제가 정말로 운이 나쁠 수도 있잖습니까?"

"그럴 확률은 아주 낮다니까요. 그래도 확인하고 싶으면 혈액검사를 해보세요. 지금 혈액검사를 하고, 반 년 뒤에 한 번 더 하면 확실히 안심할 수 있을 거예요."

"검사할게요."

십 분 뒤에 나는 거리로 나왔다. 내일 검사 결과를 확인할 전화번호를 적은 쪽지도 주머니에 들어있었다. 의사는 내가 죄책감 때문에 극성스럽게 군다고 생각했을 것이다. 나는 마지트를 만나기 전에 무슨 조치든 취하고 싶었다.

45분 뒤, 나는 식물원을 어슬렁거리고 있었다.

마지트에게 어떻게 설명할까? 마지트가 어떤 반응을 보일까?

나는 내 자신을 책망했다. 순간의 충동 때문에 놓치고 싶지 않은 사람을 잃을지도 모른다. 사람은 실수를 하면서 성장한다고? 아니다. 섹스에 관한 한 그 말은 사실이 아니었다. 섹스에 관한 한 어리석은 실수를 계속 되풀이할 뿐이었다.

나는 마지트의 집 계단을 오르면서 생각했다.

'까짓것, 최악의 경우를 생각하면 겁낼 일은 없어.'

하지만 아무리 자신을 달래도 소용없었다. 모두가 내 잘못 때문에 벌어진 일이었다.

문을 노크했다. 1분쯤 지났을까. 마지트가 문을 열었다. 그녀는 검정 원피스 차림에 담배를 피우고 있었다.

"안녕."

나는 몸을 숙여 마지트와 입을 맞췄다. 내 발음이 부정확한 것을 들키지 않을까 걱정됐다. 우리는 방으로 갔고, 나는 안락의자에 앉았다. 마지트는 아무 말 없이 위스키를 따라 내게 건넸다. 나는 위스키를 조금 마시다가 얼굴을 찌푸렸다. 혀의 상처에 술이 닿자 무척이나 따가웠기 때문이다. 마지트가 씩 웃으며 말했다.

"해리, 누구한테 당했어?"

12

내가 말했다.

"무슨 말이야?"

"정말 모르겠어? 거짓말."

마지트가 웃으며 말했다.

나는 또 위스키를 조금 마시다가 얼굴을 찌푸렸다.

"입안이 아파?"

"혀를 씹었어."

"거짓말."

"당신은 혀를 씹은 적 없어?"

"그 여자, 이름이 뭐야?"

"아니, 정말 혀를 씹었다니까."

"제발 헛소리는 그만둬. 당신이 다른 여자와 잔 걸 탓할 생각은 없으니까. 내 눈은 못 속여. 자, 그 여자 이름이 뭐야?"

나는 잠시 아무 말도 못 하다가 겨우 입을 열었다.

"야나."

"터키 여자?"

"반은 프랑스, 반은 터키."

"어떻게 만났어?"

내가 카페에 가게 된 사연을 설명했다.

"섹스는 어쩌다 하게 됐어?"

그것도 설명했다.

"섹스가 끝난 뒤에는?"

"여자가 나를 쫓아냈어."

"콘돔도 착용하지 않고 했지?"

"미안해."

"뭐가?"

"뭐냐면……이제…….."

"이제 뭐?"

"이제 당신이 나와……."

"섹스를 안 하려 할 것 같아서?"

마지트는 한참 웃고 나서 말을 이었다.

"당신은 정말이지 어린애 같아. 병원에는 갔겠지?"

나는 마지트를 빤히 쳐다보았다.

"내가 병원에 간 걸 어떻게 알았어?"

"당신은 속이 훤히 들여다보이는 남자라니까. 게다가 미국인들은 섹스에 대해 지나치게 엄격하지. 물론 의사는 걱정할 것 없다고 말했겠지? 그런데도 당신은 아직도 걱정하고 있어. 에이즈에 걸릴 확률이 일백만 분의 일인데도……."

"그만해."

"감출 이유가 뭐 있어? 당신은 나에 대해 죄책감을 느끼고 있지만 어쨌든 솔직하게 털어놓았잖아."

"당신이 털어놓으라고 했으니까."

"나는 당신이 어떤 일을 하든 상관하지 않아. 나에게 중요한 건 우리가 보다 성인답게 대화하는 거야. 그런데 당신은 오늘 나를 보자마자 겁을 집어먹고……."

"섹스 문제가 전부는 아니야."

"의사가 걱정할 것 없다고 했다면서?"

"그 일 때문에 협박을 받고 있어."

"누구한테?"

나는 오마르 이야기를 털어놓았다.

"오마르는 간교해. 나를 궁지로 몰았다고 생각하고……."

"궁지에 몰린 건 사실이네."

"이제 어쩌지?"

"절대로 돈을 주면 안 돼."

"그러면 오마르가 그 여자 남편한테……."

"맘대로 하라고 해. 당신은 잡아떼면 그만이야. 그리고 그 여자도 분명히 잘 잡아뗄 거야."

"그렇게 하면 내가 당하지 않을까? 아마도 그 여자 남편이 내 얼굴을 짓이기려 들걸?"

"오마르한테 돈을 주겠다고 말해. 하지만 당장은 현금이 없으니까 몇 주 안으로 틀림없이 구해주겠다고 해. 오마르가 돈을 달라고 재촉해도 단호하게 말해야 돼. 그럼 어쩌겠어? 그 여자 남편한테 일러바칠 것 같아? 그랬다가는 당신한테 돈을 못 받게 되잖아. 오마르가 바라는 건 돈이야. 그러니까 계속 뒤로 미루면 돼. 그 다음에는 카페 여자를 만나 현재 상황에 대해 자세히 이야기해. 여자가 도움을 줄 거야. 그 여자가 남편한테 오마르가 그날 자기를 겁탈하려 했다고 말하면 돼. 아주 자세하게 말하라고 해. 그러면 여자의 남편은 오마르의 말을 절대로 믿지 않을 거야. 설령 오마르가 당신 이야기를 꺼내도 자기 잘못을 뒤집어씌우기 위해 거짓말을 한다고 생각할 테니까."

나는 마지트를 보았다.

"아주 영리하고 확실한 방법이야."

"하지만 공짜는 아니야."

"뭘 원하는데?"

"미국에서 무슨 일이 있었는지 나에게 솔직하게 말해. 무슨 일 때문에 다 버리고 파리로 왔는지."

나는 한참 동안 침묵을 지키다가 위스키를 마셨다. 입안의 상처가 엄청나게 따가웠지만 참고 마셨다.

"나는 들을 권리가 있어."

"문제 해결 방법을 알려 준 대가야?"

"나는 내 이야기를 많이 들려줬잖아. 그런데 당신은……."

"시시한 이야기일 뿐이야."

"인생을 망친 사건이 시시할 리 없지. 당신도 나에게 다 털어놓으면 속이 후련할 거야."

"위스키를 한 잔 더 줄래?"

"술기운을 빌려 용기를 내려고?"

마지트가 잔이 넘치게 위스키를 따랐다.

나는 두 모금에 한 잔을 다 마시고는 깊이 숨을 들이쉬고 나서 이야기를 시작했다.

"내 전처 수잔 이야기부터 시작할게. 우리는 미시건대학교 대학원에 다닐 때 만났어. 수잔은 연극 전공이었고 연출자가 되겠다는 꿈을 갖고 있었지. 나는 영화이론 박사 과정에 있었고, 좋은 대학교에서 교수가 되고 싶었어. 나에게는 그보다 좋은 직업이 없을 것 같았으니까. 내가 좋아하는 영화를 학생들에게 가르치고, 남는 시간에는 소설을 쓸 수 있을 테니까. 소설을 쓰는 것이야말로 내가 진정으로 해야 할 일이라 생각했어. 수잔을 처음 만난 순간 나는 '내 삶의 동반자'라 생각했어. 딱히 미인은 아니지만 아주 귀여운 여자였지."

"귀여워? 정말 끔찍한 말이네. 청바지와 크림색 스웨터에 파카를 입고, 책을 잔뜩 가슴에 안고 다니는 여자……."

"자기가 내 대신 이야기할래?"

"아무튼 내 추측이 맞지?"

"그래, 맞아. 우리는 박사학위를 따기 전에 결혼했고, 삼류대학교에서 교수 자리를 얻었어. 그리 나쁜 선택은 아니었지. 나는 학생들 사이에서 인기가 높았고……."

"수잔도 인기가 많은 교수였어?"

"수잔은 대학생활에 잘 적응하지 못했어. 연극 연출자로는 괜찮은 편이었지만 선생으로는 지나치게 까다로운 게 문제였어. 학생들은 수잔이 너무 많은 걸 요구한다고 불평했지. 수잔은 기준을 높이 잡고 학생들을 닦달했으니까. 그 학교 학생들에게는 무리한 요구였지."

"수잔이 당신에게도 높은 기준을 잡고 닦달했지?"

"그래, 수잔은 집안일에도 지나치게 까다로웠고, 내 일에도 간섭을 많이 했지. 종신교수가 되려면 논문을 많이 써야 했기 때문에 내겐 정말 할 일이 많았어."

"결국 당신은 종신교수 자격을 얻었고, 수잔은 못 얻은 거야?"

"그렇게 된 건 수잔이 쌓은 학문적인 성과가 부족했기 때문이 아니라 학생들과의 관계가 원만하지 못했기 때문이었어."

"당신은 종신교수가 되어 그 작은 도시에서 평생을 지내게 됐겠네. 수잔이 일자리를 잃은 걸 빼면 당신이 꿈꾸던 대로 이루어진 거잖아?"

"수잔도 그 지역 극단들에서 연극을 몇 편 연출했어. 하지만 사람들과 늘 트러블을 일으켰지. 툭하면 배우나 무대 디자이너와 싸우기 일쑤였어."

"트러블메이커?"

"그랬던 것 같아."

"그런데 수잔이 덜컥 임신을 한 거야. 당신 어머니처럼."

"그래, 맞아."

"하지만 오히려 임신이 좋은 일이 될 수도 있잖아. 변변한 직업은 없고 나이도 서른인 여자에게는……."

"정확하게는 서른두 살이었어. 나도 메건을 좋아했지만 집에서 아이를 돌보는 일은 수잔의 몫이었지. 일 년쯤 지나자 수잔의 성격이 날카로워지기 시작했어."

"일자리를 찾으려는 노력은 하지 않았어?"

"나름 노력했지만 그 지역 극단들은 수잔을 기피했어. 수잔은 기껏해야 고등학교 학생들의 연극을 봐주는 게 전부였지. 수잔은 겨우 그런 일밖에 할 수 없는 입장이 되자 몹시 괴로워했어."

"그때 메건은 몇 살이었어?"

"열다섯 살."

"수잔은 거의 십삼 년 동안을 그렇게 괴로워하며 살았겠네."

"그래도 엄마 역할에는 충실했어. 하지만 메건이 학교에 들어가자 엄마로서 할 일은 점차 줄어들었지. 수잔은 아내와 엄마 역할만 하며 살아가는 건 정말이지 싫다며 불평을 쏟아냈어. 나와 메건에게 발목이 잡히지 않았다면 시카고 같은 대도시에서 마음껏 실력을 펼치며 살았을 거라면서……."

"과연 그랬을까? 그럴 때 당신은 어떤 반응을 보였어?"

"그냥 못들은 척 무시하며 술김에 하는 소리로 치부했지."

"술을 많이 마셨어?"

"우리가 살던 작은 도시는 밤이 되면 마땅히 할 일이 없었어. 수잔에게 위로가 되는 거라고는 술밖에 없었을 거야. 그 바람에 나도 힘들어지기 시작했지. 수잔의 우울한 기분이 우리의 결혼생활에도 영향을 미치기 시작한 거야."

"그래서 바람을 피웠어?"

"사실 먼저 바람을 피운 건 수잔이었어. 나중에야 알았지만."

"상대는 누구였는데?"

"내가 교수로 있던 대학교의 학장인 가드너 롭슨. 아주 유들유들한 남자야. 공군 출신이고, 전에는 기업의 경영자문 일도 했대. 오십대 초반인데 운동을 열심히 해서 몸이 좋아. 겉으로 보기에는 아주 남자다워. 대학 이사회에서 스카우트한 사람이었지. 롭슨이 학장으로 취임할 때 환영 파티가 열렸어. 처음 수잔은 롭슨 같은 남자는 질색이라 말했지. 롭슨은 보수적인 공화당원이었고, 수잔은 부시 행정부라면 질색했거든. 그날 파티에서 롭슨은 사람들에게 둘러싸여 있었고, 수잔은 그와 기껏 몇 마디 나눈 게 전부였지. 하지만 나는 두 사람이 처음 얼굴을 마주할 때 눈빛을 봤어. 그 눈빛은…….”

“로맨틱했겠군.”

“당시에는 별것 아니라 생각했어. 집으로 오는 길에 수잔이 말하더군. 공화당원치고 그렇게 나쁜 사람 같지는 않다고. 일주일 뒤에 수잔이 과외수업을 맡았다고 했어. 줄리아드 연극과에 입학하려는 고등학생을 가르치기로 했다고. 매주 화요일과 목요일, 네 시부터 여섯 시까지 연기를 가르치기로 했다는 거야.”

“당신은 전혀 의심하지 않았어?”

“눈곱만큼도 의심하지 않았지. 수잔이 일을 갖게 되었다는 사실만으로도 너무 기뻤으니까.”

“당신은 사람을 너무 믿는 거 아냐?”

“아니, 수잔이 자기혐오에서 벗어나 나를 비난하지 않는다면 그것만으로도 고마운 일이라 여겼어. 수잔은 과외수업을 시작하면서 성격이 무척이나 밝아졌어. 우린 한동안 뜸했던 섹스도 다시 시작했지. 표면적으로는 수잔과의 사이가 좋아진 셈이었어. 하지만 왠지 수상쩍은 일이 있었지. 연극과에서 수잔의 자리를 차지했던 교수가 갑자기 다른 학교로 떠난 거야. 그 덕분에 수잔이 일 년 동안 그 자리를 다시 맡기로 했어.”

“학장이 꾸민 일?”

“그때까지도 나는 전혀 몰랐어. 수잔은 아주 기뻐했지. 수잔은 다시 교수 자리를 찾게 되자 학생들을 대하는 태도를 고쳤어. 동료 교수들과도 잘 어울렸지. 수잔이 어느 누구와도 잘 통하는 사람으로 변한 거야."

"그런 태도 변화도 학장이 충고한 거겠지?"

"나는 그런 사실을 꿈에도 몰랐어. 일 년 뒤에 수잔이 갑자기 종신 교수가 되었을 때도 조금도 의심하지 않았지."

"다른 사람들은?"

"교수들은 수잔의 갑작스러운 승진을 두고 말이 많았지. 하지만 나는 아무런 소문도 듣지 못했어. 소문이라는 게 늘 당사자의 귀에는 들어가지 않게 퍼지잖아. 사람들이 내 앞에서는 조심한 거야. 수잔과 학장의 관계가 알려진 건 내가……."

"당신이 추락한 뒤라고?"

"그래, 난 추락하고 나서야 두 사람의 비밀을 알게 되었지."

"추락이라는 게 구체적으로 뭐였는데?"

"제자 셸리. 하지만 그 이야기를 꺼내기 전에……."

"수잔이 종신교수가 되고 나서 집안의 역학구도가 바뀌었겠네? 수잔이 다시 바빠지면서 당신을 밀어내기 시작한 거야?"

"수잔은 종신교수가 되어 시간이 부족하다면서 나보고 메건이 학교에서 돌아오는 네 시 전까지 집에 와 있으라 하더군. 수잔은 잠자리도 노골적으로 거부하기 시작했어. 시작을 하다가 갑자기 내 몸을 신경질적으로 밀쳐내며 '제대로 하지도 못하면서' 라고 혼잣말을 했지."

"나름 고도의 영리한 수법이야."

"그 정도는 보통이고, 어느 날 섹스를 하다가 내 얼굴을 양손으로 잡고 내 눈을 똑바로 쳐다보며 이러는 거야. '당신 섹스가 얼마나 지루한지 알아?' "

"당신이 느끼기에도 지루했어?"

"어쨌든 그 말 때문에 나는 갑자기 쓸모없는 남자가 된 기분이었어."

"수잔 때문에 당신 자신을 쓸모없는 남자로 생각하게 됐는데도 그녀를 의심하지 않았단 말이야?"

"어딘지 수상쩍어 혹시 다른 남자가 생겼는지 물었어. 그러자 수잔이 이러더군. '그런 행운이라도 있었으면 좋겠네.'"

"그 말을 듣고도 수잔이 바람을 피운다고 생각하지 않았어?"

"내가 너무 순진했나봐. 진실을 대면할 용기가 없었는지도 모르지."

"그러다가 셸리라는 제자가 나타난 거야?"

"신시내티 출신인 셸리는 아주 똑똑한 학생이었어. 나처럼 영화광에다 얼굴도 아주 예뻤지. 게다가 지적인 예술가 타입이었어."

"지적인 예술가 타입? 길고 검은 머리, 레닌이 끼던 안경, 검정색 진, 검정 가죽 재킷, 불우한 가정환경?"

"삼류대학에 다니기에는 아까운 재능도 빼놓을 수 없지. 하지만 고등학교에서 틀에 박힌 교육을 무시해서……."

"그런 학생이 당신 수업을 즐겨 듣고, 수업이 끝나면 당신을 찾아와 함께 영화 이야기를 나누기 시작했겠지?"

"우린 자주 프리츠 랑 감독에 대해 이야기를 나눴어."

"낭만적이기도 하셔라."

"프리츠 랑 감독이 할리우드에서 만든 느와르 영화에 대해 다 꿰고 있으면서 매력적이기까지 한 학생은 그리 흔치 않지."

"그래서 연애가 시작된 거야?"

"미국 대학에서 교수와 제자 사이의 연애는 절대로 금기시해. 제자와 밖에서 밥을 먹거나 술을 마시는 것만으로도 큰 문제가 될 수 있어. 연구실에 학생이 있을 때에는 반드시 문을 열어두어야 해."

"정말 미친 짓이야."

"셸리와 나는 학교 카페에서 커피를 마셨어. 셸리는 나보다 서른 살이나 어렸지만 세상을 보는 눈은 나이보다 훨씬 성숙해보였어."

"어린 여자를 만나 연애하는 남자들은 대부분 그렇게 말하지. 하긴 바비인형을 데리고 놀진 않았을 테니까. 그래도 그 나이에 도스토옙스키를 제대로 이해하진 못했을 거야."

"내가 나보코프의 《롤리타》 주인공처럼 판타지에 사로잡혀……."

"롤리타는 십대였어."

"어쨌든 우리는 아주 조심하며 시내 커피숍에서 만나기 시작했어. 세 번쯤 만났는데 커피숍 주인이 우리를 수상쩍게 보는 느낌이었지. 그래서 학교에서 멀리 떨어진 뒷골목에서 셸리를 태우고 톨레도라는 작은 도시로 가서……."

"톨레도? 스페인의 톨레도와 스펠링이 같아?"

"스펠링은 같지만 미국의 톨레도는 고무 타이어 공장으로 유명한 곳이야."

"셸리와 언제 첫 섹스를 했는데?"

"두 달 뒤쯤……."

"두 달? 왜 그렇게 오래 걸렸어?"

"난 셸리한테 빠져 있었지만 우리 관계가 들통 나면 매우 심각한 문제가 발생하게 되리란 걸 잘 알고 있었거든."

"그런데도 결국 섹스를 했잖아. 어떤 계기가 있었는데?"

"그 당시 수잔은 잠자리를 계속 거부했고, 셸리는 내가 정말 멋지다며 딱 한 번이라도 좋으니 같이 자고 싶다고 했어."

"그 말을 믿었어?"

"두 달 동안 만나면서 셸리에 대해 누구보다 잘 안다고 생각했어. 하지만 셸리 때문에 내 가정생활에 문제가 생기는 건 바라지 않았지."

"결국 셸리와 섹스를 한 이유는 뭐야?"

"어느 날 퇴근해 집에 와보니 수잔이 서재에 있는 거야. 나는 수잔을 껴안고 사랑한다고, 다시 예전처럼 다정하게 지내고 싶다고 말했어. 그러자 수잔이 뭐랬는지 알아? '그렇게 말한다고 내가 섹스에 응해줄 것 같아? 꿈 깨.'"

"아주 우아한 말이었네."

"이튿날 셸리를 만나 커피를 마셨어. 셸리가 내 손에 손을 얹으며 말했지. 나를 원한다고. 이제 억지로 몸을 사리는 건 집어치우자고……."

나는 말끝을 흐렸다.

마지트가 물었다.

"어디로 갔어? 호텔?"

"톨레도에 있는 〈모텔6〉이라는 곳이었어. 좁고 지저분한 모텔이었지. 미국 전역에 산재해 있는 모텔 체인인데, 저녁 여섯 시 전에 체크아웃하면 이십사 달러 구십구 센트만 내면 되었지. 신용카드 사용 내역서에 모텔 요금이 찍히면 안 되니까 현금으로 지불했어. 방은 형편없었지만 상관없었어. 우리는……."

"서로를 열렬히 원해 다른 건 전혀 눈에 들어오지 않았겠지."

"그때, 우린 정말 그랬어."

"섹스는 좋았어?"

"나는 셸리를 사랑했어. 당신은 한심한 중년남자의 자기합리화라고 말하겠지? 하지만 난 진심으로 셸리를 사랑했어. 셸리에게 완전히 빠져 있었다고 해도 과언이 아니야. 그런 경험은 처음이었어. 나이 차이는 문제가 아니었지. 셸리는 영화, 책, 재즈 같은 주제로 나와 언제든지 즐겁게 대화할 수 있을 만큼 똑똑했으니까."

마지트가 말했다.

"감동적인 이야기야."

"잠시라도 옆에 없으면 견딜 수 없이 보고 싶은 사람을 만난 적 없어?"

마지트가 나직이 말했다.

"있어. 딱 한 번."

"졸탄?"

"아니, 다른 사람."

"그 사람과 어떻게 됐는데?"

"당신 이야기를 하던 중이었잖아. 제자와 사랑에 빠졌다. 그래서 일주일에 두 번씩 모텔에서 만났다. 그 다음은?"

"아니, 그날 한 번으로 끝이었어."

"결국 죄책감을 떨쳐버릴 수 없었던 거야?"

"어쩔 수 없이 선을 넘었지만 당장 그만두어야 한다고 생각했어. 왜 냐하면……."

"교수 자리를 잃게 될까 봐?"

"그것도 중요한 이유였지만 수잔과 다시 잘 지내야 한다고 나 자신을 다독였어. 수잔이 나를 멀리 하려는 건 일시적인 권태 때문이라고."

"그냥 일주일에 몇 번 몰래 만나기로 약속하지 그랬어? 셸리도 그걸 바랐을 텐데."

"내가 다시 잠자리를 거부하니까 셸리는 이해하지 못하겠다는 반응을 보였어. 나는 셸리를 이해시키기 위해 무던히 내 입장을 설명했지. 우린 연인이 될 수 없다. 우리 관계는 곧 비참하게 끝날 수밖에 없다. 우리에겐 밝은 미래가 없다……."

"셸리는 단단히 화가 났겠네."

"내가 어리석었지. 두 달 동안 만나고, 잠자리를 한 번 하고 나더니 그만 정리하자고 하니까 셸리로서는 정말이지 어이없었을 거야. 섹스에 미친 남자들이 흔히 쓰는 수법과 다를 바 없잖아."

"그게 그렇게 나쁜 일이었던가? 당신은 제자와 플라토닉한 사랑을 한 거야. 어쩌다 같이 잠을 자긴 했지만 사회 통념상 연인으로 남기는 힘들었잖아. 셸리가 좀 더 성숙했다면 당신의 제안을 받아들였을 텐데."

"셸리는 그때 겨우 열여덟 살이었어."

"열여덟 살에도 세상 이치를 아는 사람은 많아."

"아무튼 머리가 터질 것 같았어. 헤어진다는 게 그토록 어려운 일인지 정말 몰랐어."

"당신은 셸리를 사랑했으니까. 그러하기에 더욱 서둘러 끝내려 한 것이겠지. 계속 만나다보면 절대로 빠져나올 수 없을 테니까."

"그런 내 생각이 너무 이중적이지 않아? 그렇게 열렬하게 셸리를 원했으면서 한 번 자고 난 다음에……."

"감정 문제 앞에서는 누구나 이중적일 수밖에 없어. 파스칼이 말했잖아. '감정은 스스로도 모르는 이유를 갖고 있다.' 라고."

"당신은 나를 위로하려 들지만 진실은……."

"당신은 진심으로 셸리를 사랑했지만 서둘러 관계를 정리하기로 결심했어. 도무지 사랑을 지속할 수 있는 여건이 아니었으니까. 그게 당신의 진실이자 전부야."

"그게 전부가 아니었어."

"그럼 무슨 일이 더 있었는데?"

"나와 섹스를 한 날부터 셸리는 나에게 편지를 보내기 시작했어. 색색의 종이에 정성스레 쓴 러브레터를 하루에도 대여섯 통씩 내 연구실 우편함에 넣었지. 메일도 자주 보냈어. 내용은 한결같았지. '오직 당신만 사랑해요. 하루도 보지 않고는 견딜 수 없어요. 내일 또 모텔에 가 당신과 둘만의 시간을 갖고 싶어요.' 셸리는 커피숍에서 만날 때만 해도 생각이 깊어 보였는데 같이 자고 난 뒤로는 앞뒤를 살피지 않고 나에게 매달렸어."

"절대로 잴 수 없는 게 사람의 감정이야. 섹스를 함께한 상대라면 더욱⋯⋯."

"그 말은 틀림없는 사실 같아. 셸리는 강의실마다 날 따라다녔어. 당장 뭔가 조치를 취해야 했지. 생각다 못해 셸리를 차에 태워 시골로 데려가 호숫가에 앉아 차분하게 내 입장을 설명했어. 나도 널 좋아하지만 우린 헤어져야 한다고. 셸리는 어쩔 줄 몰라 했지. 이럴 줄 알았으면 절대로 섹스를 하지 않았을 거라고 했어. 나는 다시 차분하게 설명했어. 나도 널 미치도록 좋아하지만⋯⋯."

"양심이 있는 성인으로서 어쩔 수 없는 결정이라고?"

"뭐, 그와 비슷한 이야기였어. 망설임 끝에 금단의 과일을 따 먹고는 곧장 후회한 셈이랄까. 셸리의 입장에서는 그야말로 기가 막힌 일이었을 거야."

"감정 문제는 늘 그렇게 이중적이라니까. 셸리는 어떻게 반응했어? 울었어?"

"내 말을 들으려고도 하지 않았어. 셸리는 우리가 왜 그만 만나야 하는지 도무지 납득할 수 없다며 화를 냈지. 난 다시 차분하게 설명했어. 나도 널 사랑한다고. 너와 함께 한 시간이 정말 좋았다고. 그렇지만 우리가 처한 환경을 생각해야 한다고. 넌 아주 매력적인 여자고, 내가 유부남이 아니고 너의 선생이 아니었다면 문제는 달라졌을 수도 있었을 거라고. 하지만 지금으로서는 어쩔 수 없는 일이라고. 그렇게 힘들게 말했는데도 셸리는 우리가 계속 만날 수 있다면 무슨 일이든 하겠다며 매달렸어."

"셸리에게 당신이 첫사랑이었어?"

"아니, 고교시절에도 연애한 적이 있나봐. 셸리는 나에 대해 환상을 품었던 거야. 마치 우리를 트리스탄과 이졸데로 생각하는 것 같았어. 영원히 함께 해야 할 운명의 연인들. 내가 아무리 설득해도 요지부동이었지. 셸리는 절대로 헤어질 수 없다며 고집을 굽히지 않았어. 셸리는 내 연구실 우편함에 계속 편지를 집어넣고, 하루가 멀다 하고 메일을 보냈지. 언제나 내가 강의하는 강의실 앞에서 서성대면서."

"학교에 소문이 파다하게 퍼졌겠네."

"동료 교수인 더그 스탠리가 나를 불러내더니 셸리와 잤느냐고 묻더군. 학장의 귀에 들어가선 절대로 안 된다고 다짐을 받고 나는 더그에게 모든 사실을 털어놓았어. 더그는 끝까지 비밀을 지키겠다고 약속하면서 셸리에게 심리 상담을 권해보라고 했어."

"일이 그렇게 됐으니 당신은 양심의 가책을 받았겠군."

"매일 밤, 잠이 오지 않았지. 이주일도 안 돼 살이 칠 킬로그램이나 빠지더군. 강의에도 집중할 수 없었어. 수잔도 내 몰골이 수척해졌다며 무슨 일이 있는지 캐물었어. 기분이 좀 우울하다고 하니까 내가 몇 년 동안 계속 그랬다면서 한 마디 덧붙였지. '난 지난 몇 달 동안 당신 얼굴이 어찌나 밝아 보이던지 바람을 피우는 거라 생각했어.' 나는 수잔의 말을 애써 부인하지 않았어. 다음날 밤에 집에 와보니 수잔이 내 컴퓨터에서 메일을 읽고 있는 거야."

"어린 애인과 주고받은 메일을 지우지 않았단 말이야?"

"깜박 잊고 휴지통을 비우지 않은 거야. 완전삭제가 되지 않은 거지. 수잔은 휴지통에서 셸리의 메일을 찾아낸 거야."

"수잔이 당신 패스워드를 알아?"

"메건 이름으로 해놨으니까 쉽게 알 수 있었겠지. 수잔은 컴퓨터에서 고개를 들고 나를 노려보았어. 그러더니 아주 낮고 차가운 목소리로 말했지. '당장 짐을 싸서 이 집에서 나가. 안 나가면 경찰을 부르겠어.' 라고."

"경찰? 무슨 명목으로 경찰을 불러?"

"아무튼 수잔이 몹시 흥분한 게 느껴져 난 잠자코 따르는 게 좋겠다고 생각했어."

"당신이 셸리와 만나기 훨씬 전부터 수잔은 학장과 놀아나고 있었다면서?"

"그때까지 난 그 사실을 몰랐어."

"게다가 본인 동의 없이 남의 메일을 훔쳐본 건 사생활 침해야."

"아무튼 수잔은 그 일을 학장에게 고해바쳤어. 이튿날 아침 두 남자가 내 연구실로 들이닥쳤지. 그들은 나를 법률사무소로 데려갔어. 대학의 고문변호사는 내가 학칙을 어겼다면서 퇴직금이나 연금 없이 학교에서 추방당해야 마땅하다고 했어. 내가 만약 거부하면 법정으로 일을 끌고 갈 수밖에 없다고 했지."

"당신도 변호사를 찾아봤어야지?"

"고문변호사가 내가 합의서에 서명하면 그 일을 비밀에 붙이겠다고 약속했어. 내가 건강상 문제가 있어 퇴직하는 것으로 처리하고, 다른 학교로 옮길 수 있도록 배려해주겠다고 했지. 난 그 말을 철석같이 믿고 그들이 작성한 합의서에 서명했어. 학장이 몰래 다른 일을 꾸미고 있을 줄은 꿈에도 몰랐던 거야. 그날 난 더그 스탠리의 집에서 잤는데, 아침에 잠에서 깨어나 보니 방송국과 신문사에서 나온 기자들이 온통 집을 둘러싸고 있는 거야."

"제자와 한 번 잤다고 그 난리를 피운단 말이야?"

"내가 살던 소도시에서는 아직도 불륜이 심각한 문제로 치부되고 있지. 나중에 알았지만 누군가가 오하이오 신문사에 익명으로 나와 셸리의 불륜관계를 알렸대. 더그는 가드너 롭슨 학장이 저지른 짓이 분명하다고 말했지. 학장이 더그한테 내가 혹시 어디에 있는지 아느냐고 물었다더군. 학장이 나를 무척 염려하는 듯 말해 더그는 내가 자기 집에 묵고 있다고 이야기했대. 그러자 학장이 더그한테 뭐라고 했는지 알아? '정말 안타까운 일이군요' 라고 했다는군. 개자식. 아무튼 더그는 기자들이 집에 못 들어오게 막았고, 나는 더그의 집 지하실에 꼼짝없이 숨어 있었어. 그러다가……."

나는 말을 멈추고 시선을 돌렸다.

"그러다가?"

"셸리가 돌연 자살했어."

13

그날 밤 일하러 가기 전, 노트북과 책을 챙기러 집에 들렀다. 문 밑에 쪽지가 놓여 있었다.

내일 1천 유로를 내놓지 않으면 너는 끝장이야.

나는 그 쪽지 뒤에 적었다.

며칠 뒤에 줄게. 돈을 받기 전까지 한 마디라도 떠벌렸다간 한 푼도 못 받을 줄 알아.

그 쪽지를 오마르의 방문 밑으로 밀어 넣고 내 방으로 돌아와 침대에 걸터앉았다. 나는 그날 마지트에게 털어놓은 이야기를 떠올렸다.

마침내 다른 사람에게 내 혼자 간직하고 있던 비밀을 털어놓은 셈이었다. 나를 괴롭혀온 비밀을 내 입으로 털어놓자 부끄러운 한편 왠지 마음이 후련하기도 했다.

오마르의 쪽지가 신경 쓰여 일하러 가는 길에 파라디스 가의 카페로 갔다. 야나는 평소처럼 술 취한 손님들을 응대하고 있었다. 내가 들어서자 야나의 눈이 휘둥그레졌다. 그러나 곧 억지 미소를 지으며 버번위스키를 나에게 내밀었다.

야나는 당황한 자기 모습을 눈여겨보는 손님이 없는지 주위를 살피며 나직이 말했다.

"여긴 왜 왔어요?"

나도 나직이 말했다.

"할 말이 있어요."

"지금은 곤란해요."

"급한 일이에요."

"지금 여기 있는 손님들은 죄다 남편 친구들이에요. 우리를 수상하게 볼지도 몰라요."

"잠깐만 자리를 비우겠다고 말해요. 내가 먼저 나가 있을 테니까 곧 뒤따라 나와요. 십 분 뒤에 파라디스 가와 포부르 프와소니에르 가 모퉁이에서 만나요. 여기서는 말할 수 없는 문제니까."

나는 버번위스키를 단숨에 마시고 술집을 나왔다.

10분 뒤, 야나가 내가 말한 모퉁이에 나타났다. 야나는 초조한 표정으로 담배꽁초를 길바닥에 내던졌다.

"미쳤어요? 손님들이 다 봤어요."

"아주 급한 상황이라 어쩔 수 없었어요. 오마르가……."

나는 오마르와 있었던 일을 다 이야기했다.

"젠장! 남편이 당신을 죽이고 그 다음에는 나를 죽일 거야."

"내 말대로 하면 그럴 일은 없어요."

나는 마지트에게 들은 대로 계획을 설명했다. 야나는 그 계획이 그리 마음에 들지 않는 듯했다.

"남편은 당신 말보다 오마르의 말을 더 믿을 거예요. 같은 터키 사람이니까."

"남편에게 울면서 말해요. 오마르가 당신의 몸을 더듬으며 겁탈하려 했다고. 오마르는 술이 너무 취해 제정신이 아닌 듯했다고. 그 상황을 상세하게 설명해요. 오마르가 당신한테 못할 짓을 했다고 하면······."

"그래도 남편은 속지 않을 거예요."

"당신이 어떻게 말하는가에 달렸어요."

"설령 내 말을 믿는다 해도 내 잘못을 추궁하면서 때릴 거예요. 내가 얼마나 헤프게 굴었으면 오마르가 나를 만만하게 봤겠냐고 하겠죠."

"그런 남편이라면 같이 살 이유가 없잖아요."

"대단히 고마운 충고네요. 남편은 오늘 돌아와요. 어쨌든 남편을 속여 볼게요. 하지만 오마르 말만 믿고 당신을 죽이러 갈지도 모르니까 눈에 띄지 않는 곳에 숨어 있어요."

"알았어요."

"이제 카페에는 절대로 오지 말아요. 이제 내 인생에서 당신을 지워야 하니까."

"그건 걱정하지 말아요."

나는 그렇게 말하고는 몸을 돌려 내 사무실로 갔다.

몇 시간 뒤, 사무실에 앉아 생각했다.

내가 눈에 띄지 않게 숨어 있기란 불가능하지 않나?

이 동네에서는 서로 모르는 사람이 없었다. 게다가 나는 무단결근을 할 수 없는 입장이었다. 내 방으로 얼른 돌아가 짐을 챙긴 다음 어둠을 틈타 도망칠까도 생각했다. 그러다가 다시 '그 다음에는 어쩌지?' 하는 생각이 들었다. 내가 사라지면 마지트가 누구보다 크게 실망할 것이다.

그날, 내가 셸리의 자살 이야기를 털어놓은 다음 마지트는 오마르 이야기로 화제를 돌렸다.

마지트가 말했다.

"그 여자 남편이 돌아오기 전에 오마르가 사라지면 걱정할 일이 아무것도 없겠네."

"그렇지만 오마르는 터키로 추방될 일도 없어. 그는 합법적인 이민자니까."

"불법체류자라면 이민국에 전화 한 통 거는 걸로 문제가 간단하게 해결될 텐데……."

"아마도 그러면 오마르가 나에게 해코지를 하려 들 거야. 나도 취업비자 없이 일하고 있는 형편이니까."

"이민국에서 보자면 당신은 그냥 미국인 관광객일 뿐이야. 이민국에서 보자면 누구 말을 더 신뢰하겠어? 교수 출신 미국인 관광객의 말일까, 아니면 무식한 터키인의 말일까?"

"그런 점에서 인종차별이 때론 유리하게 작용할 때도 있는 셈인가?"

"오마르는 하루하루 힘겹게 살아가는 형편이기 때문에 증오심이 남달리 깊을 수밖에 없을 거야. 그런 경우 간혹 주변사람들을 괴롭히는 것에서 위안을 찾는 사람이 있대. 졸탄이 말하길 그런 사람들은 자기

보다 형편이 못한 사람이 있다는 걸 위안으로 삼기 위해 주변사람이 불행해지기를 바란대. 오마르도 분명 그런 부류일 거야. 당신을 괴롭히면서 위안을 얻는 것이지. 오마르의 못된 짓을 멈추게 하려면 당장 집으로 돌아가 짐을 싸들고 파라디스 가를 떠나는 길밖에 없을 거야. 하지만 당신은 그럴 수도 없는 형편이잖아."

"계속 도망자 신세를 면하지 못할 테니까."

"셸리의 자살 이후 당신은 계속 도망자로 살고 있지. 하지만 당신은 셸리의 죽음에 대해 책임이 없어."

"아니, 내 책임이야. 나는 평생 그 악몽에 시달려야 할 거야."

"너무 자신을 미워하지 말고, 셸리의 자살 이야기나 자세히 해봐."

마지트가 위스키를 따랐다. 벌써 반 병을 마셨지만 전혀 취하지 않았다. 나는 새로 따른 위스키를 단박에 마셨다.

"낙태 이야기부터 시작할게."

"셸리가 낙태수술을 받았어?"

"사실은 소문일 뿐이었어. 내가 셸리에게 아이를 지우라고 은밀히 종용했다는 소문이 난 거야. 사람들은 제대로 알지도 못하면서 나를 비난하는데 몰두했지. 더그의 집이 기자들로 둘러싸였던 그날 저녁 텔레비전 뉴스를 봤어. '대학 교수가 일학년 여학생과 성관계를 맺고 임신중절을 강요했다'는 기사가 톱뉴스로 나오는 거야. 정말이지 난 한 번도 임신중절수술 이야기를 꺼낸 적이 없어. 셸리가 임신을 할 수는 없었으니까. 그때 분명 콘돔을 사용했거든."

"그런데 그런 소문이 어떻게 퍼지게 된 거야?"

"셸리는 꼬박꼬박 일기를 썼나 봐. 우리 문제가 사람들 입방아에 오르내리자 기숙사 사감이 셸리의 일기장을 은밀하게 찾아내 학장한테 넘겨준 거야. 셸리의 일기장에는 나와의 핑크빛 사랑 이야기가 가득했대. '해리 교수님을 영원히 사랑하겠다.', '그도 나를 영원히 사랑한다고 말했다(그런데 나는 그런 말을 한 기억이 없어).', '그가 아내와 딸을 버리고 나와 살겠다고 했다(그것 역시 셸리가 지어낸 이야기야).' 일기장에는 셸리의 공상세계가 여과 없이 펼쳐져 있었나 봐. 우리가 톨레도모텔에서 함께 했던 그날 오후의 일도 상세히 적혀 있었대. 그 일기장이 기자들 손에 들어갔으니 난리가 날 수밖에."

"학장이 고의적으로 기자들에게 넘겼을 거야."

"그래, 나는 나중에 알았지만 그 놈 짓이었어. 기자들은 집요하게 '우리 사랑의 오후'를 물고 늘어졌어. '우리 사랑의 오후'란 셸리가 일기에 쓴 표현 그대로야. 셸리는 일기장에 몇 번이나 내 아이를 갖고 싶다고 썼나 봐. 셸리의 공상이 지나치게 멀리 나아간 것이지. '임신한 걸 알고도 어떻게 헤어지자고 할 수 있나? 병원에서 임신을 확인하고 나서 기쁜 소식을 알리려고 달려갔더니 아이를 죽이라고 한다.' 뭐 그런 내용이었나 봐. 마지트, 맹세컨대 나는 셸리와 그런 이야기를 나눈 적이 없어. 모두 셸리의 상상 속에서 벌어진 일이지."

"학장에게는 셸리의 일기장이 하늘이 내려준 선물이었겠네."

"학장뿐만이 아니라 지역의 보수적인 언론들도 연일 나를 맹비난했어.

'진보적 성향의 교수가 어린 여학생을 유혹해 임신 시키고 낙태를 강요했다.'

나는 졸지에 타락한 '진보 엘리트'의 표본이 되었고, 셸리는 뱃속 아이를 살리려는 페미니스트가 됐지. 기자들이 우리 집까지 몰려가 수잔과 메건을 둘러싸고 인터뷰를 했나봐. 어떤 기자는 메건에게 '아빠

애인과 나이 차이가 세 살밖에 안 나는데 기분이 어때요? 라고 물었다는군. 메건은 질문을 받고 펑펑 울었대. 정말이지 그 개자식을 찾아내 죽이고 싶었어. 셸리의 아버지는 나 같은 타락자를 교수로 채용했다는 이유로 대학을 상대로 일천만 달러의 위자료를 청구하는 소송을 제기했어. 학장이 텔레비전에 나와 눈물로 연기를 했지. 피해를 당한 여학생이 너무나 불쌍하다며 내가 다시는 미국의 어느 대학에서도 발을 못 붙이게 영구 추방하겠다고 선언하더군."

"그런 사태가 벌어지는 동안 셸리는 어디 있었던 거야?"

"셸리의 부모가 기자들의 추적을 피하기 위해 신시내티로 데려갔다더군."

"당신은?"

"더그 스탠리의 집 지하실에서 옴짝달싹 못하고 지냈지. 나는 일체 전화를 받지 않는 대신 해명하는 글을 써 언론사에 메일로 보냈어.

'셸리에게서 임신했다는 말을 들은 적이 없기에 낙태를 강요할 수 없는 입장이었다.'

메일을 보내는 바람에 사건은 더욱 커졌어. 이튿날 텔레비전 기자들이 몰려가 교회에 가는 셸리와 부모를 둘러싸고 '임신은 거짓말이었습니까? 지어낸 이야기인가요?' 같은 질문을 퍼부어댔어. 셸리는 달리는 자동차에 치이기 직전의 사슴 같은 표정을 지었지. 그날 오후, 셸리의 가족 변호사가 기자회견을 열고 나를 비난했어. 셸리를 거짓말쟁이로 몰아가는 건 나의 파렴치한 농간이고, 며칠 뒤 병원에서 진찰을 받고 임신 결과를 증거로 제시하겠다고 하더군. 기자들이 다시 더그의 집으로 몰려들었어. 더그가 진땀을 빼며 기자들을 막고, 전화도 가려서 받아 주었지. 하지만 메건의 전화를 나에게 바꿔주었지. 셸리 가족의 변호사가 기자회견을 끝낸 직후였는데, 메건이 나에게 '짐 승'이라 말했어. 사랑하는 딸에게서 그런 말을 들은 내 심정이 어땠을 지 아무도 모를 거야. 나는 비감한 심사였지만 딸에게 무슨 말인들 해 야 했기에 '네가 얼마나 괴로울지, 아빠가 얼마나 미울지 잘 안다. 하 지만 네가 꼭 알아야 할 게 있는데⋯⋯'라고 운을 뗐어. 메건은 내 말 을 듣지도 않고 전화를 끊었어. 메건은 나와 다시는 말하고 싶지 않다 고 했어. 내가 다시 전화하자 수잔이 받더니 아주 차분한 목소리로 말 했어. '앞으로 메건을 만날 생각은 하지 마. 내가 당신이라면 차라리 목숨을 끊겠어.' 하지만 스스로 목숨을 끊은 사람은 내가 아니라 셸리 였어. 그날 밤늦게 신시내티의 집에서 이 킬로미터쯤 떨어진 고속도 로에서 달려오는 트럭에 몸을 던졌지. 경찰의 말에 따르면 트럭이 바 짝 다가올 때까지 기다렸다가 몸을 던졌대."

"몸을 던지기까지 용기가 필요했을 거야."

"유서도 없었고, 왜 자살했는지 일말의 설명도 없었어."

나는 위스키 병을 집어 들고 술을 따랐다.

"셸리가 상상 임신한 게 드러날까 봐 두려워 자살했다고 생각해?"

"그거야 난 모르지. 부모의 요란한 행태에 질렸을지도. 어린 셸리에 게는 감당하기 벅찬 일이었을 거야. 모두 내 탓이야. 그 누구의 탓도 아닌 바로 내 탓."

"셸리의 일기를 보고도 모르겠어? 셸리는 환상의 세계에 깊숙이 빠 져 사는 소녀였어. 당신을 만날 때에는 그런 점이 밖으로 드러나지 않 았을 뿐이야. 셸리가 의도적으로 감췄거나 잠시 당신의 눈이 멀어 못 보았겠지. 셸리가 집착이 유난히 강한 성격이라는 걸 전혀 몰랐어?"

"당연히 몰랐지. 그걸 알았다면 선을 넘기 전에 헤어졌겠지."

"환상에 빠진 셸리는 임신했다는 거짓말까지 지어냈어. 롭슨은 내심 쾌재를 부르며 그 사실을 세상에 알렸지. 당신이 임신할 까닭이 없을 거라며 부인하고 나서자 셸리는 비로소 환상에서 깨어나며 죽음을 택한 거야."

"과연 셸리의 자살을 그렇게 정리해도 될까?"

"셸리의 자살 소식을 처음 알려준 사람은 누구야? 더그라는 친구?"

나는 고개를 끄덕였다.

"롭슨과 수잔의 관계도 더그가 알려줬어?"

"더그가 그러는데 학교에 소문이 파다하게 퍼졌다고 했어. 사실 그는 몇 달 전부터 소문을 들었지만 차마 나에게 귀띔해줄 수 없었대. 나는 더그의 입장을 충분히 이해해. 이년 전, 더그의 전처가 도서관 사서와 밀회를 즐기는 장면을 여러 번 목격하고도 나 역시 더그에게 알려주지 못했으니까. 롭슨이 셸리의 일기를 언론에 공개한 건 명백한 사생활 침해였지만 더그는 따지고들 형편이 아니었어. 더그는 불과 몇 달 전에 종신교수로 승진했거든. 그런 상황에서 학장과 맞선다는 건 무모한 일이었지. 그럼에도 더그는 계속 내 편이 돼주었어. 나에게 얼른 몸을 숨기라고 말했지. '롭슨과 수잔의 관계가 드러나도 결국 비난의 화살은 자네에게로 돌아갈 거야. 자네가 책임을 면하기 위해 가증스런 거짓말을 하는 것으로 보일 수도 있지. 일단 몸을 숨기는 게 낫겠어.' 이튿날 《신시내티 신문》에 병원 검사 결과 셸리의 임신은 사실이 아닌 것으로 밝혀졌다는 기사가 실렸어. 셸리 가족의 변호사는 생리불순을 임신으로 착각하는 경우가 더러 있다고 해명했지. '셸리의 임신 여부가 이 사건의 핵심은 아닙니다. 무엇보다 중요한 건 셸리는 임신을 확신했고, 릭스 교수에게 말했더니 듣자마자 낙태를 강요했다는 것입니다. 릭스 교수의 냉정한 반응은 셸리에게 큰 충격을 주었습니다. 셸리는 결국 안정을 찾지 못하고 자살에 이르게 됐습니다. 사실상 릭스 교수가 불쌍한 여학생 셸리를 살해한 것입니다.' 그 당시는 누구나 그렇게 생각했어. 나는 생각다 못해 더그의 충고를 따르기로 마음먹었지. 더그에게 우리 집에 몰래 들어가 내 여권과 노트북컴퓨터를 가져오라고 부탁했어. 은행에 갔더니 지배인은 앞으로 은행출입을 막겠다고 하더군. 나는 어차피 돈을 다 인출하고 계좌를 없앨 생각이었으니 상관할 바 없다고 했지. 은행 잔고로 이만이천 달러가 남아있었어. 일만오천 달러는 메건 앞으로 펀드를 들고 나머지는 현금으로 찾았지. 더그의 집에서 볼보를 몰고 그 도시를 떠났어. 몇 시간 뒤 시카고에 도착해 일주일에 사백오십 달러짜리 호텔에 투숙했어. 중고차 가게에 들러 삼천 달러에 볼보를 팔아버리고, 지하철을 이용해 호텔로 돌아왔어. 허름한 호텔이었지만 그럭저럭 지낼 만했어. 몇 주 동안 조용히."

"몇 주 동안 거기 있었어?"

"육 주."

"뭘 하면서?"

"뭘 했는지 생각 안 나. 낮 열두 시까지 자다 일어나 간단히 식사를 했어. 내 사건과 관련된 우울한 소식을 듣게 될까 봐 신문이나 잡지는 아예 거들떠보지도 않았어. 인터넷도 하지 않았고, 메일 확인도 안 했어. 가끔 영화를 보고, 헌책방에서 페이퍼백을 사 읽고, 호텔 근처 술집에서 술을 마셨어. 정신이 반쯤 나간 상태였고, 좀비처럼 살았지. 어느 날, 평소처럼 영화관에서 종일 시간을 보내다가 호텔로 돌아왔는데 프런트직원이 누군가 나를 찾아왔었다는 거야. '법원에서 나온 사람 같더군요. 내일 아침에 다시 온다고 했어요.' 나는 방으로 가자마자 더그에게 전화했어. 더그는 왜 메일을 확인하지 않느냐며 난리를 쳤어. 셸리의 아버지가 대학을 상대로 소송을 걸었고, 학교는 나를 상대로 소송 준비를 하고 있다는 거였어. 대학 측에서는 나를 찾으려고 탐정까지 고용했다면서 어서 외국으로 도망치라고 했어. 미국을 떠나지 않으면 법정에 서게 될 수도 있다면서. 나는 당장 프랑스 행 비행기를 타기로 마음먹었지."

"파리에 와서는 어떻게 지냈어?"

"마땅히 시간 보낼 일도 없어 영화관이나 기웃거렸지. 어찌어찌해서 간신히 메건과 메일을 주고받게 됐어. 수잔이 그 사실을 알아차리는 바람에 다시 연락이 끊기게 됐지. 더그에게서 새로운 소식을 들었어. 대학에서는 셸리 아버지와 합의를 보았고, 나를 고소하지 않기로 결정했다더군. 롭슨은 끝까지 나를 뒤쫓겠다고 공언했지만 대학 이사회에서 말렸대."

"롭슨이라는 인간은 당신에게 무슨 악감정이 있었던 거야?"

"내 인생을 망친 것으로는 성에 차지 않나 봐. 내가 죽는 걸 봐야 안심할 건가 봐."

"그 놈에게 복수하고 싶지 않아?"

"복수? 싫어."

"그럴 줄 알았어. 당신은 도무지 분노를 모르는 사람 같아. 롭슨 같은 인간은 그냥 내버려두어서는 안 돼. 셸리를 대신해서라도 복수해야지. 롭슨이 언론에 흘리지만 않았더라도 셸리가 죽는 일은 없었을 테니까. 어떤 식으로 복수하는 게 좋겠어?"

"어떻게 복수할지 상의하자는 뜻이야?"

"그 놈한테 가장 괴로운 일이 뭘까?"

"그 놈의 컴퓨터에서 아동포르노가 잔뜩 들어 있는 파일을 찾아내 공개하는 건 어떨까?"

"그것도 괜찮은 방법이야. 당신 전처에게 가장 괴로운 일은 뭘까?"

"이야기가 황당한 방향으로 흐르는 거 아니야?"

"그러지 말고 어서 말해 봐. 그냥 상상일 뿐이잖아."

"수잔은 교수 자리를 잃으면……."

"그럼 당신 마음이 조금이라도 후련해지겠어?"

"여기서 우리가 이런 이야기를 나눈들 다 무슨 소용이야?"

"당신에게 도움이 되는 일이야."

"무슨 도움? 심리적인 위안?"

"감정을 상했으면 말로라도 푸는 게 좋아. 분노와 고통을 혼자서 꾹 꾹 눌러 참으면 건강에 좋지 않아. 하지만 말만으로는 상처를 완전하게 치료할 수 없어."

"상처를 완전히 치료하려면 어떻게 해야 하는데?"

마지트는 내 질문에 대답하지 않고 다른 말을 했다.

"이제 돌아가. 사흘 뒤에 다시 이야기해."

"알았어."

"당신이 카페 여자와 잔 것에 대한 죄책감을 떨쳐버리면 우린 전처럼 자연스럽게 섹스를 할 수 있을 거야. 그 여자는 남편에게 오마르에게 겁탈 당할 뻔했다고 말해야 돼."

"글쎄, 그다지 좋은 생각은 아닌 것 같기도……."

"그럼 당신이 그 여자 남편한테 죽도록 얻어맞는 게 좋은 생각인가? 그럼, 안녕."

마지트가 시키는 대로 야나에게 계획을 설명한 뒤로는 정말이지 마음이 편했다. 인터넷카페의 턱수염 청년에게 달려가 사정이 있어 며칠 이곳을 떠나 있겠다고 말하고 싶었지만, 그냥 이대로 남아 일이 어떻게 돌아가는지 지켜보고 싶기도 했다. 누가 죽을지 알 수 없는 러시안룰렛 게임 같았다.

그날 밤, 사무실에서 노트북을 열었다. 내가 사무실에서 쓴 소설은 4백 쪽이 넘었다. 처음에는 스스로도 의심했지만 이제 글은 가속도가 붙어 저절로 써졌다. 방은 협소했지만 주의를 빼앗기지 않고 소설에 집중할 수 있어 좋았다. 갑자기 이 방을 나가면 당분간 소설을 쓰지 못할 수도 있었다. 그래서 소설을 다 쓸 때까지라도 이 일을 계속하기로 마음먹었다.

소설만 다 쓰면 짐을 챙겨 이곳을 떠나는 거야. 하지만 소설을 다 쓰기 전까지는…….

'아래층에서 들리는 소리는 뭐지? 사람의 비명소리인가?'

소리는 점점 크게 울렸다. 완전히 겁에 질린 비명이었다. 덫에 걸린 짐승이 고통스럽게 울부짖는 소리 같았다. 비명소리는 조금 잠잠해졌다가 다시 들려왔다. 이어서 입 다물라고 소리치는 다른 사람의 목소리. 그리고 또…….

이번에는 고통스런 비명이었다. 마치 고문을 당하는 듯한 소리는 내가 있는 방의 콘크리트를 뚫고 내 귀에까지 들려왔다. 나도 모르게 일어서서 문을 향해 걸어갔다. 문이 삐걱 열리자마자 비명은 어디론가 사라졌다. 나는 밖을 내다보았다. 아래층 복도에는 아무도 없었다. 몇 계단을 내려가 아래층 복도 끝에 있는 철문을 바라보았다. 그때 머릿속에서 또 다른 내가 말했다.

'미쳤어? 무슨 짓이야?'

나는 얼른 계단을 다시 올라가 문을 닫고 자물쇠를 잠갔다. 소리를 내지 않으려고 주의했지만 걸쇠를 잠글 때 철컥 소리가 울렸다. 조금 뒤에 다시 비명이 들려왔다. 이번에는 다른 사람의 고함소리와 뒤섞인 비명이었다. 격렬한 비명과 함께 '요크! 요크! 요크!'라는 말도 계속해서 들려왔다. 고함과 비명이 번갈아가며 계속되다가 한 번 길게 비명이 이어지고 나서 잠잠해졌다. 그 다음은 고요한 침묵.

나는 책상 앞에 앉아 손톱을 물어뜯었다. 무서웠다.

'움직이지 마. 하지만 계단을 올라오는 발자국소리가 들리면 노트북을 챙겨들고 비상구로 얼른 달아나.'

과연 비상구가 카말의 말처럼 옆 건물로 이어질지는 알 수 없었다. 10분, 15분, 20분, 나는 계속해서 모니터를 지켜보았다. 모니터 화면이 흐릿했고, 방문객은 없었다. 25분, 여전히 조용했다. 그러다가 갑자기 아래층에서 덜컹 문 열리는 소리가 들리더니 복도에서 발자국소리가 들려왔다. 모니터를 보니 누군가 정문에서 골목으로 뛰어나왔다. 키가 크지 않다는 것 말고는 생김새를 자세히 볼 수 없었다. 그는 파카에 달린 후드로 머리를 덮어 얼굴을 가렸고, 한 손에는 빗자루를 들고 있었다.

'빗자루? 왜지?'

그때 남자가 빗자루로 감시카메라를 쳤다. 나는 움찔했다. 카메라를 향해 다가오는 빗자루를 모니터로 보고 있자니 마치 나를 찌르는 것 같았기 때문이다. 처음에는 그냥 카메라가 흔들리기만 했다. 남자는 다시 카메라를 찔러 렌즈를 박살냈다. 모니터 화면이 검게 변했다. 이어서 뭔가 묵직한 물건이 바닥에 끌리는 소리, 누군가 속삭이는 소리, 낑낑대며 불평하는 소리 등이 들려왔다. 바닥에서 끌리는 소리가 멎고 나서는 속삭이는 소리가 더 많이 들려왔다.

"시체를 내놓기 전에 아무도 없는지 확인했대?"

또 뭔가 끌리는 소리가 나더니 정문이 철컥 닫히는 소리가 났다.

'침착해. 침착해.……하지만 저 사람들이 나를 찾아오면?'

지금 당장 여기서 나가면 밖에 있는 사람들과 마주치게 될 것이다. 나는 그들의 얼굴을 본 목격자가 될 것이고, 그랬다가는 죽음을 면치 못할 것이다. 이 방에 가만히 있으면 적어도 내가 저들의 말을 잘 따르는 사람이라는 걸 입증하는 게 아닌가? 저들의 일에 대해 호기심을 품지도, 경찰에 신고하지도, 문제를 일으키지도 않을 사람.

당장 도망치고 싶었지만 일단 참기로 했다. 6시가 가까워올수록 마음은 더욱 싱숭생숭했다. 새벽거리를 걸으며 마음을 가라앉히고 싶었지만 누군가 미행을 할까봐 더럭 겁이 났다. 차라리 평소 해온 대로 행동하는 게 나을 것 같았다.

6시가 되자 나는 빵집으로 가 초콜릿 빵을 사들고 방으로 돌아왔다. 방문 밑에 쪽지가 놓여 있었다.

딱 이틀만 더 기다려주겠다. 더 이상은 기대하지 마. 1천 유로를 내놓지 않으면 다 말해버리겠어.

나는 쪽지를 구겨 주머니에 집어넣었다. 조피클론을 먹고 침대에 누워 잠에 빠져들었다가 평소처럼 2시에 일어났다. 30분 뒤에는 인터넷카페에 갔다. 내가 안으로 들어서자마자 턱수염 청년이 카페 문을 잠그더니 뒷방으로 오라고 손짓했다. 어젯밤 일 때문이 분명했다. 내가 망설이자 턱수염이 말했다.

"내 이야기가 끝날 때까지 여기서 못 나가요."

뒷방에서 다른 누군가가 기다리고 있을지도 모른다는 생각에 나는 그냥 여기서 이야기하자고 말했다. 조금이라도 위협이 느껴지면 유리창으로 몸을 날려 달아날 생각이었다.

"뒷방이 조용해요."

"그냥 여기서 이야기해요."

턱수염은 말없이 나를 바라보았다. 가끔 바깥 거리를 살피는 턱수염의 표정에서 어딘가 모르게 불안감이 묻어났다.

턱수염이 물었다.

"어젯밤에 뭘 봤죠?"

"어떤 놈이 모니터 카메라를 부수는 걸 봤어요."

"그 전에는?"

"아무것도 못 봤어요."

"아무것도?"

"그래요, 아무것도."

"거짓말하지 말아요. 문을 열었잖아요. 문을 여닫는 소리가 들렸다던데요?"

"잘못 들었겠죠."

"아니, 분명 들었다던데요?"

"난 아무런 소리도 듣지 못했고, 방에서 한 발짝도 나가지 않았어요. 평소와 다른 일이라면 누군가 카메라에 뭘 던졌다는 것밖에 없어요."

"혹시 밖에 있는 사람 얼굴을 봤어요?"

"후드를 쓰고 있어 얼굴이 보이지 않았어요."

"그 사람이 왜 카메라를 깼다고 생각해요?"

"그걸 내가 어떻게 알아요?"

"거짓말."

"뭐가 거짓말이라는 거죠?"

"어젯밤 일을 상세하게 알고 있으면서 모른다고 잡아떼잖아요. 경찰이 무슨 소리를 들었느냐고 물으면 어떻게 대답할 거죠?"

"경찰이 그런 걸 왜 물어요?"

"만약 경찰이 물으면……."

"아무런 소리도 듣지 못했다고 하면 되죠."

콧수염은 한참 동안 아무 말도 없다가 주머니에서 급여봉투를 꺼내 바닥에 내던졌다. 거친 행동이었지만 나는 허리를 굽혀 봉투를 집어 들었다.

"비명을 들었죠? 분명 비명을 듣고 문을 열었을 거야. 아래 층에서 어떤 일이 있더라도 다시는 문을 열지 말아요. 알았어요?"

나는 조용히 대답했다.

"예."

나는 아무 일 없었던 것처럼 지내려 애썼지만 점심을 먹으려고 식당에 앉아 있을 때, 엘리아 카잔의 영화 〈초원의 빛〉을 보러가기 위해 지하철을 탈 때, 영화를 보고 나서 영화관 맞은편의 작은 카페에서 커피를 마실 때 누군가 나를 지켜보고 있는 것 같은 불안감을 느꼈다. 나는 혹시나 똑같은 얼굴이 내 주변에 계속 보이지는 않는지 줄곧 살폈다. 길을 걷다가도 걸음을 멈추고 몸을 휙 돌려 누군가 뒤쫓아 오지는 않는지 거듭 확인했다.

다행히 미행하는 사람은 없었지만 나는 안절부절못했다. 에이즈 검사결과를 확인하려면 병원에 전화를 걸어봐야 했지만 공중전화를 사용하기가 겁났다. 만약 누군가 나를 감시하고 있다면 내가 경찰에 전화하는 것으로 오해할지도 모르니까.

어쩔 수 없이 직접 병원에 가서 검사결과를 확인하기로 했다. 병원은 저녁 8시에 문을 닫는다고 했다. 나는 문을 닫기 30분 전에 병원에 도착했다. 나를 진찰했던 의사가 대기실에 앉아있었다.

의사가 나에게 물었다.

"왜 다시 왔죠?"

"검사결과를 확인하려고요."

"전화로 확인해도 되잖아요."

"직접 듣고 싶었습니다."

의사는 안내원에게 내 이름을 말했다. 의사가 내 이름까지 외우고 있다니 의외였다. 안내원이 진찰기록부를 뒤져 검사기록을 의사에게 건넸다. 의사는 나에게 진찰실로 따라오라고 손짓했다.

"앉으세요."

"결과가 안 좋습니까?"

"에이즈 검사결과는 음성입니다. 그런데 다른 성병이 있네요. 클라미디아에 감염됐습니다."

"네?"

"심각한 병은 아니니까 걱정 말아요. 쉽게 낫는 병이니까."

"클라미디아는 여자들만 걸리는 줄 알았는데요?"

"잘못 알고 계셨군요."

의사는 처방전에 뭔가 적어나갔다.

"처방한 약을 하루에 네 번씩 복용하세요. 물을 매일 삼 리터 이상

마셔야 하고요. 삼 주 동안은 콘돔 없이 섹스하면 안 됩니다."

3주!

마지트가 들으면 퍽이나 좋아하겠군.

"항생제를 먹는 동안에는 금주해야 합니다. 술을 마시면 항생제의 효과가 줄어드니까."

3주 동안이나 술을 못 마셔? 술 없이 이런 생활을 견디라고!

"섹스 상대들이 있을 경우 검진 결과를 알려주어야 합니다."

섹스 상대들?

섹스 상대가 한 명이 아니라는 걸 어떻게 알았지? 내가 그렇게 속이 다 들여다보이는 사람인가?

"약을 다 드시고 나면 병원에 다시 와 재검사를 받으세요. 완치 여부를 확인해야 하니까."

완치? 의사 선생님, 과연 완치란 게 있을까요? 지난 며칠 동안 저에게 일어난 일들을 보세요. 상황은 점점 나빠지기만 할 뿐 결코 좋아지지 않고 있잖아요.

하지만 나는 의사의 말에 대답했다.

"네, 잘 알겠습니다."

밤늦게까지 문을 여는 약국으로 가 처방전을 내밀고 38유로나 되는 항생제 알약을 받았다.

나는 야나의 카페로 갔다. 손님은 뒤쪽 테이블에 앉은 세 명뿐이었다. 내가 바에 앉자 야나의 눈이 휘둥그레졌다.

야나가 낮은 목소리로 말했다.

"다시는 여기에 오지 말라고 했잖아요."

"남편한테 말했어요?"

"남편은 내일 온대요."

야나는 손님들이 앉아 있는 뒤쪽을 불안한 눈길로 흘깃거린 뒤 다시 나직이 속삭였다.

"술을 주문해요. 안 그러면 저 손님들이 더욱 수상쩍게 여길 거예요."

"물이나 줘요."

"물?"

"물을 시키면 더욱 안 좋게 보인다는 건 나도 알아요. 하지만 지금 항생제를 먹고 있어서 어쩔 수 없어요."

"항생제는 왜요?"

"클라미디아에 감염됐어요. 성병이죠."

내 대답에 야나의 얼굴이 하얗게 질렸다.

"개자식, 너 때문에 나도……."

"나 때문이라고요? 다시 한 번 잘 생각해 봐요. 그 병은 여자가 남자에게 옮기는 병으로 알려져 있어요."

나도 정확하게 알지 못한 채 던진 말이었다. 그 다음 또 말했다.

"게다가 난 다른 여자와 잔 적이 없어요."

"거짓말."

"내 병은 당신에게서 옮았어요. 어디서 그런 병이 옮았는지 잘 생각해 봐요. 당신 남편이나……."

야나가 말했다.

"여기서 당장 꺼져."

"여기서 나가기 전에 보여줄 게 있어요."

나는 오마르의 협박 쪽지를 야나에게 건넸다. 야나는 구겨진 쪽지를 펴서 읽더니 다시 내게 건넸다.

"남편이 돌아오자마자 전에 이야기한 대로 해요."

"알았어요. 아니, 오마르가 나를 겁탈하는 바람에 성병에 걸렸다고 할게요."

"잠깐……."

나는 야나가 그렇게 말하면 그녀의 남편이 오마르를 죽일지도 모른다고 생각했다.

야나가 말했다.

"차라리 남편이 오마르를 죽여 버렸으면 좋겠어요. 당신도 당장 여기서 나가요. 안 그러면 당신도 나를 겁탈하려 했다고 남편에게 말할 테니까."

나는 야나의 성난 얼굴을 보고, 말을 듣는 게 좋겠다고 생각했다.

몇 시간 뒤, 노트북 모니터를 노려보며 얼른 6시가 되기를 기다렸다.

'여자들은 왜 나를 보면 화를 낼까?'

아니, 생각은 더 직접적으로 변했다.

'내가 하는 일은 왜 늘 엉망이 될까?'

그러나 그런 잡념들은 곧 오마르에 대한 생각 때문에 지워졌다.

마지트의 충고대로 했으니 이제 일이 어떻게 되는지 지켜봐야지.

야나가 남편에게 오마르에게 겁탈당하고 성병까지 옮았다고 말하면 어떻게 될까? 야나의 남편은 당장 오마르를 죽이려 할 것이다. 물론 성병은 야나의 남편이 창녀에게서 옮은 게 틀림없었지만…….

누군가의 위협으로부터 나를 지키기 위해 다른 누군가를 위험에 빠뜨리는 게 과연 정당한 일일까? 그 의문이 줄곧 내 머릿속을 떠나지 않았다.

다시 6시가 되었다. 나는 빵을 사들고 내 방으로 갔다. 의사가 시킨

대로 물을 계속 마셨기 때문인지 화장실이 급했다. 나는 평소처럼 아무 생각 없이 화장실 문을 열었다가 깜짝 놀라 뒷걸음질을 쳤다. 어찌나 놀랐는지 하마터면 비명을 지를 뻔했다. 오마르가 쓰러져 있었다. 칼에 찔린 오마르의 목이 벌어져 있었고, 주변이 온통 피투성이였다. 오마르의 입에는 변기 솔이 박혀 있었다.

14

장 마리 쿠타르 형사는 언뜻 보기에는 아무런 의욕도 없어 보이는 사람이었다. 50대에 키는 167센티미터 정도에 턱은 접히고 배가 불쑥 나온 사람. 그는 붉은 빛을 띤 얼굴에 체크무늬 재킷, 회색 바지, 음식이 묻은 줄무늬셔츠, 페이즐리 넥타이를 착용하고 있었다. 그야말로 갖가지 어울리지 않는 무늬를 총동원한 옷차림이었다. 그는 아침 7시 15분쯤 잠결에 호출을 받고 사건현장으로 끌려나온 게 틀림없었다.

쿠타르 형사가 도착하기 전에도 이미 화장실 주변에는 경찰이 몰려와 있었다. 사복차림 경관 세 명, 흰 가운을 입고 고무장갑을 낀 과학수사대원 두 명, 현장사진을 찍는 경관, 시체를 살피는 검시관까지…… . 뒤늦게 사복차림의 형사 두 명이 더 나타났는데 그 중 한 명이 바로 쿠타르 형사였다.

제복차림 경관들이 가장 먼저 화장실로 왔다. 내가 공중전화로 신고한 지 10분도 지나지 않은 시간이었다. 내가 경찰에 신고한 건 본능적인 행동이었다. 나는 크게 쇼크를 받았지만 신고를 마치자마자 내 알리바이를 어떻게 만들지 걱정됐다. 내가 하는 일에 대해서는 사실대로 말할 수 없으니 방에서 잠을 잤다고 하는 게 가장 현명할 것 같았다.

나는 방으로 들어가 자다 일어난 양 침대를 흐트러뜨리고 나서 경찰의 질문에 어떻게 대답할지 거듭 궁리했다.

계단을 올라와 살인 현장을 둘러본 경관들은 하나같이 놀란 티를 내지 않으려고 애썼다. 처음 사건 현장을 둘러본 경관들은 즉시 지원을 요청했다. 그런 다음 한 경관은 아무도 드나들지 못하게 건물 입구를 봉쇄했다. 다른 경관은 나에게 신분증을 제시하라고 했다.

나는 미국 여권을 건넸다.

경관이 이상하다는 표정으로 나를 쳐다보더니 물었다.

"왜 미국인이 이런 곳에서 살죠?"

"방세가 싸서요."

경관은 기본적인 질문을 던지기 시작했다.

시체를 몇 시에 발견했죠?

지난밤에 어디 있었죠? (잠이 안 와서 산책했습니다.)

산책은 몇 시쯤 했죠? (두 시쯤이었어요.)

어디로 산책을 갔죠? (센 강을 따라 노트르담 근처까지 갔어요. 그리고 돌아오는 길에 빵집에 들러 초콜릿 빵을 샀어요.)

죽은 사람과 아는 사이인가요? (그저 이름과 얼굴을 아는 정도입니다.)

누가 죽였는지 혹시 짐작되는 사람은 없습니까? (전혀 없어요.)

경관은 그런 질문들을 던지고 나서 나에게 형사가 올 때까지 방에서 꼼짝 말고 기다리라고 했다. 내 여권은 경관의 손에 들려있었다.

나는 방에 혼자 남아 생각에 잠겼다. 아무리 생각해봐도 내 알리바이는 허점투성이였다. 그나마 빵집에 들렀다는 알리바이만큼은 증명할 수 있었다. 빵집 주인이 확인해줄 테니까.

나는 침대에 누워 눈을 감고 오마르의 끔찍한 모습을 머릿속에서 지우려 애썼다. 화장실에 튄 핏자국, 칼에 깊숙이 베인 목, 내려져 있는 바지로 보아 오마르는 변을 보던 중 살해당한 게 틀림없었다. 적어도 두 사람 이상이 살인에 가담했을 확률이 높았다. 한 명이 오마르를 붙잡고, 다른 한 명이 비명을 못 지르게 입 안에 변기 솔을 처박고 예리한 칼로 목을 베었겠지.

야나의 남편은 전날 터키를 떠났지만 비행기가 연착돼 파리에 도착하지 못했다. 결국 야나의 남편은 제외시킬 수밖에 없었다. 오마르는 누구에게나 무례하게 굴었으니 죽이려고 벼른 자들은 많을 것이다.

쿠타르 형사가 나에게 물었다.

"죽은 사람이 누구에게 원한을 살만한 일이 있었습니까?"

나는 모르는 척하는 게 좋겠다고 생각했다.

"모릅니다. 우리는 그저 이름만 알고 지내는 사이였습니다."

"바로 옆방에서 살았잖습니까?"

"옆방에 살았어도 서로 이야기를 나눌 일은 없었습니다."

"같은 층에 살고 화장실도 같이 썼는데 서로에 대해 그 정도로 몰랐습니까?"

"화장실을 같이 쓴다고 서로 친하게 지내야 한다는 법은 없지 않습니까?"

쿠타르 형사가 주머니에서 내 여권을 꺼냈다. 나는 놀란 티를 내지 않으려 애썼다. 쿠타르 형사가 내 여권을 뒤적이다가 입국 스탬프가

찍혀 있는 면을 들여다보았다.

"작년 십이월 이십팔일에 프랑스에 오셨군요. 캐나다를 경유해서."

"네, 내가 탄 비행기가 캐나다를 경유해서 오는 것이었어요."

"출발지는 어딥니까?"

"시카고."

"시카고에서 살았습니까?"

나는 내가 살던 곳을 말했다.

"작년 십이월 이십팔일에 프랑스에 온 이유는 뭐죠?"

그 질문에는 미리 대답할 말을 준비해두고 있었다.

"아내와 이혼하게 됐고, 직업이 대학교수였는데 학교에서도 해고당했습니다. 어디론가 도피하고 싶었죠. 결국 택한 곳이……."

"시카고에서 파리까지 오는 직항노선은 없습니까?"

나는 그 질문의 숨은 뜻을 알 수 있었다.

'다른 나라를 경유해서 올 만큼 다급했다면 그 이유가 이혼 때문만은 아닐 것 같은데?' 라는 뜻.

"몬트리올에서 에어캐나다를 이용하는 편이 가장 저렴하게 파리까지 올 수 있는 방법이었습니다."

"지금은 무슨 일을 하시죠?"

"소설을 씁니다."

"책을 낸 출판사는 어딥니까?"

"아직 책을 낸 적은 없습니다."

"아, 그러면 소설가 지망생이십니까?"

"굳이 말하자면 그렇습니다."

"파라디스 가에서 살기 시작한 지는……."

"일월 초부터 살기 시작했습니다."

"파라디스 가에 사는 미국인이라⋯⋯. 정말 특이하군요. 하지만 그 질문은 벌써 받으셨지요?"

"네, 몇 번이나 받았죠."

"죽은 오마르 타리크는 이웃으로 평가하자면 어떤 사람이었습니까? 좋은 사람이었나요?"

"친하게 지내지 않아 잘 모르겠습니다."

"오마르 씨에 대해 조금도 아는 게 없군요?"

"예, 전혀."

쿠타르 형사는 고개를 끄덕인 뒤 또 물었다.

"누가 죽었을지 혹시 짚이는 사람은 없습니까?"

"이미 말씀드렸지만 우리는 서로 가까이 지내지 않았습니다."

형사는 들고 있던 내 여권으로 자기 손을 탁탁 치면서 내 눈을 쳐다보았다. 그러더니 다시 자기 주머니에 내 여권을 집어넣었다.

"목격자 진술을 다시 해줘야 합니다. 오늘 오후 두 시에 파리10구 경찰서로 출두해 주십시오."

"알겠습니다. 여권은 안 돌려주십니까?"

"오늘 오후까지 제가 보관하겠습니다."

형사가 방에서 나갔다. 나는 침대에 걸터앉았다. 갑자기 피로가 몰려왔다. 오마르와 전혀 대화를 나눈 적 없다고 잡아뗀 건 그다지 잘한 일 같지 않았다. 하지만 모든 걸 사실대로 말했다가는 더 많은 의심을 받게 될 것이다. 경찰은 내가 밤에 무슨 일을 하는지 캐물을 테고⋯⋯.

오마르는 필시 빚을 지고 돈을 안 갚았거나 누군가에게 원한을 샀을 것이다. 원한에 의한 동기가 아니라면 그렇게 잔인하게 살해할 까닭이 없을 테니까. 경찰은 이 건물에 사는 모든 사람을 의심할 것이다.

오마르는 원한을 산 사람이 많으니까 어디서든 용의자가 나타나겠지.

아침 9시, 부족한 잠이 오마르의 끔찍한 모습을 조금씩 지워나갔다. 몇 시간을 졸았을까? 문에서 쾅 소리가 나는 바람에 잠에서 깨어났다. 얼른 침대에서 내려와 문을 열었다. 구급대원들이 시체를 옮기다 내 방문에 부딪친 소리였다. 시체를 메고 좁은 나선형 계단을 내려가기가 무척이나 힘든 듯 그들은 끙끙거리며 안간힘을 썼다.

시계를 보았다. 오후 12시 48분, 샤워와 면도를 마치고 옷을 갈아입었다. 경찰서에 진술하러 가야 하니까 최대한 점잖은 옷으로 골랐다. 화장실과 오마르의 방에서는 아직도 경찰이 현장을 샅샅이 살피며 실오라기 하나라도 더 찾아내려 애쓰고 있었다. 아래층에서는 제복을 입은 경관이 여전히 건물 입구를 지키고 있었다.

경관이 말했다.

"아무도 밖으로 못 나갑니다."

"쿠타르 형사가 두 시까지 경찰서로 출두하라고 했는데요."

"성함이 어떻게 되시죠?"

"해리 릭스."

경관이 무전기에 대고 말했다.

"해리 릭스 씨가 경찰서에 출두해야 한답니다."

치직거리는 소리가 들리고 나서, 무전기에서 목소리가 흘러나왔다. 경관이 무전기를 귀에 대고 귀를 기울이다가 '알겠습니다'라고 말했다.

경관이 무전을 끊고 나를 보며 말했다.

"예, 두 시까지 오랍니다. 늦지 않게 서두르십시오."

나는 고개를 끄덕이고 인터넷카페로 발걸음을 재촉했다. 내가 카페로 들어서자 콧수염 청년이 얼른 문을 잠갔다.

"경찰의 질문에 뭐라 답변했죠?"

"소문 한 번 빠르군요."

"경찰에게 뭐라 말했는지 어서 얘기해요."

"아무 말도 안 했어요."

"뭐요?"

"오마르가 옆방에 산 건 사실이지만 가깝게 지내지 않았고, 왜 죽었는지 전혀 모르겠다고 했어요."

"경비 일은? 경찰이 당신한테 무슨 일을 하는지 묻지 않던가요?"

"아직은 안 물었어요."

"아직은?"

"지금 경찰서에 진술하러 가는 길이에요. 두 시까지 경찰서에 출두하라고 했어요."

"절대로 경비 일에 대해 말하면 안 돼요."

"염려하지 말아요."

"지난밤에 본 것도 말하면 안 돼요."

"아무것도 못 봤다니까."

"무슨 일을 하는지 질문을 받으면……."

"나는 소설가라고 대답할 거요. 그게 사실이기도 하고요. 이제 만족했어요?"

"쓸데없는 소리를 했는지 안했는지는 우리가 알 수 있어요. 만약 쓸데없는 소리를 했다가는……."

"그런 말을 할 필요가 없잖아요. 나도 여기서 불법적인 일을 하고 있다는 사실을 경찰에 들키고 싶지 않아요. 그러니까 걱정 말아요."

"내가 당신을 믿을 것 같아요?"

"안 믿으면 어쩔 건데요? 나도 당신을 믿지 않지만 믿어보는 수밖에는 달리 방법이 없잖아요. 자, 이제 내 급여봉투나 줘요."

콧수염이 주머니에서 봉투를 꺼내 건넸다.

"입만 다물어주면 당신은 아무런 문제없이 지낼 수 있어요."

"그거 듣던 중 반가운 소리군요."

"그 돼지 같은 놈은 죽어도 싸니까."

나는 오마르가 아무리 포악한 사람이라고 해도 그렇게 끔찍하게 죽어서는 안 된다고 말하고 싶었지만 입을 꾹 다물었다.

내가 말했다.

"내일 만나요."

콧수염이 말했다.

"예, 내일 봐요."

파리10구 경찰서는 흔히 볼 수 있는 3층짜리 네모난 건물이었다. 그 거리의 저층 건물들과 다를 바 없었다.

안으로 들어가 안내원에게 내 이름을 대고 쿠타르 형사를 만나러 왔다고 말했다. 잠시 기다리고 있으려니, 민소매 티셔츠 위에 총집을 맨 젊은 형사가 문에서 상체만 내밀더니 내 이름을 불렀다.

내가 다가가자 형사는 레클레르라고 자신을 소개하고 나서 나를 끌고 계단을 내려갔다. 넓은 공간에 벤치가 놓여 있고, 두 사람이 앉아 있었다.

내가 레클레르 형사에게 물었다.

"바쁘신가 봐요?"

"우린 늘 바쁘죠."

복도를 지나자 좁은 사무실이 나왔다. 책상이 두 개였다. 레클레르 형사가 책상 앞에 앉아 자기가 내 진술을 맡게 되었다고 했다. 레클레르 형사는 내가 오마르의 시체를 발견한 상황을 처음부터 차근차근 물었다. 그런 다음 쿠타르 형사가 이미 물었듯이 오마르와 내 관계에 대해 물었다.

"우리는 가끔 건물 복도에서나 마주치는 사이였습니다. 거리에서 마주칠 때도 있었고요. 그게 전부입니다."

레클레르 형사는 내 진술을 컴퓨터로 입력하고 나서 소리 내어 읽으며 나에게 동의하는지 여부를 물었다. 내가 고개를 끄덕이자 형사는 키보드를 눌렀다. 옆에 있는 프린터가 윙 소리를 내며 진술서를 출력했다.

"진술서를 읽어보고 나서 서명하세요."

나는 프린터에서 나온 진술서에 날짜와 이름을 적었다.

"이제 지문을 찍으세요."

나는 '제가 용의자입니까?'라고 묻고 싶었지만, 그랬다가는 지문 찍기를 거부하는 것처럼 보일까봐 시키는 대로 하기로 했다. 형사는 나를 다른 방으로 데려갔다. 지문 담당자가 내 지문을 뜨고 나서 손으로 옆에 있는 세면대를 가리켰다. 내가 세면대에서 손을 씻고 나자 레클레르 형사가 말했다.

"쿠타르 형사님에게 진술서를 보여 주고 확인을 받을 때까지 밖에서 기다리세요. 쿠타르 형사님이 추가로 다른 질문을 할지도 몰라요."

"얼마나 기다려야 할까요?"

"쿠타르 형사님은 오늘 일이 많아서……."

레클레르 형사는 나를 아까 지나쳐온 벤치로 데려갔다. 아까부터 앉아 있던 두 사람이 여전히 벤치에 그대로 앉아 있었다. 내가 벤치에 앉자 두 사람은 나를 아래위로 훑어보았다. 그 중 한 명과 나의 시선이 마주쳤다. 그 사람이 나에게 눈을 부라렸다.

"이 새끼가 누굴 노려보고 있어?"

내가 말했다.

"노려보지 않았는데요."

"지금 나한테 시비 거는 거야?"

나는 고개를 가로저었다. 그는 즉시 내게 달려들려 했지만 수갑이 벤치기둥에 채워져 있었다. 수갑 찬 손목이 아픈지 그가 얼굴을 찌푸리며 말했다.

"두고 봐."

나는 벤치 끝에 앉아 가져온 책을 펼쳤다. 자크 프레베르의 《말》이었다. 나는 프레베르의 상상력과 문체를 무척이나 좋아하지만, 다른 책을 가져오지 않은 걸 후회했다. 줄거리가 분명한 책이었다면 보다 더 집중하기 좋았을 텐데.

나에게 시비를 걸었던 남자는 계속 욕지거리를 퍼부었다. 경관이 조용히 하라고 말하자 남자는 "그런다고 내가 겁먹을 줄 알아?"라며 대들었다. 경관이 곤봉으로 벤치를 내려치며 말했다.

"당장 아가리를 닥치지 않으면 곤봉으로 다리를 부러뜨리겠어."

나는 책을 더 높이 들어 얼굴을 가렸다.

쿠타르 형사는 정말 바쁘거나 일부러 나를 골탕 먹이는 것 같았다. 기다린 지 30분이 지났을 때 나는 지나가는 형사를 붙잡고 쿠타르 형사를 계속 기다려야 하는지를 물었다. 또 20분이 지났다. 나는 다른 형사를 붙잡고 말했다.

"쿠타르 형사에게 어찌된 일인지 좀 물어봐 주실래요?"

"기다리세요."

"벌써 한 시간 가까이 기다렸는데……."

"그래서요? 한 시간이 길어요? 가만히 앉아 있으면 쿠타르 형사가……."

"부탁인데……."

"잔말 말고 앉아 있어."

명령조였다. 수갑에 묶인 남자가 나를 비웃었다.

15분, 20분…….

'이건 미친 짓이야. 그냥 나가자. 경찰이 나를 막건 말건 그냥 여기서 나가자.'

그런 어리석은 생각에 매달려 있을 때 쿠타르 형사가 비로소 고개를 내밀었다.

"릭스 선생……."

쿠타르 형사가 나에게 따라오라고 손짓했다. 그가 앞장서서 걸어가며 말했다.

"범죄자들과 같이 앉아 있게 해서 미안합니다."

나는 아무런 대꾸도 하지 않았다.

쿠타르 형사의 사무실은 아까 들어갔던 레클레르 형사의 사무실보다 넓었다. 책상 앞에는 안락의자 두 개가 놓여 있었다. 책상 위 컴퓨터 옆에는 담배꽁초로 가득 찬 재떨이가 놓여 있었다. 쿠타르 형사는 담배에 불을 붙이며 안경을 썼다.

"릭스 선생, 진술서를 읽어보았는데 참 재밌더군요."

"재미있다니, 뭐가요?"

"아, 저로서는 무척이나 재미있었습니다."

"뭐가 재미있었다는 말씀인지 원."

"진술서를 보니까 오마르를 잘 모른다는 말을 되풀이했더군요. 지난번 아침에 저에게 말씀하신 그대로죠. 그런데 관리인 세제르가 말하길 선생이 화장실 문제로 오마르와 계속 싸웠다고 하던데요. 오마르가 변기를 지저분하게 써 선생과 자주 다투었다던데 사실입니까?"

"그건 사실입니다만……."

"오마르가 죽어가면서 입에 뭘 물고 있었는지 아시죠? 선생의 변기 솔인데, 그걸 보면……."

"아니, 잠깐만……."

"제 말을 끊지 마세요."

"미안합니다."

"다시 말하죠. 세제르 씨는 선생이 오마르가 화장실을 지저분하게 쓴다고 계속 불평했다더군요. 오마르가 변기 솔을 입에 문 채 살해된 건 두 사람의 평소 다툼과 관련해 상징적인 의미가 있다고 볼 수 있잖습니까? 그래서……."

내가 손을 들자 쿠타르 형사가 나를 보았다.

"하실 말씀이 있습니까?"

"덧붙일 진술이 있어요."

"진술서는 이미 작성하셨잖아요."

"추가로 더 하고 싶은 말이 있습니다."

"진술서에 서명도 하셨잖습니까?"

"제가 하고 싶은 말은……."

"진술을 번복하시겠다는 겁니까?"

"저는 절대로 오마르를 죽이지 않았어요."

"그 말을 어떻게 믿죠?"

"시체를 발견하고 처음 신고한 당사자니까."

"제가 여태껏 맡았던 살인사건을 보면 신고한 사람이 살인범일 확률이 육십오 퍼센트나 됩니다."

"저는 나머지 삼십오 퍼센트에 속합니다."

"변기 솔을 입에 처박고 목을 벤다. 아주 전형적인 예죠."

"저는 죽이지 않았어요."

"선생에게 남다른 살해동기가 있었다는 점은 쉽게 간과할 수 없는 부분입니다. 제가 추리해 볼까요? 오마르는 변을 본 다음 물을 내리지 않았습니다. 선생이 여러 번 그 문제에 대해 따졌지만 오마르는 오히려 화를 냈죠. 미국인은 위생관념이 지나칠 만큼 까다롭습니다. 게다가 담배냄새도 몹시 싫어하죠."

형사는 담배 이야기를 하면서 연기를 길게 내뿜었다.

"저는 담배냄새에 대해 불평하지 않습니다."

"미국인치고는 포용력이 대단하시군요. 박수라도 칠까요? 게다가 좁은 방에서도 잘 지내시더군요. 파라디스 가의 쪽방에서 생활한 미국인은 아마도 선생이 유일하지 않을까 생각합니다."

"집세가 싸니까요."

"어떻게 그 집을 구하게 됐는지 그 사연도 듣고 싶습니다. 라퐁텐 가의 〈셀렉트호텔〉에서 일하던 아드낭 파프누크가 소개했지 않습니까? 작년 십이월 이십팔일부터 열흘 동안 〈셀렉트호텔〉에 묵으셨더군요. 독감에 걸려 한동안 호텔을 못 떠났고, 오전 근무를 담당하는 직원인 브라세 씨와 다툼을 벌였죠?"

그 말을 하는 동안 쿠타르 형사의 얼굴은 무표정했다. 그는 말하는 동안 계속해서 내 반응을 살폈다.

"브라세는 아주 불쾌한 사람이었어요."

"브라세 씨를 아는 사람은 누구나 그렇게 말하더군요. 그런데 또 눈길을 끄는 일이 있더군요. 선생이 다툼을 벌인 오마르가 화장실에서 죽었듯이 선생과 다툼을 벌인 브라세도 자동차에 치여 죽었더군요."

"설마 제가 죽였다고 생각하는 건 아니시죠?"

"또 제 말을 끊으시는군요."

나는 고개를 숙였다. 바닥에 구멍이 생겨 땅속으로 꺼질 수 있다면 얼마나 좋을까? 그래서 이 악몽 같은 현실에서 벗어날 수 있다면······.

쿠타르 형사가 말을 이었다.

"물론 자동차 기록도 확인했어요. 선생은 자동차를 산 적도 없고, 렌터카를 빌린 적도 없더군요. 하지만 다른 사람을 시켜 브라세 씨를 자동차로 공격하는 방법도 있지 않습니까?"

"저한테 그럴 만한 동기가······."

"돈 문제로 브라세 씨와 심하게 다퉜다면서요?"

"브라세가 저에게 의사 왕진료에 대해 바가지를 씌웠으니까."

"아, 그게 바로 살해 동기일 수도 있겠군요."

"저는 바가지를 씌웠다고 사람을 자동차로 쳐서 죽이지는 않습니다. 공동화장실을 지저분하게 쓴다고 그 사람의 목을 베지도 않고요."

"오마르 씨 입에 처박힌 변기 솔에는 온통 릭스 씨 지문뿐이던데······."

이제야 왜 나를 그렇게 오래 기다리게 했는지 알 수 있었다. 형사는 현장에서 채취한 지문과 내 지문을 컴퓨터로 확인했던 것이다.

"그 솔로 제가 화장실 청소를 했으니까 당연하죠."

"또 제 말을 끊으시는군요."

"미안합니다."

"브라세 씨나 오마르 씨와는 앙숙처럼 싸우는 사이였는데, 아드낭이라는 사람과는 매우 친했다면서요? 두 사람은 단순한 친구 사이였습니까?"

"그게 무슨 뜻이죠?"

"미국인이 파리의 호텔에서 앓아누웠다는 건 절대로 이상한 일이아닙니다. 한데 그 아픈 미국인이 젊은 터키인과 호텔에서 만나고, 그터키인이 살던 방에 들어와 산다는 건 좀 이상한 이야기 아닐까요?"

나는 손을 들었다. 형사는 발언을 허락한다는 뜻으로 고개를 끄덕였다.

"그 부분에 대해서는 왜 그랬는지 설명할 수 있어요."

"설명해보세요."

나는 호텔에서 벌어진 일들을 있는 그대로 설명했다. 아드낭이 나를 친절하게 돌본 일, 내가 돈이 없다는 이야기를 아드낭에게 털어놓은 일……

이번에는 쿠타르 형사가 내 말을 끊었다.

"돈이 없는 이유가 뭐죠? 제자와 불미스러운 일이 있은 뒤에 미국에서 도망칠 수밖에 없었기 때문인가요?"

나는 한참 동안 아무런 대꾸도 하지 못했다. 깜짝 놀랐기 때문도 아니었다. 형사는 이미 내 뒷조사를 마쳤을 테니 그 일도 자연스럽게 알아냈을 것이다. 다만 형사의 입에서 그 말을 들으니까 마음이 몹시 답답했다.

내가 말했다.

"수사력이 뛰어나시군요."

"무척이나 상심이 컸겠어요. 직업을 잃고, 가족을 잃고, 애인까지 잃었으니까."

"셸리의 죽음이 무엇보다 힘들었습니다. 그밖에도……."

"인터넷검색으로 기사를 다 봤습니다. 형사의 입장이 아니라 남자의 입장으로 한 마디 할까요? 솔직히 선생이 안됐다는 생각이 들었어요. 제자면 어떻습니까? 열여덟 살이면 어떻습니까? 단순히 유혹한게 아니라 사랑이었잖아요. 그렇죠?"

"그렇습니다."

"선생이 그 여학생한테 낙태를 강요했다고 모두들 비난하는 것도……."

"낙태 강요는 저와 전혀 상관없는 일이었어요."

"그 일에 대해 변명하실 필요는 없습니다. 제가 보기에 선생은 답답한 미국식 윤리의식의 희생자니까요. 미국인들은 뭐든 흑백논리로 보죠. 감정이나 도덕을 그렇게 단순한 잣대로 가를 수는 없는데도 말입니다."

"경찰은 사람을 유무죄로 가르지 않습니까?"

"범죄는 색깔로 말하자면 회색입니다. 누구에게나 어두운 그림자가 있죠. 그래서 또 다른 궁금증이 생기더군요. 선생은 밤마다 어디에 가는 걸까요? 세제르 씨가 말하길 선생은 새벽에 집으로 돌아와 오후까지 잔다던데요."

세제르가 나를 궁지에 몰려고 애썼군.

세제르가 범인일까? 그래서 나를 범인으로 모는 걸까?

"네, 저는 올빼미 형 인간입니다."

"밤새 뭘 하십니까?"

"그냥 산책합니다. 아니면 이십사 시간 동안 영업하는 카페에 가서

255

글을 씁니다. 하지만 대개는 집에 있습니다."

"포부르 프와소니에르 가에 있는 빵집 주인 말로는 선생이 새벽 여섯 시가 조금 지난 시각에 와서 초콜릿 빵을 산다고 하더군요. 하루도 빼놓지 않고."

"저는 매일 제가 정한 일과대로 움직이는 걸 좋아하죠."

"혹시 밤에 다른 일도 합니까?"

"소설만 씁니다."

"출판사도 아직 정해지지 않은 소설 말입니까?"

"네, 부끄럽게도 아직 책을 출간하지 못한 소설가입니다."

"곧 책이 나올지도 모르겠군요."

"반드시 나오게 될 겁니다."

"신념이 대단하시네요. 존경스럽습니다만 그냥 산책하거나 이십사 시간 카페에서 소설을 쓴다는 말은 여전히 믿음이 안 가네요. 아, 가끔 가신다는 그 카페가 어디죠?"

"여기저기요."

나는 그렇게 대답하면서도 내 목소리에서 거짓말이라는 게 드러나지 않을까 염려스러웠다.

"정확하게 말씀해주시겠습니까?"

"레잘에 르탕부라는 카페가 있어요. 생제르맹 대로에 마빌롱이라는 곳도 있고……."

"생제르맹 대로라면 집에서 멀지 않나요?"

"걸어서 삼십 분쯤 걸립니다."

"빨리 걸어야 삼십 분이죠."

"네, 천천히 걸으면 사십오 분쯤 걸리죠. 아까도 말했지만 저는 밤에 걷는 걸 좋아합니다."

"혹시 산책가이십니까?"

"네, 그렇다고 볼 수 있어요."

"직업을 가져도 산책을 즐길 수 있지 않나요?"

"취업 비자가 없습니다."

"여기서 일하는 이민자들 중에는 취업 비자가 없는 사람이 많습니다. 사실, 선생이 불법취업자라 해도 저는 관심이 없어요. 제가 맡은 건 살인사건입니다. 우리가 알고 싶은 건 오마르가 죽던 날 밤에 선생이 어디에 있었느냐는 것이죠."

"이미 말씀드렸듯이 저는……."

"네, 네. 진 켈리처럼 파리 거리를 쏘다니셨겠죠. 제가 그 말을 믿을 수 있을 것 같습니까? 선생은 뭔가 숨기고 있어요. 선생, 이제 솔직히 말해주지 않으면 곤란한 일이 발생할지도 모릅니다."

왜 내가 경비 일을 숨겼을까? 그곳 아래층에서 벌어지는 일에 나도 연루되었기 때문이었다. 그리고 그 일을 말한들 오마르를 살해한 혐의에서 벗어날 수는 없을 것이다. 내가 그날 밤에 일하고 있었다는 걸 증언해줄 사람이 아무도 없으니까.

"저는 숨기는 게 없어요."

쿠타르 형사가 입을 앙다물었다. 그가 두 손가락을 책상에 굴리며 타닥타닥 소리를 내다가 수화기를 집어 들었다. 형사는 의자를 돌려 나직한 목소리로 통화하고 나서 전화를 끊고 다시 의자를 돌려 나를 보았다.

"이제 돌아가 봐도 좋습니다. 하지만 선생의 여권은 당분간 제가 보관하겠습니다. 파리를 떠나지 않는 게 좋을 겁니다."

"어차피 떠날 생각도 없어요."

"그건 두고 봐야 알겠죠."

15

'미행당하고 있어.'

나는 확신했다. 밤에 일하러 가면 틀림없이 경찰에 발각될 것이다.

'누군가 나를 미행하고 있어.'

지나가는 사람이 나를 보았다면 아마 나를 미친 사람으로 여겼을 것이다. 나는 안절부절못하며 2분마다 뒤를 돌아보았으니까. 경찰서를 나와 몇 시간이 지날 때까지 나도 내가 어떤 행동을 하는지 미처 알지 못했다. 그러나 뒤돌아보는 건 이제 나 스스로도 어쩔 수 없을 만큼 병적인 습관이 됐다. 정확하게 2분 뒤, 아니 내 머릿속으로 120초를 센 뒤, 뒤돌아보며 내 뒤를 따라오는 어두운 그림자가 없는지 확인했다. 역시 아무도 없었다.

'드러나지 않게 잘 미행하기 때문이야. 내가 고개를 돌리자마자 몸을 숨겼겠지.'

뒤돌아보는 행동 때문에 곤경에 처하기도 했다. 내가 길에 서 있던 청년들을 스쳐 지나갔다가 뒤돌아보자 그들이 시비를 걸었다. 몸에 딱 달라붙는 가죽재킷을 입고 싸구려 선글라스를 낀 두 명의 아랍계 청년들이었다. 두 청년은 나에게서 의심의 눈초리를 받자마자 당장 달려오더니 나를 담장 아래로 밀어붙였다.

한 청년이 성난 목소리로 말했다.

"우릴 왜 쳐다봤어?"

"경찰인 줄 알았어요."

"좆같은 소리. 우리가 소매치기라도 할 줄 알았지?"

"그런 게 아니라……."

"그럼 우리가 아랍 출신이라서 쳐다본 거야? 네 놈 눈에는 아랍출신은 몽땅 다 강도나 소매치기로 보여?"

"정말 그런 게 아니라……."

"아니긴 뭐가 아니야."

한 청년이 나에게 침을 뱉었다. 다른 청년이 내 배를 주먹으로 세게 쳤고, 나는 그대로 고꾸라졌다.

"한 번만 더 그 따위로 쳐다보면 목을 그어 버릴 거야."

하지만 몸을 일으켜 옷에 묻은 침을 닦아낸 뒤에도 나는 다시 2분마다 뒤를 돌아봐야 했다.

경찰서에서 나왔을 때에는 마음속으로 목적지를 확실히 정해 두었다. 괴로운 일이 생길 때 내가 늘 가는 곳. 바로 영화관이었다. 악시옹제콜에서는 클린트 이스트우드 영화제가 열리고 있었다. 나는 〈매혹당한 사람들〉을 보았다.

'남북전쟁 시기, 부상을 입은 북군이 여학교 기숙사에서 간호를 받

고, 여학생들은 그 남자의 매력에 빠져들고, 남자는 그 대가를 끔찍하게 치르게 된다.'

그런 영화를 고른 걸 보면 내 정신도 온전하지 않았다. 더구나 20년 전에 본 영화여서 머릿속에 희미하게 줄거리가 남아 있었는데…….

영화관에서 나왔을 때는 일하러 갈 시간이 임박해 있었다. 거리를 걷는 동안 나는 2분이 아니라 1분마다 뒤를 돌아보았다. 그러다가 철문이 있는 골목으로 들어설 때에는 1분이 30초로 짧아졌다.

분명 누군가 나를 미행하고 있어.

뒤돌아보았지만 아무도 없었다. 다시 골목에서 거리로 나가 양쪽을 두루 살폈다. 역시 아무도 없었다. 또 골목으로 들어가 고개를 돌렸다. 역시 아무도 없었다. 얼른 철문을 열고 안으로 들어간 다음 문을 잠그고 계단을 올라갔다. 오늘은 소설을 한 글자도 못 쓸 게 분명했다. 누가 골목에 들어오지 않는지 모니터만 계속 바라보아야 할 테니까.

여섯 시간 동안 나는 모니터에서 눈을 떼지 않았다.

'지금 내 행동은 정상이 아니야.'

그런 생각이 들었지만 곧 다른 생각이 반박했다.

'살인용의자로 의심을 받는 사람이 어떻게 제정신일 수 있어?'

6시에 일을 마치고 밖으로 나갔더니, 누군가 골목에서 나를 기다리고 있었다. 경찰은 아니었다. 세제르의 일을 옆에서 거드는 마무드였다.

마무드가 내 앞을 가로막았다.

"세제르 씨가 좀 보자고 합니다."

"이렇게 이른 시간에요?"

나는 침착하게 말하려 애썼다.

"세제르 씨는 잠도 자지 않고 당신을 기다리고 있습니다."

"나는 자야 하는데요."

"세제르 씨를 만난 뒤에 잠을 자도 늦지 않아요."

"빵집에 들러야 하는데……."

마무드가 내 팔을 잡아끌었다.

"순순히 날 따라와."

나는 세제르의 사무실로 올라갔다. 세제르는 커피를 마시고 있었다. 내가 말했다.

"일찍 일어나셨군요."

세제르가 말했다.

"나도 댁처럼 잠이 없으니까."

"내가 잠이 없는지 어떻게 알았죠?"

"빵집에서 빵을 사서 아침 여섯 시 십오 분이면 집에 오니까. 그리고 오후 두 시까지 잠을 자지. 그런 다음 인터넷카페에 가서 돈을 받고, 생마르탱이나 가르들레스 근처의 카페에서 밥을 먹지. 영화관에서 시간을 때우고, 며칠에 한 번씩 제5구 린네 가에 가지. 거긴 아마도 여자를 만나러 갈 거야."

"나를 미행했군요?"

"우리가 고용한 사람을 조금 감시한 것뿐이야."

"우리가 고용한 사람이라니요?"

"우리 모두가 같은 회사에서 일하고 있다고 해두지."

"같은 회사?"

"자세한 이야기는 기대하지 마."

"당신은 경찰에 출두했을 때 왜 내가 오마르의 살인범인 양 진술했죠?"

"난 댁이 살인범일 거라 진술한 적이 없어. 심문을 받던 중에 댁이 화장실 문제로 오마르와 자주 싸웠다는 말을 했을 뿐이야."

"심문을 받았다고요? 경찰이 물고문이라도 하던가요?"

"누구나 그렇겠지만 나도 경찰 앞에 앉으면 몸과 마음이 불편하지."

"당신은 나를 모함했어요. 경찰이 나를 살인범으로 지목하게……."

세제르가 나에게 손가락질했다.

"나라면 그쯤에서 입을 다물 거야. 나는 누군가 나를 비난하는 걸 못 참는 성미거든."

"다른 사람을 비난해 곤경에 빠뜨리는 건 괜찮고요?"

"경찰이 댁을 살인범으로 생각할 이유는 없어."

"오마르와 계속 다퉜다는 증언이 살해동기로 성립됐어요. 나에게는 살해동기도 있고, 변기 솔에는 온통 내 지문이 묻어 있어요."

"쓸데없는 걱정이야. 증거가 부족해."

"이제 내가 가장 유력한 용의자가 됐어요."

"문제없을 거야. 내가 장담하지. 단, 내 말을 잘 따라야 해."

"뭘 따르라는 거죠?"

"댁이 밤에 하는 일에 대해 경찰에 절대 발설해선 안 돼. 경찰이 아무리 압박을 해도……."

"그 이야기를 하겠다는 꿈도 꾸지 않……."

세제르가 다시 입을 다물라는 표시로 손가락 하나를 쳐들었다.

젠장! 왜 모두가 나에게 입을 다물라고 하지?

"그리고 도망칠 생각 따위는 하지 마."

"경찰이 내 여권을 갖고 있어 도망칠 수도 없어요."

"여권이 없다고 못 달아나는 건 아니지. 이 동네에서는 언제라도 위조여권을 구할 수 있어. 아, 그렇다고 위조여권을 만들어서 도망치라는 뜻은 아니야. 우리가 감쪽같이 사라지게 만들 수도 있고."

세제르가 희미하게 웃었다. 내 목 뒤로 식은땀이 흘러내렸다.

"잘 알아들었겠지?"

나는 고개를 끄덕였다.

"좋아, 잘 알아들었으면 우리가 댁의 일거수일투족을 다 꿰고 있다는 것도 충분히 이해했으리라 믿어. 아무 일 없었다는 듯 평소처럼 생활하면 돼. 영화관, 카페, 5구의 여자, 밤의 경비 일, 모두 그대로 계속해. 내 장담하지만 경찰은 더 이상 댁을 괴롭히지 않을 거야. 만약 기차역으로 가거나 위조여권을 만드는 것 같은 기미만 보이면 즉시 끔찍한 대가를 치르게 될 테니까 알아서 해."

내가 또 고개를 끄덕이자 세제르가 말했다.

"대답을 분명하게 해야지."

"알겠습니다."

"좋아. 아, 한 가지 더. 경찰이 또 찾아오면 무슨 말을 했는지 그 즉시 나에게 알려줘."

"알겠습니다."

나는 '그렇게 경찰이 겁나면 애당초 왜 내가 살인범으로 의심 받을 이야기를 경찰에서 한 거야?'라고 따져 묻고 싶었지만 그 이유라면 나도 잘 알고 있었다. 나를 용의자로 만들면 세제르는 경찰의 용의선상을 벗어나면서 나를 자기 마음대로 조종할 수 있을 테니까.

세제르가 물었다.

"이제 서로 확실하게 이해한 거야, 그렇지?"

내가 대답했다.

"예."

"좋아. 마지막으로 한 가지만 더. 당신과 섹스한 야나 말이야. 야나의 남편이 당신과 그 여자가 저지른 짓에 대해 알고 있어. 댁이 며칠 전 병원에 가서 성병 진단을 받은 것도 알고 있지."

나도 모르게 입에서 욕이 터져 나왔다.

"이런 개자식!"

"그렇게 흥분하면 안 되지. 내 화를 돋워 당신에게 좋을 건 없을 테니까. 야나의 남편이 댁을 죽일지도 몰라. 하지만 우리가 허락하지 않는 한 절대 그런 일은 일어나지 않을 거야. 그 자식도 오마르처럼 멍청하고 비굴하지만 우리말을 잘 따르니까. 그러니까 너무 걱정 마. 우리의 명령 없이는 그 자식이 당신을 해치지는 않을 테니까."

나도 모르게 말했다.

"나도 곤경에 처하기는 싫어요."

"그렇지. 당신이 자청하지 않는 한 곤경에 빠질 일은 없을 거야. 그럼, 이만 가봐."

세제르가 마무드에게 손짓하자 그는 내 어깨를 살짝 치며 문 쪽을 가리켰다. 내 머릿속 한편에서는 얼른 경찰서로 가라고 성화를 부렸다. 하지만 아무런 소용이 없을 게 뻔했다. 세제르는 내가 오마르를 죽였다는 결정적인 증거를 조작해 경찰에 말할 것이고, 경찰은 내 말보다는 그의 말을 더 믿을 테니까.

'잘 생각해 보자. 잘 생각해 보자.'

하지만 내 머릿속은 피로에 지쳐 있었다. 지금은 만사를 접어두고 침대로 가는 게 가장 좋을 듯했다.

방으로 가서 약을 먹었다. 약의 도움 없이는 깊이 잠들 수 없을 것 같았다. 알람도 맞추지 않았다.

잠결에 문을 쾅쾅 치는 소리가 들려왔다.

"미국인! 미국인!"

귀에 익은 목소리였다.

한참 지난 뒤에야 정신이 들었다. 실눈으로 시계를 보았다. 4시 30분. 젠장, 젠장, 젠장. 30분 안에 마지트의 집에 가야만 했다.

"미국인! 미국인!"

또 문을 두드리는 소리.

침대에서 비칠비칠 걸어 나와 정신이 몽롱한 상태로 문을 열었다. 인터넷카페의 콧수염 청년이 하얗게 질린 얼굴로 문 앞에 서 있었다.

"도대체 어디 있었어요?"

내가 되물었다.

"뭐가요?"

"늘 두 시 삼십 분이면 봉투를 받으러 왔잖아요. 그런데 오늘은……."

"늦잠을 잤어요."

"다시는 늦잠 자지 말아요."

콧수염이 내 급여봉투를 바닥에 집어던지더니 휙 돌아서 사라졌다. 나는 봉투를 집어 들고 방으로 들어갔다. 갑자기 잠이 확 깼다.

'정말 감시를 받고 있구나. 조금이라도 평소와 다르게 행동하면 큰일 나겠어.'

억지로 기운을 내 샤워를 했다. 10분 뒤에는 옷을 입고 밖으로 나왔다. 서둘러 지하철역으로 가는 동안 세 번이나 뒤를 돌아보았다. 역시 수상한 사람을 볼 수 없었지만 누군가 나를 미행하고 있는 게 분명했다. 누군가 내 일거수일투족을 놓치지 않고 감시하고 있었다.

서둘러 파라디스 가를 지나갔다. 시간은 5시 15분이었다. 야나의 카페를 지나다가 안쪽을 흘깃 들여다보았다. 야나는 바 뒤에 있었다. 야나와 눈이 마주친 순간, 일이 크게 잘못됐다는 걸 깨달았다. 야나가 순식간에 밖으로 튀어나와 나에게 "야!" 하고 소리쳤다. 그럴 만했다. 그녀는 눈이 시퍼렇게 멍들고, 입술이 형편없이 찢어져 있었다. 이마에도 찢어진 상처가 있었고, 오른쪽 뺨에도 푸르스름한 멍 자국이 보였다.

"이 멍청아! 네 말대로 했다가 이렇게 됐어. 누군가 우리 일을 남편에게 다 이야기했대."

"정말 미안……."

"뭐, 미안? 난 죽을 뻔했어. 이제 너도 죽을 거야. 그 잘난 계획 때문에……."

"남편을 경찰에 신고하는 게 어때?"

"나보고 정말 죽으라고? 이봐, 미국인. 넌 개뿔도 몰라. 당장 멀리 도망쳐. 안 그러면 오마르처럼 죽게 될 테니까."

"당신 남편이 오마르를 죽였어?"

"그럴 리 없어. 남편은 오늘 아침에야 집에 도착했으니까. 오마르 일은 내가 말해주었어. 남편은 집에 오기 전부터 오마르가 죽은 걸 알고 있었대. 우리 일도 알고 있었어. 남편이 우리 일을 어떻게 알게 됐는지 정말 수수께끼야."

'세제르가 터키로 전화해 오마르 이야기를 했을 거야. 야나의 남편이 파리 행 비행기를 타기 전에 자기 친구들에게 전화했을 테고, 오마르는 화장실에 앉아 있다 별안간 당했겠지.'

"……당신은 왜 안 죽였을까?"

"내가 운이 좋은가 보지."

"주위 사람에게는 온갖 불운을 퍼뜨리고?"

나는 야나의 말에 달리 할 말이 없었다.

"얼굴이 엉망이 되었네. 정말 미안해."

"기운을 차리면 내 손으로 남편을 죽일 거야."

마지트의 아파트에 다다랐을 때는 5시 40분이었다.

마지트가 문을 열자마자 말했다.

"이렇게 늦으면 곤란해."

마지트는 검정 실크 가운을 반쯤 열어젖힌 차림이었다.

"사정이 있었어."

마지트는 나를 안으로 잡아끌었다.

"변명하지 말고 오늘은 섹스부터 해."

"안 돼."

"까다롭게 구는 게임을 즐기시려고?"

마지트가 아랫도리를 내 몸에 바짝 밀착했다.

"그런 게 아니라……"

"아니면 입 다물어."

마지트가 내게 입을 맞추려 했다. 나는 몸을 뒤로 빼냈다.

"섹스는 곤란해."

"아니, 할 수 있어."

마지트가 내 사타구니에 손을 댔다.

"그만!"

내 말투에 마지트는 깜짝 놀라며 얼어붙었다. 그러다가 소파로 가서 담배에 불을 붙였다.

"무슨 일이야? 다른 여자와 사랑에 빠졌어?"

"성병에 걸렸어."

마지트는 내 말의 의미를 곰곰이 생각하며 담배연기를 길게 내뿜었다. 잠시 후 마지트가 물었다.

"큰 병이야?"

"클라미디아."

"그게 전부야?"

"미안해."

"뭐가 미안하다는 거야?"

"당신한테도 옮겼을지 몰라."

"그런 일은 없을 것 같은데."

"왜?"

"그저 그럴 것 같아. 어쨌든 클라미디아는 미미한 병이야."

"나도 알아. 하지만……."

"아, 그래. 죄책감. 당신은 늘 자책을 거듭하지. 별일 아니니까 걱정 마."

"어떻게 그리 아무렇지 않게 말할 수 있어?"

"나도 성병에 걸린 적이 있으니까. 남편에게 옮았었지. 남편이 죽기 일주일 전이었어. 그때는 나도 화를 버럭 냈지. 소변을 볼 때마다 따끔거리며 아팠거든. 남편과 주디트가 죽은 날, 우리의 말다툼은 사실 그 일 때문에 비롯됐어. 남편한테 성병을 옮긴 여자는 소르본대학교에 다니는 여대생이었어. 나는 남편한테 그 여자아이 때문에 나를 멀리한 거냐고 따져 물었지. 주디트가 옆에 있었지만 나는 상관하지 않았어. 남편은 주디트가 듣는 앞에서 그런 말을 한다며 화를 벌컥 냈지. 그 길로 남편은 주디트를 데리고 나가 버린 거야. 그게 내가 본 두 사람의 마지막 모습이었어."

마지트는 위스키를 따라서 홀짝였다.

"그래서인지 클라미디아는 나에게 아무것도 아닌 성병으로 인식돼 있어."

"끔찍한 이야기야."

"어떤 이야기든 바탕은 끔찍한 거야. 어쨌든 지금 당신이 걱정하는 건 성병이 아니잖아? 뭔가 다른 일이 있지?"

"그래, 큰 곤경에 빠졌어."

그리고 내 입에서는 그동안 있었던 일들이 술술 흘러나왔다. 내가 이야기를 마치자 마지트는 두 개비째 담배를 눌러 껐다.

"세제르라는 사람이 당신을 모함했다고 생각해?"

"생각이 아니라 확신해."

"세제르가 오마르를 죽인 것 같아?"

"세제르가 자기 손에 직접 피를 묻히지는 않았을 거야. 옆에서 오른 팔 노릇을 하는 마무드 놈에게 시켰겠지."

"세제르가 오마르를 죽인 이유는 뭘까?"

"오마르를 좋아하는 사람은 없어."

"더구나 당신은 오마르를 아주 미워하지."

"그렇다고 오마르가 죽기를 바라지는 않았어."

"물론 그렇지. 하지만 오마르가 없어졌으면 좋겠다고 했잖아? 이제 오마르는 없어졌어. 그 대신 세제르라는 골칫거리가 나타났지."

"골칫거리 세제르가 나를 계속 감시하고 있어."

"그냥 당신을 겁준 게 아닐까?"

"내가 점심식사를 하는 곳도 알고 있고, 사흘에 한 번씩 여기에 온다는 것도 알고 있어."

"누군가를 시켜 당신을 미행한 적은 있겠지. 하지만 늘 당신을 감시

한다는 건 세제르에게도 귀찮은 일이 아닐까? 그저 당신을 겁줘 다른 생각을 못 품게 하려는 것뿐이야. 어쨌든 아직 당신을 죽일 마음은 없는 게 틀림없어. 죽이려고 했다면 벌써 죽였을 테니까."

"세제르라면 야나의 남편한테 나를 죽이라고 했겠지. 아마 그랬다면 야나의 남편이 이미 나를 해머로 내려쳤을 거야."

"어쨌든 세제르는 당신을 죽일 마음이 없는 게 분명해."

"이유는 모르겠지만 지금은 그런 것 같아."

"야나는 심하게 맞았어?"

야나의 상태를 설명하자 마지트의 표정이 굳어졌다.

"개자식들, 우리 어머니도 그렇게 맞은 적이 있어."

"그게 무슨 말이야?"

"헝가리 비밀경찰. 비밀경찰이 아버지를 죽이러 왔을 때 어머니를 그렇게 두들겨 팼어. 얼굴만 집중적으로 때렸지."

"언제?"

"1957년 5월 11일. 내가 일곱 살 때야. 우리 아버지는 신문 편집장이었어. 1956년에 소련 탱크가 쳐들어온 뒤로는 공산당에 반기를 들었지. 아버지는 몸을 숨기고 반정부 신문을 펴내기 시작했어. 카다르 정권에 반대하는 신문이었지. 아버지는 위험을 무릅쓰고 부다페스트 곳곳에 산재한 안가에 숨어 계속 신문을 찍어냈어. 아버지는 수배 중이었기 때문에 집에 들르지 못했지. 가끔 양복이나 가죽재킷을 입은 남자들이 한밤중에 몰려와 어머니와 나를 깨우곤 했어. 그들은 아파트를 샅샅이 뒤지고, 내 침대 밑까지 뒤졌어. 그들은 몇 달 동안 계속 아버지를 찾아 헤맸어. 나는 '왜 이 사람들이 아빠를 찾는 거야? 우리는 언제 다시 아빠를 만날 수 있어?'라고 어머니한테 물었지. 어머니는 곧 아버지를 만날 수 있을 거라며 참고 기다리라고 했어. 하지만 나는 어머니한테 아버지가 어디 있는지 계속 물었어. 학교에서 누가 물으면 아버지가 어디에 있는지 모른다고 대답하기 싫었거든. 그러던 어느 날이었어. 어머니가 주말에 여행을 가자고 말했지. 밤에 작은 자동차를 탔어. 얼마나 갔는지 몰라. 나는 뒷자리에서 잠들어 있었거든. 자동차는 흙길에서 멈췄어. 숲 속에 오두막이 있었지. 안으로 들어가니까 아버지가 계신 거야. 나는 아버지 품에 안겨 잠시도 떠나지 않았어. 어머니가 반가움에 몸을 떨며 아버지를 껴안을 때에도 나는 그 사이에 껴 있었지. 나는 지쳐 소파에서 잠들 때까지 아버지를 놓아주지 않았어. 그날 밤 정말 곤하게 잤어. 한두 번 잠에서 깨어나 침실에서 나는 신음소리를 들었지만 그냥 다시 잠들었어. 그때는 그 소리가 뭔지 몰랐지. 그런데 갑자기 누군가 문을 탕탕 두드렸어. 그 다음에 기억나는 건 어머니가 침실에서 뛰쳐나오고 아버지가 창문을 통해 달아나려하는 모습이었어. 경관 예닐곱 명과 정장을 입은 남자 두 명이 문을 부수며 들이닥쳤지. 경관 하나가 아버지를 붙잡아 벽에 붙이고 곤봉으로 때리기 시작했어. 어머니는 비명을 질렀지. 양복을 입은 남자 한 명은 어머니를 잡고 있고, 다른 한 명은 어머니의 얼굴을 집중적으로 때렸어. 내가 비명을 지르자 경관 한 명이 나를 꽉 붙잡았지. 아버지는 밖으로 끌려 나갔어. 양복 입은 남자가 어머니를 실컷 두들겨 패고 나서 의자를 집어던졌어. 어머니의 얼굴은 심하게 부풀어 오른 데다 피투성이였지. 양복 입은 남자가 일행들에게 뭐라고 소리쳐 명령하더니 끌려 나간 아버지 쪽으로 달려갔어. 그의 동료도 어머니가 정신을 잃은 걸 확인하고 뒤따라갔지. 곧 밖에서 무슨 소리가 들려왔고, 경관이 나를 밖으로 끌어냈어. 막 동이 터오고 있었고, 그때 내 눈앞에서 벌어진 일을 결코 잊지 못할 거야. 나무에 올가미가 걸려 있었고, 그 아래 의자가 놓여 있었어. 그들은 아버지의 양손을 등 뒤로 묶더니 의자 위로 올라서라고 소리쳤지. 아버지가 거부하자 양복 입은 남자가 아버지의 사타구니를 걷어찼어. 남자 두 명이 고꾸라진 아버지를 강제로 일으켜 의자 위에 세웠어. 나는 차마 더 이상 볼 수 없어 고개를 돌렸지. 그러자 아버지의 사타구니를 걷어찼던 남자가 나를 붙잡고 있는 경관을 향해 소리쳤어. '그 아이가 똑똑히 볼 수 있게 고개를 꽉 붙잡아!' 나는 꼼짝하지 못하고 아버지를 볼 수밖에 없었어. 아버지의 목이 올가미 속에 들어가 있었지. 양복 입은 남자가 의자를 발로 걷어차자 아버지는 몸을 버둥대면서 피를 토하고……."

마지트는 말을 멈추고 위스키로 입술을 축였다.

"아버지는 몸을 버둥거리다가 곧 잠잠해졌어. 아마 이 분 넘게 괴로워했을 거야. 양복 입은 남자들은 비밀경찰이었지. 그들 중 한 명이 나에게 '배신자의 말로가 어떻게 되는지 잘 보았지?' 라고 하더군."

"그런 끔찍한 일을 겪은 줄은 몰랐어."

"내가 말해주지 않았으니까."

"어떻게 그런 짓을……당신은 소녀였을 뿐인데……."

"개자식들이 권력을 쥐더니 자기들 마음대로였지. 일곱 살짜리 어린 아이에게 아버지의 죽음을 강제로 보게 할 만큼 잔인한 놈들이었어."

"그 다음에는 어떻게 됐어?"

"그들은 나를 차에 태워 고아원으로 보냈어. 정말 끔찍한 곳이었지. 고아원에 있었던 삼 주일 동안 화장실에 갈 때를 빼고는 침대에서 꼼짝도 하지 못했어. 실어증에 걸린 아이처럼 말도 전혀 하지 않았지. 의사가 몇 명이나 다녀갔지만 나는 말을 안 했어. 의사들은 하나같이 말하더군. '넌 정신적으로 심한 충격을 받았어. 음식을 먹지 않으면 큰일이야.' 그래도 나는 아무것도 입에 대지 않았어. 결국 침대에 묶여 영양주사를 맞았지. 삼 주일 뒤에 고아원 사람이 와서 말하더군. '네 엄마가 오셨다. 이제 네 엄마랑 가도 돼.' 나는 안도의 눈물도 나오지 않았어. 아무것도 느낄 수 없었지. 그저 어지러웠어. 어머니가 고아원 원장실에 있었어. 그때까지 한쪽 눈은 부어 반쯤 감겼고, 다른 눈은……그 눈으로는 아무것도 보지 못하셨어. 어머니가 나를 껴안았지만 나는 기운이 없어 어머니를 마주 안을 수 없었지. 어머니는 완전히 다른 사람 같았어. 어머니 뒤에는 양복 입은 남자 두 명이 서 있었지. 그 남자들을 보자마자 나는 아버지를 죽인 놈들과 같은 부류라는 걸 알아챘어. 한 남자가 어머니에게 뭐라고 속삭였고, 어머니는 다시 나에게 속삭였어. '너한테 아무런 해도 끼치지 않겠대.' 하지만 나는 그 사람들을 노려보면서 같이 가지 않겠다고 버텼어. 어머니가 내 옆에 웅크리고 앉아 내 귀에 대고 속삭였어. '헝가리를 떠나도 좋다는 허가를 받아냈어. 저 사람들은 우리를 오스트리아 국경까지 데려다줄 거야. 거기서는 다른 사람이 비엔나까지 안내할 거야. 우리는 비엔나에서 새로운 삶을 시작할 수 있어.' 하지만 나는 '저 남자들이 아빠를 죽였어. 우리를 또 해칠 거야.' 라는 말만 되풀이했어. 양복 입은 남자가 내 옆에 웅크리고 앉아 말했어. '아니, 그 사람들은 이제 다시는 널 괴롭히지 못해. 오히려 죗값을 달게 받게 될 거야.' 몇 년 뒤에 어머니한테 들었는데, 그날 고아원에 온 남자들도 비밀경찰이었다. 우리 아버지의 죽음이 큰 파장을 불러온 거야. 아버지를 죽일 때 현장에 있던 경관 중 한 명이 양심의 가책을 받고 괴로워하다 부다페스트에 있는 〈로이터통신〉 기자와 인터뷰를 했대. 어린 내가 아버지의 죽음을 지켜보아야 했던 일까지 상세히 증언했나 봐. 그 결과 사건의 전모가 곳곳에 알려지게 됐지. 내 머리를 잡고 고개를 못 돌리게 했던 바로 그 경관이 기자와 인터뷰를 한 당사자였어."

"그 다음에는 어떻게 됐어?"

"아버지의 죽음은 큰 충격을 주었어. 그때는 냉전시대였으니 공산 당의 잔혹성 같은 기사가 넘쳐났겠지. 카다르 정부도 국제사회의 온 갖 압력에 시달렸어. 그들은 우리 모녀에게 헝가리를 떠나 외국에서 살 수 있도록 허락했지. 조금이나마 정착금도 주었어."

"아버지를 죽인 비밀경찰은 어떻게 됐어?"

"우리가 헝가리를 떠난 뒤 공개재판을 받고 장기 강제 노동형을 받 았나 봐. 나중에 들은 얘기지만 재판이 끝나고 나서 헝가리 정보부의 도움을 받아 다른 나라로 도피했대. 이년쯤 몸을 숨겼다가 헝가리로 돌아온 그들은 정보부의 요직을 맡았나 봐."

"그 뒤로는?"

"죽었어."

"어떻게 그리 상세히 알고 있어?"

"그냥 전해진 사실이니까."

"〈로이터통신〉과 인터뷰를 한 경관은?"

"기자한테 다 털어놓은 뒤에 집으로 돌아가 자살했어. 도덕적인 사 람은 때로 큰 희생을 감수해야 하나 봐."

침묵. 마지트는 담배를 마저 피웠다. 내가 잔을 들어 마지트의 잔에 부딪쳤다. 마지트는 술잔을 들지 않았고, 내가 손을 잡자 슬며시 빼냈다.

"동정은 필요 없어."

나는 마지트의 말을 못 들은 척하며 물었다.

"그런 일을 다 어떻게 극복해냈어?"

"당신이라면 극복하지 못했겠지. 나도 사실은 극복한 게 아니야. 놈들과 한바탕 전쟁을 치르며 견뎌왔을 뿐이야. 전쟁터에서는 못 할 게 없잖아. 나는 여자의 얼굴을 때리는 남자를 증오해. 이제 왜 그런지 알겠지?"

그러고 나서 잠시 말을 멈췄다가 덧붙였다.

"당신이 야나의 남편을 죽여."

내가 말했다.

"뭐? 그게 무슨……."

"안 그러면 그들이 당신을 죽일 거야."

"세제르가 명령하지 않는 한 아무도 나를 죽이지 못해. 내가 죽으면 세제르는 곧장 경찰의 의심을 받게 될 거야."

"당신이 죽었다고 경찰이 과연 신경이나 쓸까? 당신이 사라졌다는 걸 알아줄 사람이 있기나 해?"

"나는 아무도 못 죽여."

"누구든 살인할 수 있어. 명심해. 그는 당신이 야나와 잤다는 이유로 열 받아 있어. 세제르가 막아줄 거라고? 그거야 잠깐일 뿐이지. 당신은 곧 살해당하게 되어 있어. 그건 분명해."

나는 마지트의 아파트를 나와 지하철을 타고 레잘로 갔다. 그곳에서 밤늦게 문을 여는 스포츠용품 상점을 본 적이 있었다.

나는 점원을 붙잡고 말했다.

"혹시 야구배트를 파나요?"

"앞으로 곧장 가서 오른쪽으로 꺾어지면 야구배트를 파는 상점이 나올 거예요."

10분 뒤, 나는 야구배트를 들고 레잘 역에서 다시 지하철을 탔다. 사람들이 나를 흘깃거렸다. 지하철에 왜 야구배트를 들고 탔는지 의아해하는 눈길이었다. 나는 상관없었다. 야나의 남편이 죽이려고 덤벼들면 최소한 야구배트라도 있어야 나를 지킬 수 있을 것 같았으니까.

샤토도 역에서 내려 거리로 나왔다. 내가 지나갈 때 길 가장자리로 피하는 사람도 있었다.

야구배트가 그렇게 무서운가?

사무실에 갈 때 평소와 다른 길을 이용했다. 가슴에 야구배트를 안고 뒷골목을 지나갔다. 그리고 스무 걸음마다 한 번씩 고개를 휙휙 돌리며 누가 쫓아오지는 않는지 확인했다.

사무실에 들어가 문을 잠갔다. 밤새 커피를 계속 마시면서 모니터만 주시했다. 내 머릿속에서는 일곱 살의 마지트가 경관에게 끌려가는 모습만이 가득했다. 졸탄과 주디트가 죽은 뒤 마지트가 목을 그어 자살을 시도한 건 나로서도 충분히 이해할 수 있는 일이었다.

한 사람이 얼마나 많은 비극을 견디어낼 수 있을까? 가장 가까운 사람을 두 번씩이나 잃은 사람이 아침에 눈을 뜨고 아무 일 없다는 듯 살아갈 수 있을까?

마지트에 대한 내 사랑은 몇 배나 더 깊어졌다. 그런 한편 야나의 남편을 죽이라고 종용하는 마지트의 태도 때문에 조금 불안하기도 했다.

야나의 남편은 잘 피하면 돼. 경찰이 오마르 살인범을 잡길 바라야지. 그러면 나도 여권을 되찾고…….

'사라져야지.'

일거수일투족을 감시당하고 있고, 여권도 쿠타르 형사에게 빼앗겼으니 지금은 사라질 때가 아니었다.

형사들이 오늘 여기까지 나를 미행했으면 어쩌지? 어떻게 설명하지?

'네, 경비로 일합니다.' 라고 자백하고, 아래층에서 벌어지는 일이 무시무시한 게 아니기만 바라야 할까?

그런 문제는 일단 경찰에 체포된 뒤에 생각해도 돼. 지금은 경찰에 체포되는 게 가장 안전한 방법일지도 몰라. 하지만 체포되면 죄를 다 뒤집어쓸 수도 있어. 아니, 분명 뒤집어쓰게 될 거야.

경찰에 강력하게 항의해 여권을 돌려받고 여기서 떠나. 아니, 위조 여권을 만들면 당장이라도 여길 떠날 수 있어.

그럼 평생 도망 다니게? 다시는 메건을 볼 수 없을 텐데? 허구한 날 주위를 두리번거리면서 살아가야 할 텐데?

여기서 벗어날 수 있는 방법은 하나야. 야나의 남편을 죽여.

그건 드라마 같은 이야기야. 그러지 말고 미국으로 돌아가면……. 아니, 야나의 남편을 죽이기 전에는 절대 마음 편하게 지낼 수가 없어.

닥쳐.

죽일 수 있어. 너도 알잖아.

오마르가 죽은 뒤에 어떻게 됐지? 오마르가 나를 협박하는 수단이었던 비밀을 결국 야나의 남편까지 알게 됐어. 내가 야나의 남편을 죽인다고 치자. 그러면 세제르도, 마무드도, 콧수염 청년도 다 죽여야 해. 그 사람들도 다 나를 손아귀에 넣고 있으니까. 그 사람들도 다 내가 죽기를 바라니까.

6시가 되었을 때에는 마치 머리에 전기충격을 받은 듯 멍했다. 밤새 초조한 생각에 사로잡혀 있었더니 마약이라도 먹은 것 같은 기분이었다. 복도를 지나 철문으로 가는 동안 마치 콘크리트 벽과 바닥이 흔들리는 것 같았다. 나는 장총을 든 군인처럼 야구배트를 몸에서 놓지 않았다. 빵집 주인은 내 무기를 보고 잔뜩 겁먹은 표정을 지었다.

"놀라지 말아요. 혹시 누군가에게 공격을 당하면 방어하려고 가지고 다니는 거니까."

"늘 드시던 초콜릿 빵을 드릴까요?"

"혹시 누가 나를 찾으면 말 좀 전해 줄래요? 내가 고등학교에 다닐 때 야구팀의 타자였다고요. 그래서 야구배트를 제대로 휘두를 줄 안다고……."

"손님, 진정하세요. 겁나잖아요."

그제야 나는 내가 야구배트를 휘두르며 영어로 말하고 있었다는 걸 깨달았다.

나는 다시 프랑스어로 말했다.

"미안해요, 미안해요. 너무 피곤해서 그만……."

"괜찮습니다."

빵집 주인은 초콜릿 빵 두 개가 담긴 봉투를 내밀었다.

"내가 도대체 왜 이러는지 모르겠네요. 정말이지……."

"이 유로입니다."

빵집 주인은 아직도 내 앞에 빵 봉투를 내밀고 있었다.

나는 카운터에 5유로짜리를 내려놓고 봉투를 받아들었다.

"거스름돈을 가져가셔야죠."

"아니, 지금은 잠이 더 급해요."

내가 이상하게 보였을까? 미친 짓으로 보였을까? 당연히 그랬겠지. 하지만 충분히 자고 나면 다 괜찮아질 거야.

내 방으로 올라갔다. 화장실은 아직 노란 테이프로 출입이 통제되고 있었다. 화장실에 가려면 위층으로 가야 했다. 내 방문을 열고 야구배트를 벽에 세운 뒤 옷을 벗고 침대로 들어갔다. 그리고…….

쾅쾅 문을 두드리는 소리. 그리고 '경찰이다!' 라는 소리.

눈을 뜨고 머리맡에 있는 시계를 보았다. 6시 23분. 10분도 못 잤겠군.

"경찰이다!"

문을 더 세게 두드리는 소리. 내가 못 들은 척하면 경찰이 그냥 돌아가지 않을까.

"경찰이다!"

내가 뭐라 대꾸하려는 순간 문이 부서졌다. 경관 두 명이 안으로 쓰러지듯 들이닥쳤다. 경관들은 나에게 바지와 재킷을 입히고 수갑을 채웠다. 나는 경관들에게 등을 떠밀려가며 계단을 내려갔다.

10분 후, 파리10구 경찰서의 레클레르 형사가 내 앞에 앉아 있었다. 등 뒤로 돌려 채워졌던 수갑은 풀렸지만 한쪽 손목에는 여전히 수갑이 채워져 있었다. 수갑은 내가 앉은 철제의자에 묶여 있었고, 의자는 바닥에 볼트로 고정돼 있었다.

"릭스 선생, 이게 뭔지 아시죠?"

레클레르 형사가 야구배트를 들어 보이며 물었다.

"제가 왜 여기에 끌려왔죠?"

"먼저 제 질문에 대답하세요."

"야구배트잖아요."

"맞습니다. 이 야구배트는 선생 방에서 발견되었어요."

"영장도 없이 왜 저의 방을 맘대로 수색했죠?"

"저의 질문에만 대답하세요. 선생의 야구배트가 맞습니까?"

"내가 왜 여기에 끌려왔는지 알기 전에는 절대로 대답하지 않겠습니다."

"왜 여기 끌려왔는지 모른다고요?"

레클레르 형사가 내 표정을 살피며 말했다.

"전혀 모르겠는데요."

"네딤 씨를 아시죠?"

"처음 듣는 이름인데요."

"파라디스 가에 있는 술집 주인인데 선생도 그 집에서 몇 번 술을 마셨다던데요?"

그 순간 나는 움찔했다. 레클레르 형사가 내가 돌연 긴장하는 걸 눈여겨보며 물었다.

"네딤 아타니 씨의 부인을 아시죠? 야나 아타니 말입니다."

이마에서 식은땀이 흘렀다. 나는 아무 말도 하지 않았다.

"대답이 없다는 건……."

"야나를 압니다."

"그러면 네딤 아타니 씨도 알겠군요?"

"이름은 들어봤지만 인사를 나눈 적은 없어요."

"선생이 야나 아타니 씨와 부적절한 관계라더군요. 네딤 아타니 씨는 며칠 전 터키에서 돌아오자마자 둘의 관계를 알아채고, 선생을 죽이겠다며 떠벌리고 다녔다더군요. 네딤 아타니 씨가 선생을 위협한 걸 알고 있었나요?"

나는 다시 아무 말도 하지 않았다.

레클레르 형사가 다시 물었다.

"어젯밤에 어디 있었죠?"

"그건 왜 물으시죠?"

"선생이 이 야구배트로 네딤 아타니 씨를 공격했다고 생각하니까요."

"네딤 아타니가 공격을 당해요?"

"네딤 아타니 씨는 지금 병원에 있어요. 생명이 위독합니다."

"세상에……."

"선생 짓이 분명한데 뭘 그리 놀라는 시늉을 하죠?"

"난 절대로 그러지 않았……."

"선생에게는 네딤 아타니 씨를 살해할 만한 구체적 동기가 있어요. 그의 부인과의 관계 때문에 협박받고 있었으니까요."

"아니, 그 말은 절대로 사실이 아닙니다."

"게다가 머리를 으깬 흉기도 찾아냈고."

"머리가 으깨졌단 말입니까?"

"네딤 아타니 씨는 지금 두개골, 얼굴, 양쪽 무릎이 으깨진 채 뇌사 상태로 누워 있어요. 의사 말로는 깨어나기 힘들다더군요. 범죄에 사용된 흉기는 무겁고 둥근 물건으로 추정됩니다. 바로 야구배트와 일치하죠."

"맹세하지만 난 절대로……."

"어젯밤에 어디 있었습니까?"

"야구배트는 오마르가 죽고 나서 나 자신을 방어하려고 구입했어요."

"어젯밤에 어디 있었는지 말하세요."

"야구배트를 과학수사대에 보내 확인해보시죠. 저는 결백하니까."

"마지막으로 묻겠습니다. 어젯밤에 어디 있었죠? 제 질문에 답하지 않으면 판사에게 선생이 범행을 자백했다고 보고하겠습니다."

정적. 이제 땀방울이 얼굴을 타고 흘러내렸다. 이제 내 알리바이를 증명해줄 사람은 한 명밖에 없었다. 마지트. 그러나 내가 이런 일에 마지트를 끌어들이면 그녀는 무척이나 싫어할 것이다.

"애인 집에 있었습니다."

레클레르 형사가 입술을 삐죽거렸다.

"애인의 이름은?"

나는 이름을 말했다.

"주소는?"

주소도 말했다.

레클레르 형사가 수화기를 들고 마지트의 이름과 주소를 말한 다음 전화를 끊고 나서 나에게 말했다.

"애인의 증언을 받아낼 때까지 여기서 기다리세요."

"변호사를 불러 주세요."

"변호사가 왜 필요하죠? 애인이 알리바이를 증언해주면 곧장 돌아 갈 수 있을 텐데."

"변호사를 불러 주세요."

"담당 변호사가 있습니까?"

"아뇨, 하지만⋯⋯."

레클레르 형사가 인터컴 버튼을 누르고 짧게 이야기한 다음 일어섰다.

"제 상관인 쿠타르 형사가 곧 선생과 이야기하러 올 겁니다."

레클레르 형사가 나가고 나서 잠시 후 경관 두 명이 들어왔다. 그들은 의자에 묶인 수갑을 풀어주더니 다시 내 양손을 등 뒤로 돌리고 수갑을 채웠다. 그들은 미로 같은 복도를 돌아 지난번에 갔던 벤치로 나를 데려갔다. 그러나 이번에는 벤치에 앉게 하지 않았다. 경관들은 벤치 옆에 있는 유치장에 나를 집어넣으려 했다. 내가 순순히 들어가지 않고 버티면서 "변호사를 불러주세요"라고 소리치자 경관이 수갑을 꽉 쥐었다. 수갑이 살갗을 파고드는 듯했다.

"입 다물어."

경관은 유치장에 나를 밀어 넣고 나서 한쪽 구석에 있는 콘크리트 침대에 엎드리라고 명령했다. 얇고 더러운 매트리스, 피와 콧물이 말라붙은 베개, 지저분한 담요.

나는 마지못해 침대에 엎드렸다. 경관은 어리석은 짓을 하면 매를 가하겠다며 으름장을 놓았다.

"넌 애인 남편을 죽였어. 매를 맞아도 싸."

"얌전히 있을 테니 걱정 말아요."

"그래, 생각 잘했어."

경관은 수갑을 벗겨주며 덧붙였다.

"우리가 유치장을 나가 밖에서 문을 잠그고 나면 침대에서 일어나도 돼. 알겠나?"

"예."

그러나 문이 잠기는 소리가 들리고 나서도 나는 그대로 베개에 얼굴을 파묻은 채 일어나지 않았다. 나는 한동안 그 자세로 생각에 잠겼다.

'이젠 끝장이야.'

나는 몸을 돌려 바로 누우며 담요를 끌어당겼다. 아직 잠을 못 잔 게 오히려 다행이었다. 극도로 지쳤으니 쉽게 잠들 수 있을 것 같았다. 그러면 이 끔찍한 세상에서 잠시 사라질 수 있겠지.

나를 깨우는 목소리가 들렸다.

"일어나!"

나는 시계를 보려고 손목을 보았다. 그제야 생각났다. 손목시계와 벨트, 구두끈을 경관이 다 벗겨 갔다는 걸. 온몸이 뻣뻣하고 구석구석 쑤셨다.

"몇 시죠?"

"다섯 시 이십 분."

유치장에서 하루 종일 잠을 잤다.

"일어나. 쿠타르 형사님이 찾고 있어."

"먼저 화장실 좀 써도 될까요?"

나는 침대 옆에 있는 변기를 가리켰다.

"빨리 끝내."

내가 소변을 다 보자 경관이 유치장 문을 열고 내 양손을 등 뒤로 꺾더니 수갑을 채웠다. 다시 미로 같은 복도를 지나갔다. 방으로 들어가자 쿠타르 형사가 안경을 낀 채 서류를 읽다가 고개를 들어 나를 보았다. 그는 입에 담배를 물고 있었다.

"수갑을 풀어줘."

쿠타르 형사가 경관에게 말했다.

수갑이 풀리자 쿠타르 형사는 자기 책상 앞에 있는 철제의자를 가리키며 앉으라고 손짓했다. 경관이 수갑으로 그 의자에 나를 묶으려하자 쿠타르 형사가 말했다.

"그만둬."

그런 다음 쿠타르 형사는 내게 말했다.

"커피가 필요해 보이는군요."

"주신다면 고맙죠."

쿠타르는 경관에게 나가라고 손짓하고 나서 한동안 나를 무시한 채계속 서류를 읽었다. 경관이 작고 흰 플라스틱 컵을 가져와 나에게 건넸다. 컵은 손에 쥐기에 뜨거웠지만 나는 커피를 단번에 마셨다.

"고맙습니다."

나는 경관과 쿠타르 형사에게 말했다. 쿠타르 형사가 서류를 내려놓고 나를 똑바로 쳐다보았다.

"레클레르 형사 말로는 선생이 어젯밤 애인과 함께 있었다고 말했다면서요? 파리5구 린네 가 13번지에 사는 마지트 카다르. 맞습니까?"

"예."

"우리는 당연히 마지트 카다르 부인의 아파트에 사람들을 보냈습니다. 그런데 카다르 부인은 이미 사망한 분이더군요."

나는 별안간 속이 뒤집히는 느낌을 받았다.

"그럴 리가요?"

나는 간신히 그렇게 말했다.

"분명한 사실입니다."

나는 양손으로 얼굴을 감쌌다.

마지트는 안 돼. 마지트는 안 돼.

"어떻게 된 일입니까?"

"마지트 카다르 부인은 자살했어요."

"네?"

"마지트 카다르 부인은 스스로 목숨을 끊었단 말입니다."

"제가 어제도 만났는데 언제 자살을 했다는 거죠?"

쿠타르가 나를 빤히 바라보다가 말했다.

"마지트 카다르 부인은 1980년에 자살했습니다."

16

"방금 뭐라고 하셨죠?"

"마지트 카다르 부인은 1980년에 자살했다고 했습니다."

"농담하지 말아요."

"농담이 아닙니다. 누가 자살한 얘기를 농담으로 하죠?"

"설마 저에게 그 말을 믿으라는……."

"그건 제가 묻고 싶은 말입니다. 이십육 년 전에 죽은 여자와 어젯밤 같이 있었다는 말을 저에게 믿으라는 겁니까?"

"마지트가 1980년에 죽었다는 증거가 있어요?"

"질문은 제가 합니다. 어젯밤에 마지트 카다르 부인과 함께 있었다고 했죠?"

"그렇습니다."

나는 말을 바꾸지 않는 게 좋겠다고 판단했다.

"마지트 카다르 부인과는 얼마나 알고 지냈습니까?"

"몇 달 됐어요."

"어디서 만났죠?"

나는 로레인 허버트 부인의 살롱에 대해 말했다. 쿠타르는 수첩에 허버트 부인의 주소를 적었다.

"살롱에서 처음 만났고, 그 뒤로 정기적으로 만났습니까?"

"일주일에 두 번 정도 만났습니다."

"매우 친밀한 사이였군요?"

"네."

"그 말이 틀림없는 사실입니까?"

"물론 틀림없는 사실입니다."

쿠타르 형사는 나를 보며 절레절레 고개를 저었다.

"전에도 이런 종류의 환영에 시달린 적이 있습니까?"

"저는 지금 사실 그대로를 말하는 겁니다."

"혹시 전에 정신병원에 입원한 적이 있습니까? 선생의 의료기록을 확인해보면 금세 알게 될 테니까 사실대로……."

"절대로 망상에서 하는 말이 아닙니다."

"죽은 여자와 사랑을 나눴다는 주장이 망상이 아니라고요? '망상'이라는 말에 혹시 다른 뜻이 있습니까?"

"그러지 말고 마지트가 죽었다는 증거를 대보세요."

"곧 말씀드리죠."

쿠타르는 그렇게 대답하고 나서 이야기를 돌렸다.

"마지트 카다르 부인의 인상착의를 말해 보세요."

"오십대 후반에 매력적인 얼굴이고, 늘씬한 몸매입니다. 얼굴에 주름은 별로 없고, 머리카락은 짙은 흑발이고……."

"그만! 마지트 카다르 부인은 1980년에 죽었을 때 서른 살이었습니다. 그런데 선생이 만났다고 주장하는 여자는 오십대 후반이군요."

'하지만 그 여자가 1980년에 서른 살이라면 지금은 오십대 후반이 아닌가?'

내가 마음속으로 물었다.

"1980년에 찍은 마지트의 사진이 있습니까?"

"곧 말씀드리죠."

쿠타르 형사는 또 그렇게 말하고 나서 나에게 질문했다.

"혹시 부인의 외모에서 특별히 눈에 띄는 부분은 없었습니까?"

"나이는 많지만 마지트는 아름답습니다."

"그런 것 말고 남다른 특징 같은 건 없었나요?"

"목에 흉터가 있습니다."

"혹시 그 흉터가 왜 생겼는지 말하던가요?"

쿠타르 형사는 내 이야기를 흥미롭게 들으면서도 티를 내지 않으려고 애썼다.

"혹시 카다르 부인이 자기 목을 그으려 했다던가요?"

"네."

"자살하려다 실패했다고 말했다는 거죠?"

"뭐, 살아 있으니까 자살은 실패한 거겠죠."

쿠타르 형사는 앞에 놓인 서류철을 집어 들고 서류 몇 장을 넘기고 나더니 나를 물끄러미 쳐다보았다.

"혹시 왜 자살하려 했는지 말했습니까?"

"남편과 딸이 뺑소니 사고로 죽었다고 했습니다."

쿠타르가 다시 서류를 보며 눈살을 찌푸렸다.

"사고가 어디서 벌어졌다고 하던가요?"

"뤽상부르공원 근처."

"날짜는?"

"1980년."

"몇 월?"

"아마 유월이라 했던 것 같아요."

"혹시 뺑소니사고 상황에 대해서도 들었습니까?"

"남편과 딸이 길을 건너다가……."

"혹시 남편의 이름을 말하던가요?"

"졸탄이던가?"

"딸 이름은?"

"주디트."

"그걸 다 어떻게 알았죠?"

"그 여자가 직접 나에게 말했습니다."

"마지트 카다르 부인이?"

"네, 마지트가 말했어요. 뺑소니 운전자에 대해서도 말했는데……."

"뺑소니 차의 차종은 뭔가요?"

"그건 잊어버렸어요. 어쨌든 화려하고 큰 차였어요. 뺑소니 운전자
는 어떤 회사의 중역이었다고 했어요."

"왜 그런 걸 다 알고 있죠?"

"마지트와 저는 서로 사랑했으니까요. 연인이라면 흔히 서로에게
자기 과거 이야기를 털어놓지 않던가요?"

"혹시 선생의 연인이 뺑소니 운전자에게 무슨 일이 일어났는지에

대해서도 말했나요? 그 검정 재규어……."

"맞아요. 그 차가 재규어라고 말했어요. 그리고 운전자는 생제르맹
앙레에 살았다고 했어요."

쿠타르는 다시 서류를 보고 나서 나를 보았다. 이제 쿠타르는 잔뜩
화가 난 표정이었다.

"이제 장난은 그만하시죠. 선생은 죽은 여자에 대한 뒷조사를 정말
자세히도 했군요. 남편과 딸을 죽인 뺑소니 운전자를 죽인 뒤에는……."

"뺑소니 운전자를 죽여요?"

"네, 죽였습니다."

"마지트는 뺑소니 운전자가 강도한테 살해당했다고 하던데요?"

"어떻게 죽었다고 하던가요?"

"칼에 찔렸다고 했던 것 같아요."

"언제?"

"뺑소니 사고가 있은 지 석 달쯤 뒤에."

"맞아요. 앙리 뒤프레는……."

"아, 마지트가 그 이름도 말했던 것 같아요. 제약회사 임원이 맞죠?"

"정확합니다. 앙리 뒤프레는 선생 말대로 생제르맹앙레에 있는 자
택에서 1980년 9월 20일 밤에 살해당했습니다. 앙리 뒤프레의 부인과
자녀는 집에 없었죠. 그들 부부는 이혼소송 중이었습니다. 앙리 뒤프
레는 술을 지나치게 많이 마셨습니다. 마지트 카다르 부인의 남편과
딸을 죽인 뺑소니 사건도 술 때문이었고, 이혼도 술 때문이었죠. 어쨌
든 앙리 뒤프레를 죽인 사람은 강도가 아닙니다. 바로 마지트 카다르
부인이 죽였어요."

"말도 안 돼."

쿠타르 형사가 서류철에서 종이 한 장을 꺼내 내게 건넸다. 신문기사가 흐릿하게 복사된 종이였다. 1980년 9월 23일자 〈피가로〉지 기사. 살인사건을 정리한 기사였다.

토요일 밤 침대에 있던 앙리 뒤프레는 격렬한 공격을 받았다. 살인범은 그 집 욕실에서 몸을 씻은 뒤에 '주디트와 졸탄에게 바침'이라는 쪽지를 주방에 남겨 놓았다. 일찍 잠에서 깬 이웃은 새벽 5시쯤 한 여자가 그 집에서 지하철역 쪽으로 걸어가는 것을 목격했다고 말했다. 경찰은 몇 주 전 뒤프레가 일으킨 뺑소니 사고로 남편과 딸을 잃은 마지트 카다르를 용의자로 보고 수사 중이다.

내가 말했다.
"믿을 수가 없어요."
쿠타르가 서류철에서 사진을 꺼내 책상 너머로 내밀었다. 현장 사진이었다. 흑백사진이지만 끔찍했다. 피투성이로 침대에 쓰러진 뒤프레는 가슴 부위가 군데군데 칼로 헤집어져 있었고, 얼굴과 머리 부분도 끔찍하게 난자당해 있었다.
나는 숨을 꾹 누르고 사진을 다시 쿠타르 형사에게 건넸다.
"이 정도로 잔혹한 살인은 흔히 원한관계 때문에 발생하죠. 이 경우 범인은 희생자를 죽이고 나서도 계속 공격을 가합니다. 당시 이 사건을 담당했던 형사는 두 가지 특이한 면이 있었다고 기록했어요. 사전에 철저히 준비한 살인이라는 것, 그리고 경찰과 대중에게 자기 범행을 밝힐 의도가 있었다는 것이죠. 경찰은 곧장 카다르 부인의 통화기록을 확인했어요. 사건이 일어나기 전에 카다르 부인이 뒤프레의 집으로 전화했죠. 아마도 범인은 뒤프레의 부인을 찾으면서 뒤프레가 집에 있는 걸 확인했을 겁니다.

범행은 토요일 새벽 네 시에 벌어졌습니다. 카다르 부인은 사전 답사 차원에서 전날에도 그 집을 찾아왔던 것으로 밝혀졌어요. 범행을 마치고 나가는 카다르 부인을 목격한 이웃은 전날 카다르 부인이 그 집 주변을 두루 살피는 모습을 보았다고 증언했죠. 카다르 부인은 다음날 그 집으로 가서 열려 있는 창문을 통해 안으로 잠입했습니다. 뒤프레가 자다가 공격을 받았는지 깨어 있을 때 공격을 받았는지는 경찰 수사로도 알 수 없었습니다. 하지만 검시 결과 잔혹한 공격이 가해질 당시 뒤프레의 의식이 남아 있었던 것으로 밝혀졌습니다. 카다르 부인은 뒤프레가 끔찍한 고통을 생생하게 느낄 수 있도록 일부러 숨통을 끊지 않은 것이죠.

카다르 부인은 뒤프레를 죽이고 나서 욕실에서 옷을 벗고 목욕을 했습니다. 피 묻은 옷가지는 욕실 바닥에, 칼은 침대에 두었죠. 카다르 부인은 범행 이후 갈아입을 옷을 가방에 넣어가지고 왔습니다. 범행을 마친 부인은 태연하게 옷을 갈아입고 부엌으로 가 커피를 만들어 마시고……."

"칼로 사람을 난자해놓고 커피를 만들어 마셨다고요?"

"지하철 첫차는 다섯 시 이십삼 분에 있었습니다. 부인은 그 시간이 되기를 기다렸죠. 지하철역에서 첫차를 기다리고 싶지 않았던 겁니다. 부인은 커피를 만들고 '주디트와 졸탄에게 바침'이라는 간단한 쪽지를 적었습니다. '주디트와 졸탄에게 바침'이라……. 책의 지은이가 책 앞에 적는 헌사 같지 않나요? 부인은 그 살인을 단순한 복수가 아니라 예술 행위로 생각했던 것 같습니다. 부인의 계획은 정말이지 예술이라 할 수 있을 만큼 치밀했죠. 부인은 다섯 시쯤 그 집을 나왔습니다. 지하철역까지 십오 분쯤 걸리는 거리였어요. 부인은 첫차를 타고 기차역까지 가서 부다페스트로 가는 기차 특실 표를 끊었어요. 기차표를 사면서 본명을 댔죠. 부인은 일요일에 아무도 뒤프레의 집에 오지 않을 것이라고 생각했던 것 같아요. 아니면 발각되더라도 경찰이 자신을 범인으로 확인하고 인터폴에 연락할 때까지는 시간이 걸릴 테니 그 사이에 몸을 숨길 수 있다고 판단했거나. 그러니까 이십사 시간의 여유를 갖고 부다페스트로 도망갈 수 있었다고 생각했겠죠. 부인의 예상은 정확하게 들어맞았어요. 뒤프레의 시체는 월요일 저녁이 되어서야 발견됐습니다. 뒤프레가 출근하지 않으니까 회사에서 뒤프레의 부인에게 연락했고, 그 부인이 저녁에 집에 들렀다가 끔찍한 시신을 발견했죠. 처음에는 뒤프레의 부인이 가장 유력한 용의자였습니다. 집에서 일어난 살인사건의 경우, 배우자가 첫 번째 용의자가 되기 마련이죠. 하지만 감식반이 살인도구에서 카다르 부인의 지문을 발견했고, 욕실에 벗어 놓은 피 묻은 옷도 뒤프레 부인의 옷이 아니었죠."

"카다르 부인의 지문은 어떻게 확인했죠? 카다르 부인의 지문 기록이 왜 경찰에 있었습니까?"

"프랑스에 거주하는 외국인은 누구나 지문을 찍게 되어 있습니다. 카다르 부인은 1976년에 프랑스 국적을 취득했는데, 그때에도 지문을 찍게 되어 있었죠. 부인은 그 뒤로 프랑스 사람이 되어 헝가리에 가려면 파리에 있는 헝가리 대사관에서 비자를 받아야 했어요. 당시 헝가리 공산당의 법으로는 외국인의 왕래가 규제되어 비자를 따로 받아야 했죠. 카다르 부인은 범행 이주일 전에 비자를 신청했어요. 가족방문이 목적이라고 했죠."

"마지트는 헝가리를 싫어했어요. 특히나 아버지 사건 이후로는……."

"아버지 사건이 뭐죠?"

나는 마지트에게서 들은 이야기를 쿠타르 형사에게 다 들려주었다. 쿠타르는 내 이야기를 들으며 가끔 서류철을 들여다보았다. 내 이야기와 서류의 기록이 일치하는지 확인해보는 것 같았다. 나는 이야기를 마치고 나서 쿠타르에게 물었다.

"거기 있는 내용과 제 이야기가 일치합니까?"

"당시 우리와 공조해 수사했던 헝가리 경찰은 카다르 부인이 부다페스트로 간 뒤에 저지른 두 건의 살인사건에 대한 수사 결과를 우리에게도 알려 주었죠."

"마지트가 보도와 로바스를 죽였다고요?"

긴 침묵. 쿠타르 형사가 나를 빤히 바라보며 서류철을 내려놓았다. 그는 담배에 불을 붙이고 생각에 잠긴 양 몇 모금을 깊이 빨아들였다. 그동안 쿠타르는 나에게서 눈을 떼지 않았다.

마침내 쿠타르 형사가 말했다.

"저는 지금 선생이 왜 이런 장난을 치는지 밝혀내려 애쓰고 있어요. 선생은 지금 두 건의 살인사건에 대한 용의자로 경찰서에 불려와 있습니다. 그런데 선생은 파리와 부다페스트에서 일어난 살인사건에 대해 아주 잘 알고 있군요. 그 살인을 저지른 카다르 부인은 부다페스트에서 두 명을 죽이고 나서 자살했죠."

"마지트가 보도를 죽인 뒤에 자살했다고요?"

"아뇨, 로바스를 죽인 뒤죠. 아, 그건 그리 중요한 문제는 아닙니다. 중요한 건 왜 선생이 그 사건에 대해 그렇게 잘 알고 있느냐는 것입니다. 이제 여자에게서 직접 들었다는 말은 그만두시죠. 그건 말도 안 되는 소리니까. 그 사건들에 대한 정보를 어떻게, 또 왜 캐냈죠? 선생은 소설가라고 했죠? 아마도 소설을 쓰기 위한 소재를 구하다가 누군가에게 들은 얘기겠죠. 그 당시에는 국제적으로도 꽤 유명한 사건이었으니까. 선생은 호기심을 느끼고 인터넷으로 그 사건들에 대해 자세하게 조사했을 겁니다. 그래서 이제 두 건의 살인 용의자가 되니까 죽은 여자와 연애하면서 들었다는 말도 안 되는 이야기를 꾸며…….”

“잠깐! 왜 그 여자가 보도와 로바스를 죽이려고 부다페스트로 돌아갔죠? 그 사건을 다룬 헝가리 신문기사가 있습니까?”

“또 내 말을 끊는군요.”

“미안합니다.”

“한 번만 더 내 말을 끊으면 이십사 시간 동안 유치장에 가두겠어요.”

‘안 그래도 나를 유치장에 가둘 생각 아닌가?’

쿠타르 형사가 서류철을 펼쳐 복사한 옛날 기사들을 한참 동안 뒤적였다.

“그 사건을 다룬 헝가리 신문기사 스크랩이 있습니다. 프랑스어로 번역도 했죠. 당시로는 카다르 부인이 보도와 로바스를 죽인 이유가 이렇게 나와 있더군요. 카다르 부인의 아버지는 모국에 해가 되는 거짓말을 퍼뜨린 죄로 이 용감한 두 사람에게 체포된 바 있고……’ 헝가리 신문기사에는 그렇게 실려 있었다는 말입니다. 헝가리 신문에 따르면 카다르 부인의 아버지는 체포되고 나서 CIA 정보원으로 밝혀졌고, 감방에서 자살했다는군요. 카다르 부인이 일곱 살 때 아버지가 죽어가는 장면을 강제적으로 볼 수밖에 없었다는 내용을 담은 문건은 보지 못했습니다. 1980년이라면 헝가리 비밀경찰이 적대국인 우리에게 그런 정보를 넘겨주진 않았겠죠. 헝가리 신문은 카다르 부인을 정신이 불안정한 여자로 묘사했어요. 프랑스 신문의 사고 기사를 인용하면서, 남편과 아이를 비극적인 사고로 잃은 뒤에 정신이 이상해져 복수를 결행했고, 보도와 로바스까지 살해했다고요."

"헝가리 경찰이 마지트가 두 사람의 행적을 어떻게 추적해 죽였는지 사실 관계를 알려줬습니까?"

"아뇨. 당시 기록에 따르면 부다페스트 경찰은 명목상으로만 우리와 공조했더군요. 보도와 로바스가 비밀경찰이라는 언급도 전혀 없었습니다. 다만 헝가리 신문들은 보도와 로바스를 '조국의 안전을 지키는데 평생을 바친 영웅들'이라 묘사했더군요. 결국 그 말은 그들이 비밀경찰이었다는 의미로 해석할 여지가 충분하죠."

"마지트가 두 사람을 죽이고 나서 자살했단 말입니까?"

쿠타르 형사는 서류철을 펼치고 사진 한 장을 들여다보다가 덮었다.

"부다페스트 경찰이 우리에게 보낸 텔렉스를 번역한 문건이 있습니다. 이 사건의 첫 희생자는 당시 66세인 벨라 보도로 1980년 9월 21일 밤, 부다페스트의 자택에서 참혹한 시신으로 발견됐습니다. 식탁의자에 몸이 묶이고 입에는 재갈이 물려 있었죠. 손목에는 물이 새는 파이프를 감을 때 쓰는 강력 접착테이프가 묶여 있었어요. 손가락은 다 잘려나가고, 두 눈은 뽑혀 있고, 목을 깊게 베였습니다."

"세상에."

"희생자에게 끔찍한 고통을 가하기 위해 온갖 잔인한 방법을 다 동원한 살인이었습니다. 칼로 목을 베인 게 벨라 보도의 결정적인 사인이었죠. 아마도 희생자는 숨이 멎는 순간 오히려 안도감을 느꼈을 겁니다. 살아있다는 게 너무나 큰 고통이었을 테니까."

"마지트가 어떻게 벨라 보도를 묶었을까요?"

"헝가리 경찰이 우리에게 제보해준 사실은 아무것도 없습니다. 추측컨대 총기류를 들고 들어가 의자에 앉으라고 위협했겠죠. 벨라 보도는 고문을 당하는 중에 도망치려고 발버둥을 쳤을 겁니다. 그런 고문을 당하다 죽느니 차라리 총에 맞아 죽는 게 나았을 테니까."

"로바스는요?"

"벨라 보도와 비슷한 과정을 거쳐 살해당했죠. 하지만 로바스의 경우에는 이웃사람들이 비명을 들었다는 게 다릅니다. 이웃사람들이 끔찍한 비명에 놀라 즉시 신고했지만 경찰은 삼십 분이 지나서야 현장에 도착했습니다. 경찰은 도착하자마자 문을 열었죠. 그 순간 경관들의 몸에 피가 튀었어요. 카다르 부인이 스스로 목을 그은 거죠. 그때까지 로바스의 목에서도 피가 솟구치고 있었답니다. 카다르 부인은 로바스의 목을 베고 나서 한참 후에 자기 목을 그은 겁니다."

"경찰이 두 사람을 곧장 병원으로 옮겼겠군요. 그런데도 둘 다 죽었다는 겁니까?"

쿠타르 형사가 서류철에서 오래된 흑백사진 두 장을 꺼내 나에게 보여주었다. 첫 번째 사진은 쓰러진 남자를 촬영한 것이었다. 피투성이가 된 남자의 두상이 축 늘어져 있었다. 상체는 온통 피로 뒤덮였고, 손가락이 모두 잘려나간 두 손은 식탁에 묶여 있었다.

두 번째 사진은 리놀륨 바닥에 쓰러진 여자의 모습이었다. 주변은 온통 피 웅덩이를 이루고 있었다. 여자의 옷은 피로 물들었고, 한 손에는 식칼이 들려 있었다.

나는 여자의 얼굴을 자세히 살폈다. 지금보다 젊어 보이긴 했지만 마지트가 틀림없었다. 나는 사진 속 마지트의 눈을 보았다. 그 눈은 여전히 분노로 이글거리고 있었다. 아버지의 죽음을 이야기할 때, 졸탄과 주디트를 앗아간 사고에 대해 이야기할 때, 언뜻 마지트의 눈에 스쳐지나갔던 바로 그 분노였다. 나는 사진 속 마지트의 눈을 한 번 더 들여다보았다.

마지트는 전생의 분노를 안고 다시 환생한 게 아닐까?

'전생? 아니야, 마지트는 살아 있어.'

나는 쿠타르 형사에게 사진을 돌려주고 고개를 숙였다. 무슨 말을 해야 할지, 무슨 생각을 전해야 할지 알 수 없었다.

쿠타르 형사가 말했다.

"범행수법이 잔인하기 이를 데 없는 것으로 보아 범인은 제정신이 아니었을 확률이 높습니다. 카다르 부인은 로바스가 죽어가는 장면을 그 자리에서 지켜보고 있었죠. 만약 경찰이 들이닥치지 않았다면 자살하지 않았을 겁니다."

"마지트는 아직 죽지 않았어요."

쿠타르 형사가 마지트의 사진을 톡톡 두드렸다.

"지금 선생은 이 사진 속의 여자가 살아 있다고 주장하는 겁니까?"

"네."

쿠타르는 다른 서류를 나에게 건넸다. 헝가리 정부에서 발행한 사망증명서 같았다. 위쪽 칸에 마지트의 이름이 나와 있었다.

"부다페스트에서 온 사망증명서입니다. 카다르 부인의 부검을 마쳤다는 담당의사의 소견서와 서명도 있습니다. 당시 앙리 뒤프레 살인 사건을 맡았던 프랑스 형사는 헝가리에서 이 사망증명서를 받고 나서 수사를 종결했습니다. 그런데 카다르 부인이 살아 있다고요?"

"네."

"릭스 선생, 지금 자신이 얼마나 심각한 상황에 처해 있는지 아십니까?"

"저는 오마르를 죽이지 않았습니다. 야나의 남편도 죽이지 않았어요."

"그렇지만 여러 증거들은 선생을 범인으로 지목하고 있습니다. 그만하면 살해동기도 충분하다고 판단되고요."

"두 사람의 죽음과 저는 아무런 상관이 없습니다."

"보시다시피 선생이 말한 알리바이도 거짓으로 밝혀졌습니다. 네딤 아타니 씨가 죽은 시각에 선생은 애인의 아파트에 있었다고 주장했지만, 그 여자의 사망증명서가 여기 있습니다."

"제 이야기를 모두 들으셨잖아요? 마지트가 저에게 직접 들려준 이야기들입니다."

"대부분 인터넷검색으로도 쉽게 찾을 수 있는 정보들이죠."

"제가 그 옛날 헝가리에서 발생한 살인사건에 대해 왜 굳이 관심을 가져야 할 필요가 있었을까요? 애당초 그런 사건이 있었는지는 어떻게 알게 됐을까요? 게다가 당신이라면 인터넷검색만으로 한 인물에 대한 정보를 그렇게 세세하게 알 수 있겠습니까?"

"저는 이십 년 넘게 경찰에 몸담아 왔고, 경험적으로 인간의 행동에 대해 한 가지 중요한 사실을 깨닫게 되었습니다. 그전까지 저는 인간의 행동패턴을 예측 가능하다고 생각해왔습니다. 그렇지만 인간의 행동패턴은 경우에 따라 다양하게 나타날 수 있다는 사실을 알게 되었죠. 똑같은 현상에 대해 사람마다 다르게 느낀다는 것입니다. 선생은 오래 전에 죽은 여자가 아직 살아 있다고 말합니다. 언뜻 보기에 선생은 매우 이성적이고 현명하고 사려 깊은 사람 같습니다. 하지만 선생은 이십육 년 전에 죽은 여자를 애인이라 주장하고 있습니다. 그 주장을 근거로 삼자면……."

쿠타르는 더 이상 말할 게 없다는 뜻으로 손바닥을 펼쳐보였다.

"선생이 왜 머릿속으로 그런 상상을 품게 됐는지, 어떻게 그처럼 정교하게 이야기를 꿰어 맞출 수 있었는지 저로서는 요령부득입니다. 카다르 부인이 소녀 시절 어쩔 수 없이 아버지의 죽음을 지켜보아야 했다는 것도 선생이 머릿속으로 상상한 일인지 아니면 실제로 벌어졌던 일인지 알 길이 없습니다. 다만 선생의 이야기가 매우 흥미로운 건 사실입니다. 선생의 말이 일견 신빙성 있게 들린다는 것도 인정합니다. 하지만 저는 형사이고, 눈에 보이는 사실만을 믿을 수밖에 없습니다. 유감스럽게도 이번 사건에서 나온 증거들은 모두 선생의 유죄를 뒷받침하고 있습니다. 죽은 여자를 알리바이로 이용했다는 것까지도……."

쿠타르가 고개를 갸웃하고 나서 덧붙였다.

"릭스 선생, 이제부터 다른 이야기를 꾸며 보시죠."

"저는 진실만을 말했습니다."

쿠타르가 한숨을 푹 내쉬었다.

"선생은 다급한 상황에 몰리자 의도적으로 거짓말을 하고 있거나 미처 자기 자신도 인식하지 못하는 가운데 거짓말을 하고 있는 것입니다. 그 두 가지가 복잡하게 뒤섞였을 수도 있고요. 유치장에 들어가서 잘 생각해 보세요. 유치장에서나마 부디 정신을 차려 파렴치한 자기기만을 그만두길 바랍니다."

"나에게는 변호사를 부를 권리도 없나요?"

"우리는 칠십이 시간 동안 선생을 감금할 수 있습니다. 이후에 변호사를 부를 수 있죠."

"그건 불공평해요."

"아뇨, 바로 그게 법입니다."

쿠타르가 수화기를 들고 번호를 누르고는 자리에서 일어나 창가로 걸어가 창밖을 내다보았다.

"오늘 아침에 선생이 알려준 주소대로 카다르 부인의 아파트에 다녀왔습니다. 관리인은 한 번도 선생을 본 적이 없다더군요. 관리인을 통하지 않고 어떻게 아파트 안으로 들어갔죠?"

"마지트가 문을 열어줬어요."

"그렇군요."

"마지트의 집에 가보셨다니 알겠군요. 제가 설명한 그대로가 아니던가요?"

쿠타르 형사는 계속 창밖에 둔 시선을 돌리지 않은 채 말했다.

"카다르 부인은 1980년 자살하기 직전까지 그 아파트에 살았더군요. 그 후에 아파트는 줄곧 텅 비어 있었죠. 아파트는 아직까지 카다르 부인의 소유로 되어 있었습니다. 부인의 신탁기금에서 월세와 관리비가 자동적으로 빠져나간답니다. 하지만 이십오 년 동안 그 집은 아무도 살지 않는 빈집이었습니다. 아파트 내부 모습이 어땠는지 본 대로 설명해 주시겠습니까?"

나는 마지트의 집 내부를 기억나는 대로 상세히 설명했다.

쿠타르가 고개를 끄덕였다.

"제가 본 그대로군요. 하지만 아주 큰 차이가 한 가지 있습니다. 제가 둘러본 아파트는 몇 년 동안 한 번도 청소를 하지 않아 먼지가 켜켜이 쌓여 있었습니다."

"말도 안 돼. 제가 갔을 때에는 분명 티끌 하나 없이 깨끗했습니다."

"선생의 눈에만 그렇게 보였겠죠."

문에서 노크소리가 났다. 경관이 들어왔다.

"릭스 선생을 다시 유치장으로 데려가게."

나는 경관에게 팔을 붙잡혀 나가면서 쿠타르에게 말했다.

"제 말을 믿어야 합니다. 저는 분명 경험한 사실을 이야기했으니까요."

"아뇨, 전혀 믿지 않습니다."

나는 유치장에 몇 시간 동안 갇혀 있었다. 읽을 책도, 글을 쓸 펜과 종이도 없었으므로 오직 생각에만 골몰했다.

'내가 정말 미쳤나? 이 모든 게 상상 속에서 만들어진 이야기인가? 마지트가 오래 전에 죽은 사람이라면 지난 몇 달 동안 내가 경험한 현실은 과연 무엇을 뜻하는 것인가?'

저녁 7시, 식반이 유치장 안으로 들어왔다. 음식이 차갑고 맛이 없었지만 몹시 배가 고팠으므로 불평 없이 먹었다. 밤 9시, 잠이 몰려와 청바지를 벗고 지저분한 담요 밑으로 들어갔다. 곧장 잠에 빠져들었고, 악몽을 꿨다. 재판이 열렸는데 모두들 나를 손가락질하며 프랑스어로 야유를 보냈다. 판사는 내가 사회적으로 매우 위험한 인물이라 말하고 나서 종신형을 선고했다. 독방에 갇힌 나는 마지트라는 여자를 찾아내면 사건의 전모가 밝혀질 거라 소리쳤다. 감방 벽이 점점 좁아지기 시작했다. 내 머리가 변기에 끼이고, 마지트의 범죄현장 사진 속 희생자들처럼 눈이 튀어나오고…….

화들짝 놀라 잠에서 깨어났다. 온몸이 땀에 젖었고, 입으로는 더러운 베개를 꽉 물고 있었다. 잠에서 깨고 나서도 한동안 내가 어디에 있는지 몰라 어리둥절해하다가 마침내 깨달았다.

'내가 유치장에 갇혔지.'

시계가 없으니 시간도 알 수 없었다. 칫솔도 없어 텁텁한 입안을 양치질로 헹굴 수도 없었다. 갈아입을 옷도 없고, 목욕을 하지 않아 온몸에서 쉰내가 났다. 소변을 보고, 조금 남아 있던 물을 마저 마시고, 다시 침대에 누웠다. 눈을 감고 머리를 비우려 애썼다. 어떻게든 침착해야 한다고 내 자신을 타일렀다.

두 사람을 살해한 혐의를 받고 있으면서 머릿속에서 부정적인 생각을 몰아내기란 쉽지 않았다. 더구나 내가 겪은 현실이 환영으로 가득한 거울 방 같을 때에는······.

유치장 문이 열렸다. 아침햇살이 밀려들어왔다. 경관이 식반을 들고 서 있었다.

내가 물었다.

"몇 시입니까?"

"여덟 시 삼십 분."

"부탁입니다만 칫솔과 치약을 구할 수 있을까요?"

"여기가 호텔인 줄 아쇼?"

"그럼 읽을 만한 책을 구할 수 있을까요?"

"여기가 도서관인 줄 아쇼?"

"부탁입니다."

경관은 식반만 내려놓고 유치장 문을 닫았다. 탁한 오렌지주스가 담긴 플라스틱 컵, 롤빵, 버터, 플라스틱 머그잔에 담긴 커피, 플라스틱 포크와 나이프. 5분 뒤, 문이 살짝 열리더니 손 하나가 쑥 들어왔다. 손에는 어제 날짜 《르 파리지앵》 지가 들려 있었다.

문이 다시 닫힐 때 내가 말했다.

"고맙습니다."

아침도 허겁지겁 먹었고, 신문도 허겁지겁 읽었다. 머릿속에서 잡생각이 들지 않도록 기사를 하나도 빼놓지 않고 자세히 읽었다. 사소한 범죄, 이웃 간의 다툼, 교통사고, 지방 축구팀의 내부 문제, 이번 주

개봉하는 영화, 프랑스 팝스타의 이혼. 늘 그렇듯 부고기사가 가장 흥미를 끌었다. 신문에서 크게 다루지 않는 보통 사람들의 부고가 더욱 흥미로웠다. 사랑하는 남편, 인정받는 동료, 존경받는 상사 등, 그렇게 또 한 사람이 세상에서 사라져간 것이다.

누구나 그 간단한 부고의 말 뒤에는 복잡한 인생이 있었다는 것을 알리라. 인생은 어느 누구에게나 단순하지 않으니까. 누구나 자기 인생도 그렇게 몇 백 단어로 간단히 요약할 수 있으리란 걸 잘 알고 있을 것이다. 죽음의 강을 건너고 나면 한 사람의 인생 이야기는 그저 가까운 사람들에게만 기억될 것이다. 그리고 그 사람들마저 세상을 떠나면…….

아무것도 중요하지 않다. 또한 그러하기에 모든 게 다 중요하다. 아무리 사소한 일이라도 중요하다는 믿음을 갖고 임해야 한다. 그렇지 않으면 절망에 빠져 '죽으면 다 소용없는데 왜들 이렇게 애를 쓰나? 내 삶을 이끌어가는 원동력이라고 생각한 것들, 분노, 야망, 사랑, 후회, 실수, 행복의 추구 따위도 내가 죽으면 결국 아무것도 아닐 텐데'라는 생각에 매몰될 수밖에 없다.

그러나 죽음이 끝이 아니라면?

'부다페스트에서 온 사망증명서입니다. 카다르 부인의 부검을 마쳤다는 담당의사의 소견서와 서명도 있습니다.……그런데 카다르 부인이 살아 있다고요?'

이제는 쿠타르 형사의 질문에 뭐라 답해야 할지 알 수 없었다.

유치장 문이 열리고, 못 보던 경관이 들어왔다.

"쿠타르 형사님이 찾으십니다."

나는 청바지를 입고 손으로 머리카락을 가다듬었다. 경관이 헛기침을 했다. 서두르라는 뜻이었다. 쿠타르는 의자에 앉아 담배를 피우고 있었다. 재떨이 옆에 내 여권이 놓여 있었다. 창가에 선 레클레르 형사가 쿠타르 형사와 이야기를 나누다가 내가 방에 들어가자마자 서둘러 멈췄다. 쿠타르가 나에게 앉으라고 손짓했다.

"잘 잤습니까?"

"아뇨."

"이제 선생을 더는 잡아두지 않아도 되겠군요."

"왜죠?"

"선생은 혐의를 벗었어요. 이제는 용의자가 아닙니다."

"용의자가 아니라고요?"

"선생으로서는 운이 정말 좋은 날이네요. 오마르와 네딤 아타니를 살해한 진범을 찾아냈습니다."

"그게 누굽니까?"

"마무드 클레프키라는⋯⋯."

"마무드요?"

"선생도 본 적 있죠?"

"네, 지나가면서 두세 번."

"마무드 클레프키의 방에서 오마르를 죽일 때 쓴 칼을 찾아냈습니다. 네딤 아타니를 공격한 해머도 찾아냈죠. 거기서 발견된 혈흔이 희생자의 혈흔과 일치했습니다."

"마무드도 범죄를 자백했습니까?"

"아뇨. 해머와 칼이 왜 자기 방에 있는지 모르겠다며 발뺌을 하더군요."

그때 레클레르가 끼어들었다.

"완전범죄를 자신한 나머지 범행에 사용한 흉기를 버리지 않는 살인범이 꽤 있죠. 경찰의 수사망에서 완전히 벗어났다고 자신하는 살인범일수록 특히 더 그렇습니다."

"마무드가 두 사람을 왜 죽였는지 말했나요?"

"범행 자체를 부인하는 사람이 범행 이유를 말할 리 없죠. 하지만 세제르 씨가 네딤 아타니와 오랫동안 다툼을 벌인 사실이 드러났습니다. 세제르는 정기적으로 네딤 아타니의 술집에서 보호비 명목으로 돈을 뜯어 왔습니다. 오마르 역시 세제르에게 큰돈을 빌렸답니다. 오마르는 매주 세제르에게 터무니없이 비싼 이자를 물어야 했다더군요. 이미 아시겠지만 마무드는 세제르의 오른팔입니다. 마무드가 세제르의 명령을 받고 두 사람을 살해한 것 같습니다. 세제르도 살인교사 혐의로 체포할 겁니다. 세제르의 관련 사실을 털어놓을 경우 정상이 참작돼 감형을 받게 될 거라고 하면 마무드로서도 마냥 숨기지는 못하겠죠. 자, 선생은 이제 가 봐도 됩니다. 하지만 세제르나 그가 관여하고 있는 사업에 대해 혹시 증언해줄 말이 있으면……."

"제가 세제르의 사업에 대해 뭘 알겠습니까?"

"선생이 세제르 밑에서 일한다는 건 우리도 알고 있습니다."

"아닙니다."

"포부르 프와소니에르 가에서 페티트제큐리 가 모퉁이 근처에 골목이 있죠. 선생이 밤마다 거기 가는 걸 본 사람이 있습니다."

"누가 그러던가요?"

"여러 번 말했죠? 질문은 내가 합니다."

"작업실로 썼을 뿐입니다."

"네, 어제 거길 습격했는데 선생의 노트북이 있더군요."

"습격했다고요?"

"또 먼저 질문하는군요. 그냥 작업실이라면 모니터는 뭡니까? 골목에 설치된 카메라와 모니터가 서로 연결되어 있던데."

"작업실을 빌렸을 때부터 모니터가 거기 있었죠."

"누구한테 빌렸죠?"

"세제르한테서."

나는 카말의 이름은 대지 않아야 한다는 걸 잘 알고 있었다. 죽은 카말을 어떻게 알게 됐는지, 그의 시체가 몇 달 뒤 쓰레기통에서 발견된 일을 어떻게 생각하는지 따위의 질문을 받게 될 테니까.

어쨌든 세제르도 사무실과 아래층에서 벌어지는 일은 알려지지 않기를 바랄 테니, 내 말과 상반된 진술은 하지 않을 것이다. 경찰이 어제 그곳을 습격했다니, 이제 경찰은 내가 그곳에서 벌어진 일을 얼마나 알고 있는지 확인하려 들 것이다.

쿠타르가 물었다.

"작업실을 사용하는데 임대료를 얼마나 냈습니까?"

"일주일에 육십 유로."

"그리 많지는 않군요."

"작업실로 쓰기에 그리 좋은 입지도 아니니까요."

"거기서 소설을 썼습니까?"

"자정부터 새벽까지."

"하지만 오마르가 죽은 날 밤에는……."

"글이 안 풀려 밤새 쏘다녔습니다."

"처음에는 왜 그 이야기를 하지 않았죠?"

"무슨 이야기 말인가요?"

"작업실에 있다가 밤새 쏘다녔다는 이야기 말입니다."

"물어보지 않으셨으니까."

레클레르와 쿠타르가 서로 눈빛을 주고받았다.

"오마르가 죽은 날 밤에 바깥을 쏘다녔다고 진술하는 게 선생에게 더 편하지 않았을까요?"

"살인범을 잡았다면서요?"

"예, 잡았죠. 그냥 지나가는 말로 물어봤을 뿐입니다. 하지만 궁금한 게 있습니다. 작업실이 있던 건물에서 알고 지내던 사람이 있습니까?"

"아뇨, 없습니다."

"아래층 사무실에서 무슨 일을 하는지 아십니까?"

"전혀 모릅니다. 무슨 일을 하는데요?"

쿠타르와 레클레르는 또 다시 눈빛을 주고받았다.

레클레르가 말했다.

"지난밤에 거기도 습격했습니다. 아래층은 작은 창고만한 공간이었는데 텅 비어 있더군요. 하지만 우리가 습격하기 몇 시간 전에 뭔가를 급히 치운 흔적이 역력했죠. 과학수사대가 마룻바닥과 벽에서 혈흔을 발견했어요. 영화를 촬영할 때 조명에 쓰이는 아주 굵은 전선도 발견됐죠. 가운데 공간은 흡사 무대 같았습니다. 침대와 가구도 있었죠. 매트리스는 사라지고 침대 헤드보드는 닦여 있었지만 거기에도 미세한 혈흔이 남아 있었어요."

쿠타르가 끼어들었다.

"아래층에서 몇 가지 일들을 진행해온 것 같습니다. 포르노 영화와 스너프 영화를 찍은 것 같아요. 스너프 영화가 뭔지 아십니까?"

나는 고개를 끄덕였다. 복도에 사람이 끌려가는 듯한 소리를 들었던 게 기억났다. 하지만 내가 스너프 영화 촬영장의 야간경비 노릇을 했다면 사람들이 끌려가는 소리를 더 많이 들었어야 하지 않을까?

"이 동네에서 그런 영화가 촬영된다는 첩보를 이미 입수해놓고 있었습니다. 정확한 위치가 어디인지 찾아내지 못했을 뿐이죠. 선생이 소설을 쓰던 바로 그 건물이 촬영 장소로 확실시되고 있습니다."

"정말 놀라운 일이군요."

"거짓말 마세요. 선생은 그 건물의 정문 경비를 본 것입니다. 거기 드나드는 사람들을 일일이 다 확인했죠. 책상 위에 모니터가 있는 것도 다 그런 이유 때문 아닙니까?"

"저는 아래층에서 무슨 일이 벌어지는지 전혀 몰랐습니다. 그 모니터는 쳐다보지도 않았어요. 저는 그 건물이 빈 건물인 줄로만 알았죠."

레클레르 형사가 말했다.

"아래층 주방 공간에서 코카인 흡입 흔적을 발견했습니다. 마약 거래도 이루어졌던 것 같아요. 과학수사대가 젤리나이트 흔적도 발견했죠."

쿠타르 형사가 말했다.

"젤리나이트는 플라스틱 폭탄입니다. 사제폭탄을 만드는 사람들이 즐겨 사용하죠. 그래도 바로 아래층에서 벌어지는 일을 전혀 몰랐다고 잡아뗄 겁니까?"

"정말 몰랐습니다."

쿠타르가 레클레르에게 물었다.

"이 사람, 정말 거짓말쟁이지?"

레클레르가 말했다.

"야간경비였던 건 틀림없지만 아래층에서 벌어지는 일에 대해 전혀 몰랐을 수도 있죠."

쿠타르가 말했다.

"내가 보기에는 다 알고 있었던 것 같은데."

내가 말했다.

"난 아무것도 모릅니다."

"우리끼리 하는 대화입니다. 선생은 우리 얘기에 끼어들지 마세요."

내가 말했다.

"내가 뭘 알고 있다는 거죠? 무슨 증거라도 있어요?"

쿠타르가 말했다.

"우리가 선생을 이십사 시간 동안 더 유치장에 가둔다고 해도 법에는 전혀 저촉되지 않습니다. 선생이 계속 그렇게 비협조적으로 나오면 부득이 다시 가둘 수밖에 없어요."

"비협조적인 게 아닙니다."

쿠타르가 레클레르에게 말했다.

"수수께끼 같은 사람이야. 왜 그런 동네 쪽방에서 살게 됐는지 알아?"

"네, 보고서를 읽어봤습니다."

"보고서에 나온 삼류대학 학장 기억나지? 릭스 선생을 몰락하게 만들었던 바로 그 남자 말이야."

"릭스 선생 부인과 바람을 피운 남자 말이죠?"

"그래, 어제 릭스 선생의 배경을 더 조사해나가던 중에 재미있는 사실을 한 가지 알게 되었어. 릭스 선생이 교수를 지낸 그 대학 이름을 인터넷으로 검색해봤지. 선생, 그 대학 이름이 뭐랬죠?"

내가 대답했다.

"크류대학."

"그래, 맞아. 인터넷에 검색했더니 결과가 쭉 뜨더군. 그런데 그 지역 신문기사가 내 흥미를 끌었어. 그 대학 학장 롭슨이 며칠 전에 학장

자리에서 잘렸더군. 자기 사무실 컴퓨터에 아동포르노를 잔뜩 저장해
두고 있었나봐."

내가 커다란 목소리로 물었다.

"뭐요? 그게 정말입니까?"

"선생도 다 들었으면서 모른 체하기는. 신문기사를 봐서는 꽤 시끄
러운 사건 같던데요. 선생의 전처도 지금 몹시 괴로워할 겁니다."

나는 손바닥에 이마를 가져다댔다.

레클레르 형사가 말했다.

"선생에게는 몹시 놀라운 소식이었군요?"

놀란 게 아니었다. 무서웠고, 믿기지 않았다. 불과 며칠 전에 마지트
와 나눈 대화 내용이 떠올랐기 때문이다.

마지트가 나에게 말하지 않았던가?

"그 놈한테 가장 괴로운 일이 뭘까?"

"그 놈의 컴퓨터에서 아동포르노가 잔뜩 들어 있는 파일을 찾아내
공개하는 건 어떨까?"

내가 한숨을 쉬며 말했다.

"세상에나."

쿠타르가 레클레르에게 말했다.

"릭스 선생 표정을 보아하니 그 소식이 꽤나 반가운가 봐."

"학장이 망했으니 박수라도 치고 싶을 만큼 기쁘겠죠."

"죄책감을 느낀다면 반갑거나 기쁘지 않을 수도 있지."

"릭스 선생이 죄책감을 느낄 이유가 없잖아요?"

"학장의 컴퓨터에 아동포르노를 깐 사람이 릭스 선생일지도 모르니까."

"그럴 리가요? 솜씨가 대단히 좋은 해커라면 모를까, 다른 사람의

하드디스크에 원격으로 파일을 집어넣기란 정말로 어려운 일이죠."

"친구한테 부탁했을 수도 있잖아. 그래, 아주 사악한 친구가 있을 수도 있지."

"그럴 수도 있겠네요. 죽은 여자와도 연애를 하는 남자인데 대신 복수를 해주는 천사인들 왜 없겠어요."

"릭스 선생은 틀림없이 산타클로스도 있다고 할 사람이야."

"부활절 토끼도 실제로 있다고 믿겠죠."

"백설공주도. 아마도 백설공주가 옛 애인이었을걸."

쿠타르가 그렇게 말하고는 키득키득 웃기 시작했다.

레클레르도 쿠타르를 따라 웃었다. 나는 두 사람에게 눈길도 주지 않고 계속 이마를 손바닥에 파묻고 있었다.

레클레르가 말했다.

"릭스 선생은 유머감각이 없나 봐요?"

쿠타르가 말했다.

"릭스 선생, 재미없어요?"

내가 말했다.

"이제 가도 되죠?"

"썩 내키지는 않지만 가도 됩니다."

그 말에 '나는 내가 원하지 않는 도움을 받았을 뿐입니다' 라고 대꾸하고 싶었다. 그러나 나는 아무 말도 하지 않고 여권을 집어 들고 두 형사에게 고개를 까딱해 인사를 대신했다.

내가 나가려고 몸을 돌리자 쿠타르 형사가 말했다.

"분명 여기서 선생을 또 만나게 될 겁니다."

내가 물었다.

"어떻게 그리 확신하시죠?"

"선생은 문제를 일으킬 운명이니까요."

17

거리로 나가 택시를 잡았다.

"린네 가로 갑시다."

나는 마지트가 사는 건물에 도착하자마자 암호 키를 누르고 계단을 올라갔다. 마지트의 집 문 앞에서 초인종을 눌렀다. 대답이 없었다. 문을 쾅쾅 두드렸다. 대답이 없었다. 다시 한 번 문을 쾅쾅 두드리며 마지트의 이름을 불렀다. 역시 대답이 없었다.

"젠장, 마지트. 이 빌어먹을 문을 당장 열어!"

나는 뒤쪽으로 물러섰다 달려가는 반동을 이용해 문을 몸으로 들이받았다. 잠금장치에서 소리가 조금 들렸지만 문은 열리지 않았다. 다시 뒤로 물러섰다가 한 번 더 몸을 날렸다. 문은 꿈쩍도 하지 않았고, 오른쪽 어깨만 심하게 아팠다. 나는 아픔을 무릅쓰고 다시 한 번 몸을 날렸다.

'우지끈!'

그제야 잠금장치가 부서지는 소리가 들렸다. 문에 부딪친 내 몸은 중심을 잡지 못하고 한참 안쪽에서 쓰러졌다.

마침 내가 쓰러진 곳은 마지트의 침대 근처였다. 두텁게 쌓인 먼지가 피어오르며 기침이 터져 나왔다.

나는 손을 쳐들었다. 방안은 연기처럼 피어오른 먼지 때문에 온통 뿌옇게 변했다. 나는 침대를 보았다. 내가 마지트와 사랑을 나눈 침대, 베개, 담요, 시트 따위가 온통 먼지에 덮여 있었다.

나는 청바지에 달라붙은 먼지를 털어내며 앞방으로 갔다. 가구들역시 두터운 먼지에 뒤덮여 있었다. 작은 주방도 마찬가지였다. 창문은 불투명했다. 방구석마다 거미줄이 처져 있었다. 카펫은 온통 쥐 배설물 천지였다. 마지트의 딸이 썼던 방이라고 했던 작은 방의 문을 열었다. 나는 기겁하며 뒷걸음쳤다. 바닥에 쥐들이 우글거렸다. 쥐들은 죽은 쥐를 뜯어먹고 있었다.

갑자기 뒤에서 목소리가 들려왔다.

"나가!"

나는 몸을 홱 돌렸다. 거실에 몸집이 작은 남자가 서 있었다. 예순다섯 살쯤 되어 보이는 백발의 남자는 한 손에 해머를 들고 있었다. 남자는 분노와 공포가 뒤섞인 표정으로 나를 노려보았다. 해머를 쳐든 남자의 손이 부들부들 떨리고 있었다.

남자가 물었다.

"여기서 뭘하는 거요?"

내가 대답 대신 물었다.

"이 집에 누가 살아요?"

"아무도 안 산 지 오래 됐어요."

"혹시 마지트 카다르를 아세요?"

"카다르 부인은 죽었어요."

"그럴 리가⋯⋯."

"당장 여기서 나가요."

해머를 든 남자의 손이 다시금 떨렸다.

내가 말했다.

"마지트 카다르는 아직 여기에 살고 있어요."

"지난날에는 여기에 살았죠. 1980년까지. 헝가리로 돌아가 죽기 전까지."

"그 뒤로는 이 집에 산 사람이 아무도 없다는 겁니까?"

"직접 눈으로 보세요. 이런 먼지구덩이 속에서 누군가 살고 있을 것 같아요?"

"지난 몇 달 동안 일주일에 두 번씩 이 집에 왔어요."

"정문을 오가는 사람은 내가 빠짐없이 확인하지만 댁을 본 기억이 없어요."

"거짓말."

해머를 쥔 남자의 손이 또다시 부르르 떨렸다.

"당장 나가지 않으면 경찰을 부르겠어요."

"도대체 어떻게 된 일일까요?"

"당신이 미친 것뿐이오."

뒤돌아선 남자는 문 쪽을 향해 성큼성큼 걸어갔다. 나는 얼른 남자를 뒤따라가 어깨를 붙잡았다. 그러자 남자는 몸을 홱 돌리며 해머를 휘둘렀다. 나는 몸을 숙여 해머를 피한 다음 남자의 손목을 잡고 등 뒤로 꺾었다. 남자가 아프다며 신음했다.

내가 말했다.

"해머를 버려요."

"사람 살려."

남자는 크게 소리쳤다. 내가 팔을 더 세게 비틀자 남자는 다시 비명을 질렀다.

"사람 살려."

"당장 해머를 버려요. 안 그러면 팔을 부러뜨릴 테니까."

해머가 바닥에 떨어졌다.

"돈을 찾는 거라면 지갑에 사십 유로가 들어있어요."

내가 말했다.

"나는 돈이 아니라 진실을 찾고 있어요. 여기에 누가 살죠?"

"아무도 안 살아요."

"마지트 카다르를 마지막으로 본 게 언제죠?"

"1980년."

"거짓말."

"정말이에요."

"이 아파트는 늘 깨끗했어요. 늘······."

"도대체 무슨 말인지 모르겠어요."

"왜 나를 처음 본다고 하죠? 왜?"

"본 적이 없으니까. 자, 이제 나를 좀 놓아줘요."

"마지트가 사람을 죽인 걸 알아요?"

"그럼요. 신문마다 난리였는걸요. 졸탄과 주디트를 죽인 남자를 마지트가 죽였어요."

"졸탄과 주디트의 이름도 아는군요."

"당연히 알죠. 여기 살았으니까."

"마지트와 함께?"

"왜 이런 정신 나간 질문을 하는지 모르겠군요. 여기는 마지트 카다르 부인이 살던 아파트예요. 카다르 부인은 딸과 남편을 한꺼번에 잃은 충격 때문에 미쳐 뺑소니 운전자를 죽이고 헝가리로 떠났다가 거기서 죽었어요. 내가 아는 건 그게 전부예요."

"그 뒤로는?"

"아파트는 그냥 아무도 살지 않는 빈집으로 방치됐어요. 집세는 들어오지만 사람은 안 살았죠. 제발, 내 팔 좀……."

갑자기 세상이 빙글빙글 돌았다. 내가 철석같이 믿었던 현실이 부정될 수도 있다니? 먼지, 거미줄, 쥐똥, 쥐가 들끓는 아파트가 오히려 현실에 가깝다니? 바로 며칠 전만 해도…….

나도 모르게 말이 튀어나왔다.

"이해할 수 없어."

"이제 그만 나를 놔줘요. 아파요."

"난 다만 진실을 알고 싶어요."

"난 진실을 말했어요. 내 말은 틀림없는 진실이에요."

'이제 아무것도 믿을 수 없어.'

"내가 팔을 놓아줘도 소리를 지르거나 다시 해머를 집어 드는 짓은 하지 않는 게 좋을 겁니다. 약속할 수 있어요?"

"약속해요."

나는 남자의 팔을 놓아주고 나서 마지막으로 아파트 안을 둘러보며 말했다.

"난 이제 갑니다. 이상한 행동을 했다간……."

"약속했잖아요. 잠자코 있을 테니 어서 돌아가요."

"팔을 꺾어 미안하게 됐어요. 내가 그만……."

"돌아가요, 제발."

"……그만 정신을 놓았나 봐요."

나는 밖으로 달려 나갔다.

'이제 어쩌지?

나는 손을 흔들어 택시를 잡았다.

택시운전사가 말했다.

"어디로 모실까요?"

"몰라요."

"모른다고요? 택시를 탔으면 행선지를 말씀하셔야죠."

갑자기 머릿속에 떠오른 생각이 있었다.

"수플로 가의 판테온으로 갑시다."

"알겠습니다, 손님."

나는 로레인 허버트의 아파트 앞에서 내렸다. 정문에 인터폰은 없었지만 나는 억세게도 운이 좋았다. 작은 강아지를 안아든 여자가 비밀번호를 누르고 있었다. 나는 여자를 위해 문을 열어주는 척하며 뒤따라 들어갔다. 여자는 나에게 고맙다고 인사했지만 엉망인 내 옷차림을 보더니 깜짝 놀라는 눈치였다. 과연 나를 안으로 들여보내도 되는지 심각하게 걱정하는 눈빛.

여자가 내게 물었다.

"어느 댁을 찾아오셨죠?"

"로레인 허버트 부인을 찾아왔습니다."

여자는 내 대답을 듣고 나서야 비로소 안심했다. 나는 여자에게 인사하고 허버트 부인의 아파트 현관문 앞에서 초인종을 눌렀다. 아무런 대답도 없었다. 한 번 더 눌렀다. 이번에는 길게 계속 눌렀다. 안에서 허버트 부인이 소리쳤다.

"알았어요, 알았어. 지금 나가요."

문이 열렸다. 부인은 긴 실크가운을 입고, 얼굴에는 검정 마스크 팩을 하고 있었다. 부인은 얼굴 마스크 팩을 티슈로 지우며 문을 열었다.

"누구시죠?"

"저는 해리 릭스라고 합니다. 두 달 전쯤 부인의 살롱에 온 적이 있습니다."

"그래요?"

부인은 초라한 내 행색을 훑어보며 의심스런 표정을 거두지 않았다.

"여기서 누군가를 만났어요. 마지트 카다르라는 여자였죠."

"그 여자 전화번호를 알아내려고 여기 온 건가요? 여기는 연애 상대를 알선해주는 곳이 아닙니다. 자, 그럼 이만……."

부인이 문을 닫으려 하자 나는 문틈에 발을 끼워 넣었다.

"그게 아니라 물어볼 말이 있어서……."

"여기까지 어떻게 들어왔죠?"

나는 어떻게 정문을 통과했는지 부인에게 설명했다.

"살롱은 일요일 밤에 열려요. 규칙은 알고 있죠? 전화를 걸어 예약해야 합니다. 아무런 약속도 없이 갑자기 찾아오면……."

"제발 도와주십시오."

부인은 내 얼굴을 찬찬히 살폈다.

"미국인이군요."

"정말 기억 안 나십니까?"

"살롱에는 매주 백 명도 넘는 손님들이 찾아오죠. 손님들을 죄다 기억할 수는 없어요. 한데 무슨 문제라도 있습니까? 그쪽은 마치 노숙자 옷차림 같아요."

"마지트 카다르라는 이름을 듣고 떠오르는 사람이 없습니까?"

부인이 고개를 가로저었다.

"정말입니까?"

나는 다시 한 번 물은 다음 마지트의 인상착의를 설명했다. 그래도 허버트 부인은 고개를 가로저었다.

"그 분을 왜 그리 다급히 찾죠? 사랑에 빠졌어요?"

"제가 왔던 그날 밤, 그 여자가 여기 있었는지 확인해야할 일이 있습니다."

"여기서 그 여자를 만났다면 여기에 온 거겠죠."

"혹시 비서를 시켜 방문 기록을 확인할 수 없을까요?"

"비서가 지금 집에 없어요. 두 시간 뒤에 전화하면……."

"그럴 시간이 없어요. 데이터베이스나 뭐 그런 건 없습니까?"

부인은 문을 막고 있는 내 발을 내려다보았다.

"내가 확인해 줄 때까지 안 가고 버틸 심산이죠?"

"예."

"이 문을 닫게 해주면 내가 댁을 도울 방법을 생각해 볼게요."

"꼭 다시 나오실 거죠?"

부인은 모호한 미소를 지었다.

"안 나올 수는 없겠죠. 만약 내가 안 나오면 당신이 여기 서서 문을 계속 두드릴 테니까."

"그렇습니다."

"금방 나올게요."

나는 그제야 발을 뺐고, 부인은 문을 닫았다. 나는 계단에 주저앉아 눈을 비볐다. 먼지에 뒤덮여 있던 마지트의 아파트를 머릿속에서 지우고 싶었지만 잘 되지 않았다. 아마도 아파트 관리인이 경찰을 불렀을 것이다. 경찰이 나를 찾고 있겠지. 두 사람의 살인죄를 나에게 뒤집어씌우지는 않더라도 아파트에 침입했다는 죄목으로 나를 체포하겠지. 결국 나는 정신병원에 감금되어 미국으로 추방될 날을 기다리게 될지도 모른다.

내가 죽은 여자와 연애했다는 소문이 퍼지면 어떻게 될까? 아니, 그보다 롭슨한테 일어난 일을 생각하면…….

롭슨뿐만이 아니었다. 오마르도 있었다. 나는 마지트에게 오마르가 화장실을 지저분하게 쓴다고 불평한 적이 있었다. 야나의 남편은 또 어떤가?

'나는 여자의 얼굴을 때리는 남자를 증오해. 왜 그런지 알겠지?'

그리고 이렇게 말했지.

'당신이 야나의 남편을 죽여.'

마지트가 야구배트로 야나의 남편을 내려치고, 〈셀렉트호텔〉의 프런트직원을 자동차로 덮친 걸까?

곰곰이 생각해보니 나는 마지트에게 다 말했다. 나를 해코지한 사람, 혹은 해코지하겠다고 위협한 사람에 대해. 그리고…….

'브라세는 아주 불쾌한 사람이었어요.'

처음 쿠타르 형사에게 심문을 받을 때 나는 그렇게 말했다.

그러자 쿠타르 형사가 말했다.

'브라세 씨를 아는 사람은 누구나 그렇게 말하더군요. 그런데 또 눈길을 끄는 일이 있어요. 선생과 다툼을 벌인 오마르가 화장실에서 죽었듯이 브라세도 자동차에 치였으니……'

그들의 죽음에는 한 가지 일관된 패턴이 있었다. 누군가가 나를 해코지한다고 말하면 마지트는…….

아니, 있을 수 없는 일이야.

'하지만 마지트가 죽었다는 것도 있을 수 없는 일이잖아.'

도무지 이해할 수 없어.

'이해할 수 있는 방법은 딱 하나뿐이야. 오늘 저녁 다섯 시에 약속대로 마지트의 집으로 가는 것.'

아파트 현관문이 열렸다. 허버트 부인이 나왔다. 얼굴의 검정 마스크 팩은 어느새 다 지워져 있었다. 그 대신 프린트한 종이와 명함 같은 작은 종이를 들고 있었다.

"그날 온 손님 목록을 가져왔어요. 자, 확인해 봐요."

부인은 프린트한 종이를 나에게 건네고 나서 말을 이었다.

"댁은 손님목록에 있지만 마지트 카다르라는 이름은 없더군요. 컴퓨터 기록도 다 살펴봤지만 이름이 없었어요. 컴퓨터에 이름을 기록한 지는 십 년밖에 안 됐으니까 명함철을 확인했죠. 1995년 이전에 온 손님은 명함을 다 보관해두고 있거든요. 자, 내가 뭘 찾았는지 알아요?"

부인이 명함을 건넸다. 졸탄 카다르와 마지트 카다르 부부. 린네 가의 아파트 주소. 그리고 날짜는 1980년 5월 4일로 되어 있었다. 사고가 나기 몇 주 전이었다.

내가 말했다.

"그 여자가 살롱에 오긴 왔었군요."

"딱 한 번, 남편과 왔지만 딱히 기억나는 건 없어요. 매주 많은 사람들이 오는데 내가 그 옛날 일을 어떻게 다 기억하겠어요. 딱 한 번 다녀간 건 확실해요. '일회 손님'으로 분류된 곳에 이 명함이 들어 있었으니까."

"제가 들른 날에 그 여자가 여기 몰래 숨어 들어왔을 가능성은 없을까요?"

"전혀 없어요. 살롱은 매우 엄격하게 운영돼요. 예약 목록에 이름이 없으면 들어오지 못하죠. 나는 불청객이 살롱에 들어오는 걸 아주 싫어하죠. 내가 묻고 싶은 게 있어요. 댁은 여기서 그 여자를 만났다고 생각하고 있고, 나는 그럴 수 없다고 믿는다면……내가 과연 어떤 결론을 내릴까요?"

"시간을 내 주셔서 고맙습니다."

나는 그렇게 말하고 서둘러 계단을 내려갔다.

밖에는 비가 내리고 있었다. 생 미셸 대로를 달려 지하철 4호선 역으로 갔다. 이제 옷이 흠뻑 젖어 있었다. 지하철 안에서도 몸이 오들오들 떨렸다. 파리에 온 첫날, 나를 쓰러뜨린 오한과 비슷했다. 늘 그렇듯, 객차의 승객들은 서로 눈길을 마주치지 않았다. 하지만 나를 흘깃흘깃 훔쳐보는 시선이 느껴졌다. 더러운 옷, 며칠 동안 면도를 하지 않은 얼굴, 퀭한 눈의 남자가 이를 덜덜 떨고 있는데 누군들 흘깃거리며 보지 않겠는가?

샤토도 역에서 내려 밖으로 나갔을 때에도 여전히 비가 내리고 있었다. 인터넷카페에 도착할 때쯤에는 마치 경련이 일듯 몸이 떨려왔다.

콧수염 청년이 차가운 눈으로 나를 쳐다보더니 말없이 문 쪽으로 걸어가 문을 잠갔다.

"어제 일하러 가지 않았더군요."

"유치장에 갇혀 있었어요."

"경찰에서 다 불었죠?"

"아니."

"그럼 왜 유치장에 갇혀요?"

"내가 용의자라면서……."

"오마르의 살인용의자?"

"맞아요."

나는 야나의 남편 이야기는 아예 꺼내지 않는 게 좋겠다고 생각했다.

"경찰에서 그 술집 여자 남편 이야기도 하던가요?"

"네, 했어요."

"세제르 씨와 마무드가 범인이라고 말했어요?"

"내가요? 당연히 아니죠."

"당신은 풀려났지만 세제르 씨와 마무드는 경찰에 체포됐어요."

"내가 경찰도 아닌데 그 일을 어떻게 알겠어요. 어쨌든 증거가 없으면 체포할 수 없을 텐데……."

"당신이 증거를 조작했다면……."

"미친 소리."

"다 알아. 당신 짓이지?"

"내가 왜?"

"당신이 오마르와 아타니를 죽였으니까. 그게 이유야. 그리고 흉기에……."

"흉기에 내 지문은 없었어. 마무드 지문은 있었지만……."

"마무드와 세제르 씨가 체포됐다는 이야기를 경찰에서 벌써 들었군."

"내가 일부러 흉기를 마무드의 방에 넣었다면 그의 지문은 왜 묻어 있겠어?"

"당신이 세제르 씨 사무실에서 눈에 잘 띄는 곳에 흉기를 놓아두었 겠지. 마무드는 숨기려고 흉기를 집어 들었을 테고……."

"만약 그랬다면 마무드가 흉기에 묻은 피를 보고 다른 데다 버렸겠 지, 왜 자기 방에 숨겼겠어?"

"흉기가 마무드 방에서 발견됐어. 당신이 거기에 놓아두고 경찰에 신고한 거……."

"그때 나는 유치장에 있었어."

"그래도 누군가를 시켜 흉기를 마무드 방에 둘 수야 있지. 일하는 곳이 어딘지 경찰에 털어놓았어?"

"전혀."

"거짓말. 어젯밤에 경찰이 건물을 덮쳤어. 다행히 세제르 씨와 마무 드가 체포된 뒤에 우리가 거길 치울 시간이 있었으니 망정이지……."

"거기서 스너프 영화를 찍고 폭탄을 만들었어?"

"질문하지 마. 벌써 네 놈 때문에 우리는……."

"내가 뭘? 나는 아무 말도 안 했어. 자정마다 거르지 않고 출근했고, 질문도 한 적 없어. 간섭한 적도 없고……."

"하지만 봤잖아!"

"아무것도 못 봤어."

"거짓말."

"멋대로 생각하는 건 좋지만 난 아무것도 경찰에 털어놓지 않았어. 네 놈들이 시키는 대로 했을 뿐이야."

콧수염이 한참 동안 나를 노려보다가 말했다.

"오늘 다시 일하러 가."

"지킬 게 없잖아?"

"그건 네가 상관할 바가 아냐."

"경찰이 아래층을 범죄현장으로 생각하고 있어. 경찰이 지키고 있을 거야."

"수사를 다 마치고 갔어. 이제 경찰은 없어."

"뇌물을 먹였어?"

"경찰은 갔어. 오늘 일하러 가."

안 가겠다고 버티면 무슨 일을 당할지 알 수 없었다. 밤에 그곳에 가면 역시 살아서 걸어 나올 수 없을지도 모른다. 이제 열 때문에 몸이 부들부들 떨렸다. 나는 팔로 내 몸을 꽉 감쌌다.

콧수염이 물었다.

"아파?"

"유치장에서 힘들었나 봐."

"얼른 집에 가서 쉬어. 오늘, 늦지 마."

콧수염은 문을 열고 나가라고 손짓했다.

나는 집으로 가는 길에 생각했다.

'나를 죽일 거야. 사람들의 눈에 잘 띄지 않는 그 건물에서 나를 죽이려는 거야.'

방법은 한 가지뿐이었다. 달아나자. 하지만 그 전에 할 일이 남아 있었다. 5시에 마지트를 만나봐야 했다. 내가 진정 미친 게 아니라는 사실을 마지트를 통해 확인하고 싶었다.

당장 급한 건 잠이었다. 열이 펄펄 끓었고, 몸이 불덩이 같았다. 쓰러지지 않으려면 우선 잠시라도 누워 잠을 자두어야 했다. 낮잠을 조금 자고 나서 가방을 싸야지. 마지트의 아파트에 들렀다가 기차역으로 가서 런던 행 유로스타를 타는 거야. 런던에서 무얼 하며 살게 될지는 모르지만 당장 여기서 벗어나는 게 급선무야.

방에 도착해보니 문이 반쯤 열려 있었다. 문에 자물쇠만이 달랑거리며 매달려 있었고, 집 안은 온통 난장판이 되어 있었다. 서랍이란 서랍은 죄다 열려 있었고, 선반 위에 올려놓은 물건들은 바닥에 떨어져 여기저기 나뒹굴었다. 옷가지들은 어지럽게 내팽개쳐져 있었고, 더러는 칼로 난자해 너덜너덜해진 옷도 있었다. 침대는 거꾸로 뒤집혀 있었고, 시트와 이불 역시 갈가리 찢겨 있었다. 매트리스는 군데군데 스프링이 드러날 만큼 망가졌고, 싱크대 수납장에 있던 물건들도 죄다 밖으로 쏟아져 나와 방 곳곳에서 나뒹굴었다.

그나마 리놀륨 바닥을 뒤지지 않은 게 다행이었다. 나는 아드낭이 돈을 숨겨두었던 장소에 손을 집어넣었다. 돈은 그대로였다. 나는 매일 급여에서 20유로씩을 떼어내 거기에 숨겨두었다. 비닐 봉지에 넣어둔 돈은 모두 합해 2천8백 유로였다.

돈이 그대로 남아 있어 안도했지만 탈출을 하려면 여권과 소설을 담은 백업디스크를 찾아야 했다. 여권과 디스크는 내게 가장 소중한 물건들이라 각각 다른 곳에 숨겨 두었다. 여권은 그레이엄 그린의 《This Gun for Hire》 페이퍼백 속에, 디스크는 시리얼 박스에 숨겨두었다. 바닥에 흩어진 잡다한 물건들 속에서 겨우 그레이엄 그린의 책을 찾아냈다. 그 안에 파란색 미국 여권이 들어 있었다. 시리얼 상자를 찾아내 거꾸로 흔들어보았지만 디스크는 없었다.

'흥분하지 말자. 흥분하지 말자. 분명 여기 어딘가에 있을 거야.'

그러나 흥분하지 않을 수 없었다. 방안에 흩어진 물건들을 샅샅이 뒤질수록 더욱 흥분이 가중되었다. 디스크는 끝내 보이지 않았다. 30분에 걸쳐 방 전체를 뒤졌다. 디스크를 잃어버렸다는 결론이 확실해질수록 나는 점점 더 화가 났다.

왜 하필 디스크인가? 기독교 교리를 완전히 뒤집어엎을 내용을 담은 책도 아니고, 암호 코드를 담은 책도 아니지 않은가? 그저 내가 쓴 소설의 백업디스크일 뿐이었다. 나 이외에는 어느 누구에게도 중요하지 않은 물건……

방에 값나가는 물건이 없자 화가 난 도둑이 어디 한 번 당해 보라는 심산으로 백업디스크를 가져갔을까? 아니면 세제르의 부하 짓일까? 내가 밤에 사무실에서 무엇을 쓰는지 알아내려고 백업디스크를 가져간 게 아닐까?

백업디스크는 하나 더 있지만 사무실 비상구 위의 틈새에 숨겨 두었다. 그걸 가져오려면 다시 건물에 가야했지만 지금은 갈 수 없었다. 콧수염은 내가 세제르와 마무드를 밀고했다고 믿고 있었다. 누군가 내 방을 이렇게 엉망으로 만들어놓은 걸 보면 나에게 무슨 짓을 할지 모른다. 일단 여기서 몸을 숨기는 게 최선일 듯했지만 내 노트북이 경찰서에 있었다.

지금 파리를 떠나면 지난 넉 달 동안 쓴 소설 원고를 모두 버려야 한다. 나중에 경찰이 내게 노트북을 보내줄 수도 있지만 압수할 수도 있었다. 그렇게 되면 매일 자정부터 동틀 때까지 소설을 쓴 보람은 사라지게 된다. 지금 내 인생에 남은 거라고는 소설뿐인데……. 내가 쓴 소설 없이는 파리를 떠날 수도 없고, 떠나서도 안 된다는 생각이 들었다.

열이 점점 온몸으로 번져 가고 관절 마디마디가 쑤셔댔지만 쉴 시간이 없었다. 더 이상 지체했다간 내 몸도 내 방처럼 만신창이가 돼 버릴지도 몰랐다. 방바닥을 손으로 더듬어가며 필요한 물건들을 챙겼다. 가장 먼저 가방을 찾아냈다. 엉망으로 찢긴 옷들 사이에서 그나마 멀쩡한 청바지와 셔츠, 속옷, 양말을 찾아냈다. 욕실로 가 비누와 샴푸, 칫솔, 치약을 챙겼다. 라디오는 심하게 찌그러졌지만 작동은 됐다. 찾아낸 물건들을 가방에 넣고, 돈과 여권은 재킷 주머니에 집어넣은 다음 밖으로 나와 문을 쾅 닫았다.

'이제 다시는 이 방에 돌아오지 않겠어.'

거리로 나와 이리저리 살폈지만 다행히 나를 지켜보는 사람은 없었다.

가방을 끌고 파리10구 경찰서로 갔다. 안내원에게 쿠타르 형사를 만나고 싶다고 했더니 외근 중이라고 했다.

"그럼 레클레르 형사라도 만나볼 수 없을까요?"

10분쯤 기다리자 레클레르 형사가 내게로 다가왔다. 그가 내 가방에 눈길을 주며 말했다.

"유치장으로 이사하시게요?"

"아주 재밌는 농담이군요."

"아니면 파리를 떠나시게요?"

"잠시 런던에 다녀오려고요. 제 노트북컴퓨터가 필요해서 왔습니다."

"노트북컴퓨터요?"

"제가 작업실에서 쓰던 노트북 말입니다. 경찰에서 작업실을 급습해 노트북을 압수해갔는데요?"

"그건 제 소관이 아닙니다. 담당 부서에서 노트북을 갖고 있다면……."

"쿠타르 형사님이 노트북을 압수했다고 말해주었습니다."

"그럼 쿠타르 형사님께 말씀하셔야죠."

"외근 중이랍니다."

"아, 오늘은 안 들어오실 텐데……."

안내원이 끼어들었다.

"쿠타르 형사님은 사일 간 휴가를 내셨어요."

레클레르 형사가 말했다.

"아니, 나에게는 말도 없이……."

내가 레클레르에게 말했다.

"노트북이 어디에 있는지 확인해줄 수 있습니까?"

"아직 수사가 종결되지 않아 곤란합니다. 사건 관련 증거품은 수사가 끝날 때까지 빼가지 못하게 돼 있습니다. 더구나 담당 형사가 자리를 비웠으니……."

"제가 노트북의 주인입니다."

"그래도 쿠타르 형사님이 직접 확인해야 합니다."

"쿠타르 형사님과 휴대폰으로 전화할 수 없습니까?"

"모처럼 휴가를 떠났는데 이런 일로 전화할 수야 없죠. 어차피 쿠타르 형사님과 통화해도 결과는 똑같을 겁니다. 노트북이 사건 관련 증거품인 이상 수사가 종결될 때까지 내줄 수 없게 돼 있으니까요."

"파일 하나만 복사하면 안 될까요?"

"그건 증거 유출에 해당됩니다."

"제가 쓴 소설을 복사하는 것도 안 됩니까?"

"선생의 소설도 증거가 될 수 있으니까요."

"이를테면 제 소설이 어떤 증거가 될 수 있죠?"

"저는 그 사건 담당이 아니라서……."

"제게는 정말 중요한 원고입니다. 소설을 계속 쓰려면 파일이 필요합니다."

"백업디스크는 없습니까?"

"당연히 백업을 해두었는데 잃어버렸습니다."

누가 방을 뒤져 백업디스크를 가져갔다는 말은 하지 않았다. 레클레르 형사가 내 말을 들으면 파리를 떠나지 말라고 할 게 뻔했기 때문이다.

"정말 안됐군요. 하지만 소설가라면 집필중인 작품을 하나 이상 백업해 두는 게 상식 아닙니까?"

"제가 아직은 빌어먹을 아마추어 작가라서요."

"아, 그렇게 감정적으로 대응하지 마세요. 이런 말씀을 드려도 괜찮을지 모르지만 선생은 건강상태가 나쁜 것 같습니다. 몸에서 냄새가 좀 심하게 나네요."

"누가 저를 유치장에 집어넣고 씻지도 못하게 했는지 잊었습니까?"

"여권을 챙겨갈 수 있었던 걸 다행으로 여기셔야죠. 쿠타르 형사님은 선생을 이십사 시간 동안 더 붙잡아둘 수도 있었지만 편의를 봐주었어요."

"그러지 말고 내가 파일을 복사하는 동안 옆에서 지켜보시면 되잖습니까?"

"그것도 증거 유출입니다."

"저에게 그 소설은 전부나 마찬가지입니다."

"전부라면서 왜 백업을 복수로 받아두지 않았죠? 정말 이해가 안 되네요."

레클레르 형사는 냉정하게 말하고는 사무실로 돌아가 버렸다.

나는 다리에 힘이 풀려 의자에 힘없이 주저앉았다. 이제부터 어떻게 해야 할지를 생각했다. 안내데스크 뒤에 있던 경관이 말했다.

"볼일을 마쳤으면 이제 나가주셔야 합니다."

"알았어요, 나갈게요."

나는 일어섰다.

"잠시 가방을 맡겨둘 수 있을까요?"

안내데스크 뒤의 경관이 나를 미친 사람 대하듯 쳐다보았다.

"여긴 경찰서지 물품보관소가 아닙니다."

"미안합니다."

나는 가방을 끌고 경찰서를 나갔다.

거리로 나와 손목시계를 보았다. 1시 23분. 마지트와의 약속 시간까지는 아직 4시간 가까이 남아 있었다. 그때까지 쉴 곳이 필요했다. 왼쪽 첫 번째 샛길로 들어가자 값싼 호텔이 나타났다. 〈르노르망디호텔〉. 척 보기에도 허름하기 짝이 없었고, 정문에는 별이 달랑 한 개 붙어 있었다. 좁다란 로비 벽은 페인트가 벗겨졌고, 바닥에 깐 리놀륨은 여기저기가 까져 있었다. 조명은 형광등이었다. 프런트에서 벨을 눌렀지만 아무도 나오지 않았다. 한 번 더 눌렀더니 나이든 흑인 남자가 눈을 비비며 나왔다.

"방 주세요."

"체크인 시간은 세 시부터입니다."

"지금은 들어갈 수 없습니까?"

"세 시에 다시 오세요."

"당장 몸이 안 좋아서 그럽니다. 지금……."

남자는 내 말이 사실인지, 아니면 90분 일찍 들어가 돈을 아끼려는 수작인지 살피려는 듯 나를 자세히 뜯어보았다.

"며칠이나 묵을 겁니까?"

"하루요."

"샤워기가 있는 방을 찾습니까?"

"당연하죠."

프런트직원은 열쇠를 하나 꺼냈다. 7이라는 숫자가 적힌 열쇠였다.

"숙박료는 사십오 유로입니다."

나는 현찰로 사십오 유로를 냈다.

"이층 오른쪽 방입니다."

"고맙습니다."

남자는 고개만 까딱하고 프런트 뒤에 있는 문으로 들어갔다.

호텔방은 쓰레기장이나 다름없었지만 상관없었다. 당장 쉴 곳이 필요했다. 지저분한 옷을 벗고, 비누와 샴푸를 꺼내 샤워기 아래에 섰다. 수압이 약해 물이 졸졸졸 흐르는 정도였다. 조그마한 수건에 몸을 닦았다. 그나마 수건이 깨끗한 게 신기해보였다.

두 시간 뒤로 알람을 맞춰놓고, 침대에 올라가 눈을 감았다. 마치 벼랑 아래로 떨어지는 듯한 느낌이었다. 침대가 금세 땀으로 흠뻑 젖어들었다. 이가 덜덜 떨려왔다. 나는 베개가 구명대라도 되는 양 꽉 움켜쥐고 나서 정신을 잃었다.

얼마나 잤을까? 베를리오즈의 〈환상 교향곡〉 소리에 놀라 잠에서 깨어났다. 3시 45분. 다시 샤워를 하고 깨끗한 옷으로 갈아입었다. 몸은 여전히 쑤셨지만 열은 가라앉았다. 재킷을 입고 돈과 여권이 든 주머니를 손으로 톡톡 두드려 확인했다. 내 머릿속 목소리가 속삭였다.

'지금 당장 떠나. 노트북은 나중에 돌려받으면 돼. 마지트에 대한 의문은 다 접고 떠나. 나중에 소설 소재로 쓰면…….'

이쯤에서 모든 의문을 덮으라고? 내가 미쳤다고 생각하라고? 넉 달 동안 내가 백일몽을 꾸듯 환상에 사로잡혔던 거라고?

'뭐든 상관없어. 다 잊고 앞으로 나갈 수 있을 때 떠나.'

마지트를 만나 확인한 뒤에는 곧장 다 잊을 거야.

'뭘 확인하려고?'

내가 미치지 않았다는 것.

'대꾸할 가치도 없군.'

삐걱거리는 호텔 계단을 내려갔다. 큰길로 나가 왼쪽으로 꺾어졌다가 세바스토폴 대로에 있는 인터넷카페로 들어갔다. 손목시계를 보았다. 4시 7분. 마지트에게 5시까지 가려면 10분 안에 인터넷카페의 문을 열고 나가 파리5구로 가는 지하철을 타야만 했다.

나는 우선 오하이오신문 기사만 검색할 생각이었다. 나의 적이 몰락한 기사. 우선 내게 온 메일부터 확인했다. 더그 스탠리가 보낸 메일이었다. 롭슨의 메일에 추악한 비밀이 어떻게 드러나게 됐는지 상세히 설명되어 있었다. 롭슨이 학장실에서 쓰던 컴퓨터가 지난주에 다운됐고, 학교의 컴퓨터 담당자가 컴퓨터를 손보다가 아동포르노를 발견했다고 돼 있었다.

롭슨의 하드디스크에는 아동포르노 사진이 무려 2천 장이나 들어있었다네. 컴퓨터 담당자가 사진을 발견하고 교무처에 알렸고, 교무처에서는 당장 경찰을 불렀지. 경찰은 다시 FBI에 수사를 의뢰했네. 롭슨은 현재 클리블랜드 근처에 있는 유치장에 갇혀 있지. 보석금이 1백만 달러나 돼 아직 돈을 구하지 못했다더군. 롭슨은 누군가가 자기 컴퓨터에 아동 포르노사진을 심어놓았다면서 무죄를 주장하고 있어. 하지만 FBI에서 어제 성명을 발표했는데, 수사 결과 롭슨이 직접 다운

로드한 게 밝혀졌다네.

　이제 놈은 완전히 끝장난 셈이지. 대학에서도 즉시 해고됐네. 이 지역 황색 언론들은 롭슨 사건을 크게 떠들어대고 있어. 롭슨이 감방에서 자살할지 몰라 특별감시를 받고 있다는 소문도 나돈다네. 롭슨 사건을 맡은 담당 검사는 '사회의 모범이 되어야 할 사람, 특히 교육자가 타락한 것'은 반드시 바로잡아야 한다며 단단히 벼르고 있네. 롭슨은 아동포르노 사진을 변태들과 서로 교환해 보기도 했어. 음란물 유포 죄는 연방법에도 저촉되지. 주 법원 검사는 롭슨이 아동포르노 수집가들 모임의 회장을 맡고 있다는 증거도 확보했네. 롭슨이 음란물을 제공해주고 돈을 받아내는 은행계좌도 찾아냈지. 나조차도 롭슨이 이렇게까지 타락했다는 게 믿기지 않아. 사람 속이란 정말 모른다니까.

　롭슨 때문에 희생된 사람이 또 있어. 바로 수잔이라네. FBI는 롭슨이 쓰던 컴퓨터 하드디스크의 내용을 살펴봤고, 자네가 쫓겨나기 몇 달 전 그가 수잔에게 보낸 메일들을 찾아냈어. 일종의 연애편지들이었고, 자네에게는 말하기 거북하지만 둘 사이의 은밀한 행위도 아주 적나라하게 묘사되어 있었다네. 언론에서는 또다시 한바탕 난리가 났지. 대학당국은 수잔이 롭슨과의 친밀한 관계를 통해 종신교수 자격을 얻은 게 아닌지 조사 중이라네.

　어젯밤에 수잔과 통화해보았네. 정신이 반쯤 나간 목소리였지. 수잔은 대학에서 곧 해고될 거라며 앞으로 얼굴을 어떻게 들고 다닐지 걱정이 태산이었네. 메건이 이 사건을 어떻게 받아들일지도 걱정이고. 해고당하면 당장 생활을 어떻게 꾸려나갈지 암담하겠지. 오늘 오후에 수잔을 만나볼 생각이네. 저러다가 미쳐버리는 건 아닌지 모르겠어. 수잔을 만나보고 나서 자네에게 이야기해 주겠네.

자네도 짐작하겠지만 대학 내부에서도 말들이 많다네. 롭슨과 수잔이 저지른 일들이 낱낱이 드러나자 자네를 해고하는 데 앞장섰던 교수들은 민망해서 어쩔 줄을 모르고 있어. 롭슨이 수잔에게 보낸 메일들 중에는 자네 문제를 어떻게 처리할지에 대한 내용도 들어 있었다네. 롭슨은 셸리 문제를 공공연하게 퍼뜨려 자네를 해고시키자고 제안했네. 수잔도 '좋아. 완전히 보내 버려.' 라고 답장을 했고.

자네에게 이런 이야기를 들려주게 되어 정말 유감이네. 하지만 자네가 신문에서 읽거나 기자한테 전화를 받고 알게 되는 것보다는 차라리 나을 거라 생각하네.

자네가 지금 이 끔찍한 이튼에서 멀리 떠나 파리에 있다는 게 그나마 다행인지도 모르겠네. 새로운 소식을 듣고 싶으면 저녁에 집으로 전화하게. 기다리겠네.

더그 스탠리

나는 팔꿈치를 책상에 괴고 손바닥에 얼굴을 파묻었다. 수잔이 롭슨에게 했다는 말이 무엇보다 끔찍했다. '좋아. 완전히 보내 버려.' 라니? 하지만 한편으로 걱정이 되기도 했다.

인터넷카페를 나와 택시를 탔다. 길은 그다지 막히지 않았다. 4시 58분. 2분 동안 마지트의 아파트 건물 정문 앞에서 서성거리다 깊이 심호흡을 하고 나서 키의 비밀번호를 눌렀다.

문이 열리고 건물 안으로 들어가 중앙마당을 훑어보았다. 딱히 전과 달라진 건 없었다. 관리사무실 쪽으로 고개를 돌리자 내가 팔을 꺾었던 남자가 보였다. 남자는 의자에 앉아 나를 노려보고 있었다. 아니,

실제로는 나를 보지 못하는 것 같았다. 나는 관리사무실 앞으로 가서 창문을 톡톡 두드렸다. 남자는 아무런 반응도 보이지 않았다. 최면에 걸린 양 멍한 표정이었다. 다시 창을 두드렸다. 역시 아무런 반응이 없었다. 나는 문을 열고 남자의 어깨에 손을 얹었다. 몸은 따뜻했지만 내가 몸을 흔들어도 전혀 알아채지 못했다.

나는 소리쳤다.

"내 말이 안 들려요?"

남자의 몸은 그대로 움직이지 않고, 눈도 흔들리지 않았다. 나는 소름이 끼쳐 뒷걸음질 쳤다.

'나가자. 당장 나가자.'

그러나 정문이 열리지 않았다. 문을 열려고 5분은 족히 씨름했다.

'나가지 못하게 열리지 않는 거야.'

다른 출구를 찾아보았지만 없었다. 마지트의 아파트로 올라가는 계단을 보았다.

'이제 다른 방법은 없어. 올라가야 해.'

마지트의 아파트로 올라가면서 그 사이에 있는 현관문을 다 노크했다. 아무런 대답이 없었다.

전에 마지트의 이웃을 본 적이 있었던가? 이 아파트 건물에서 다른 사람의 흔적을 느낀 적이 있었던가?

마지트의 아파트가 있는 층까지 올라왔다. 현관문이 열려 있었다. 마지트는 자주 입던 검정 레이스 가운을 입고 서 있었다.

"약속한 시간에 딱 맞춰 와야 한다고 말하지 않았어?"

마지트의 목소리는 침착하고 조용했고, 얼굴은 미소를 담고 있었다. 나는 아무 말 없이 마지트에게 다가갔다. 마지트를 붙잡고 입술에 진하게 키스했다.

"입술 맛은 진짜네."

"그래?"

마지트는 나를 아파트 안으로 끌어당겼다. 내 손을 잡아끌어 자기 다리 사이에 넣었다.

"나도 진짜 같아?"

나는 손가락 하나를 마지트의 그곳에 넣었다. 마지트는 신음했다.

"그런 것 같네."

나는 다른 한 손으로 마지트의 머리를 쓸어 넘기고 목에 입을 맞췄다.

"하지만 우리에게는 큰 차이가 있어."

"그게 뭐지?"

갑자기 마지트가 나를 밀쳤다. 나는 바닥에 넘어졌다. 마지트는 한 손에 날카로운 면도칼을 들고 있었다. 면도칼이 나를 향해 날아와 내 손을 살짝 스쳤다.

"젠장, 왜 이래?"

면도칼에 베인 상처에서 피가 나기 시작했다.

"그 차이는……."

마지트가 면도칼로 자기 목을 그었다. 나는 놀라 비명을 질렀다. 그러나 곧 멍한 눈으로 마지트를 쳐다보았다. 마지트에게는 아무 일도 일어나지 않았기 때문이다.

"해리, 이제 알았어?"

마지트는 다시 면도날로 왼손 손목을 깊이 벴다. 이번에도 다친 흔적은 남지 않았다.

"당신은 피를 흘리지만 나는 피를 흘리지 않아."

18

마지트가 물었다.

"나에 대해 뭘 더 알고 싶어?"

"모두 다."

"모두 다?"

마지트는 날카롭게 웃었다.

"그래서 설명이 된다면……."

"당신은 죽은 사람이야?"

"술이나 한잔 더 마셔, 해리."

마지트가 스카치위스키 병을 내밀었다.

"빌어먹을 스카치 좀 치워. 당신은 죽은 사람이야?"

마지트가 면도칼로 공격한 건 몇 분 전의 일이었다. 우리는 이제 소파에 앉아 있었고, 내 손의 상처에는 반창고가 붙어 있었다. 마지트가 상처를 소독하고 반창고를 붙여주었다. 나는 마지트가 휘두른 면도칼에 충격을 받아 그녀가 하자는 대로 반창고도 붙이고 소파에 앉아 위스키를 받아 마셨다.

"안 아파?"

마지트는 두 잔째 따른 위스키 잔을 나에게 건넸다.

"아파."

나는 위스키를 홀짝 마셨다. 술을 마시면 항생제 효과가 줄어든다는 의사의 말은 생각지도 않았다.

"다행이야. 근육은 안 다쳤어."

마지트가 내 손을 다시 살피며 말했다.

"그것 참 반가운 소식이네. 당신은 죽은 사람이야?"

마지트가 또 술을 따랐고, 나는 마셨다.

마지트가 물었다.

"경찰에서 무슨 이야기를 들었어?"

"당신이 뒤프레를 죽이고 '주디트와 졸탄에게 바침' 이라는 쪽지를 남겼다며? 사실이야?"

"사실이야."

"그리고 헝가리로 가서 보도와 로바스를 추적해 죽이고."

"그것도 사실이야."

"경찰에서 헝가리 경찰의 보고서를 봤어. 그 두 사람을 죽이기 전에 당신이 신체를 절단했다던데?"

"그것도 사실."

"손가락을 다 자르고 눈을 팠어?"

"로바스의 눈은 못 팠어. 시간이 없었거든. 하지만 손가락은 다 잘랐어. 보도의 목을 베기 전에는 눈을 없앴지."

"미쳤어."

"그래, 그때 나는 미쳤었지. 슬픔이 너무 커서. 분노가 너무 커서. 오로지 복수할 생각밖에 없었으니까. 내 삶에서 가장 중요한 사람을 죽인 자들을 내가 죽여야 분노가 사라질 것 같았어."

"하지만 그냥 죽인 게 아니잖아. 당신은 사람 몸에 칼질을 했어."

"그 말도 맞아. 사전에 철저히 계획하고 칼질을 했어. 내가 당한 대로 갚아주려고 주도면밀하게 계획했어."

"손가락을 자르는 게 당한 대로 갚는 거야?"

"뒤프레의 손가락은 자르지 않았어. 그 대신 나를 똑바로 보게 하고 배와 팔을 계속 찔렀지. 그 놈 때문에 내 인생이 어떻게 망가졌는지 말했어. 그 다음에 놈의 심장을 찌르고 목을 베었어."

"그 다음에 쪽지를 남기고 샤워를 하고 옷을 벗어두기까지 한 거야?"

"옷이 피투성이가 됐으니까. 하지만 사실은 그것도 다 계획한 거야. 일을 마친 뒤에 욕실에서 샤워를 했지. 쪽지를 남겼어. 커피도 마셨어. 첫차 시간이 다섯 시 이십삼 분이라 시간이 남았었지. 아직도 이렇게 상세하게 기억나다니, 정말 우습네. 사십분 뒤에 기차역에 도착했어. 표를 사서 기차에 탔지. 호사를 부려 특실에 탔어. 칸막이 객실 하나를 혼자 다 쓴 거야. 차장한테 여권을 맡기고 팁을 많이 주면서, 잠을 잘 테니 국경을 지날 때도 깨우지 말아달라고 부탁했어. 나는 옷을 벗고 열차 침대에서 여덟 시간 동안 곤하게 잤지. 깨어나니 슈투트가르트 근처더군."

"사람을 죽이고 나서 곤하게 잤다고?"

"잠을 못 자 피곤했거든. 그 놈을 죽일 때 아드레날린이 솟구쳐 더 피곤했나 봐."

"뒤프레를 죽이고 나서 기분이 좋았어?"

"멍했다는 게 가장 정확한 표현일 거야. 그 놈을 죽이기로 결심한 뒤로는 자동인형처럼 움직였지. '이렇게 하고, 저렇게 하고, 여기로 가고, 저기로 가고.' 머릿속으로 모두 조심스레 계획했어. 아주 작은 것 하나하나까지."

"자살도?"

"자살은 계획에 없었던 일이야."

"당신은 정말로 죽은 사람이야?"

"기다려. 보도와 로바스 이야기를 하고 나서 말해줄게."

"당신이 그 두 사람을 어떻게 고문하고 죽였는지는 듣고 싶지 않아."

"어쩔 수 없어. 들어야만 해. 아니면 당신이 원하는 답을 못 들을 테니까."

나는 위스키 병을 집어 들고 잔에 따른 다음 홀짝 마셨다.

"그럼 이야기해봐."

"계획을 실행하기 몇 주 전이었어. 1950년대에 우리 아버지처럼 반정부 신문을 만든 분과 연락했어. 그 분은 칠십대 노인이 되었는데 반정부 활동을 했다는 죄목으로 감옥에 다녀왔다고 했어. 취조 과정에서 고문을 심하게 받아 다리를 못 쓰는 분이었지. 나는 1974년에 프랑스 시민권을 얻어 부다페스트에 다녀왔어. 어른의 시각으로 부다페스트를 꼭 한 번 다시 봐야 할 것 같았지. 그때 그 분 집에서 함께 차를 마셨어. 그 분은 집이 도청당한다고 생각했기 때문에 솔직한 이야기를 나눌 수 없었어. 그 분은 가까운 공원을 산책하고 싶다며 나에게 휠

체어를 밀어 달라고 했지. 밖으로 나간 뒤에 내가 물었어. 내가 보는 앞에서 아버지를 죽인 자들을 찾을 수 없겠느냐고. '헝가리는 작은 나라야. 못 찾을 까닭이 없지. 그런데 정말 찾고 싶어?' 내가 대답했어. '지금은 아니지만 언젠가 때가 되면 꼭 찾고 싶어요.' 그 분은 나에게 그때가 되면 편지하라고 했어. 나를 도와주겠다고.

육년 뒤 나는 복수를 결심하고 그 분께 편지를 보냈어. 답장이 왔어. 그 사람들은 부다페스트에서 잘살고 있다고. 나는 계획을 세웠어. 뒤프레의 목을 그은 뒤, 기차를 타기로. 헝가리에 도착하자마자 그 분의 아파트를 찾아갔어. 그 분은 몇 년 사이에 아주 늙었지만 전에 공원에서 나에게 보여 주었던 다정한 미소는 그대로였지. 나는 다시 그 분의 휠체어를 밀고 밖으로 나갔어. 그 분은 내게 쪽지를 건넸지. '그게 그 두 사람의 주소야. 더 필요한 건 없어?' 내가 대답했지. '총이요.' 그 분이 말했어. '문제없어.' 그 분은 다락방에 엽총이 있다고 말하더군. 그 분의 아버지가 쓰던 아주 오래된 엽총이었어. 그 분이 총신을 톱으로 잘라 엽총 길이를 줄여 주었지. 내가 가방에 엽총을 넣고 작별인사를 할 때 그 분은 내 귀에 대고 속삭였어. '그 놈들을 최대한 천천히 죽여.'

호텔에 체크인하고 칼을 샀어. 다른 상점에서 테이프도 샀어. 로바스가 사는 곳은 부다힐스였지. 지하철을 타고 그 동네로 갔어. 집은 찾기 쉬웠지. 인터폰을 누르고, 목소리를 꾸며 '부인 계세요?'라고 물었어. 몇 년 전에 죽었다더군. 나는 공산당 노인 모임에서 왔는데 주소를 잘못 찾은 것 같다고 거짓말을 둘러댔지. 그 다음에는 페스트에 있는 보도의 집으로 갔어. 그 집에는 인터폰이 없더군. 하지만 초인종을 누르자 보도가 직접 문을 열었어. 칠십대의 구부정한 노인이 가운을 입고 나왔어. 당연히 보도는 나를 못 알아보았어. 나는 또 공산당 노인

345

모임에서 왔다는 거짓말을 했지. 보도의 아내도 몇 년 전에 죽었다더군. 그러면서 공산당 일이라면 기꺼이 이야기를 나누고 싶으니 안으로 들어오라고 했어. 뜻밖의 기회였지. 필요한 물건이 가방 속에 다 있었으니까 실행에 옮기기로 마음먹고 안으로 들어갔어. 작고 형편없는 아파트였어. 보도가 내 이름을 물었지. 내가 이름을 말하자 보도가 이러더군. '당 서기인 카다르와 같은 카다르?' 내가 또 대답했어. '아니, 미클로스 카다르의 카다르죠. 미클로스 카다르, 기억나죠?' 나는 이제 노인이야. 사람들을 너무 많이 만나 일일이 기억하기 힘들어.' '그렇지만 미클로스 카다르는 기억날 텐데요. 그의 딸이 보는 앞에서 그를 죽였으니까.' 나는 그 말을 마치자마자 잽싸게 엽총을 꺼냈어. 보도가 놀라더군. 하지만 내가 입술에 손가락을 대자 소리를 지르지는 않았어. '미클로스 카다르의 어린 딸을 기억하겠지? 네 놈이 바로 다른 놈에게 명령했잖아. 아이가 고개를 돌리지 못하게 잘 잡고 있으라고. 아이는 눈앞에서 아버지가 죽는 모습을 지켜봐야 했어.' 그러자 보도는 모르는 척 연기를 하더군. '도대체 무슨 말을 하는지 모르겠어. 나는 전혀 모르는 일이야.' 나는 총으로 그 놈 머리통을 갈기면서 계속 거짓말을 하면 당장 죽여 버리겠다고 말했어. 그 놈이 울면서 애원하더군. 미안하다고. 자기는 그저 명령을 따른 것뿐이라고. 그래, '명령을 따른 것뿐'이라는 말을 썼어. 나는 헝가리 공산당의 배려로 우리 모녀가 프랑스로 갔으니까 명령을 따랐다는 말은 거짓말이라고 말했지. 나를 붙잡고 있던 그 경관도 네 놈 명령이 아니었다면 내 고개를 못 돌리게 하지는 않았을 거라고. 일곱 살짜리 아이에게 눈앞에서 아버지가 죽는 모습을 보게 만들고, 평생을 상처와 고통 속에서 살아가게 만든 게 바로 네 놈이라고. 그러자 놈이 울면서 말하더군. '네 말이 맞아. 그래, 네 말이 맞아. 내가 잘못했어. 하지만 당시는 끔찍한 시대였고……' 바로 그때, 나는 놈의 대가리를 다시 한 번 갈겼어. 나는 놈에게 식탁 의자에 앉아 손바닥을 식탁에 대라고 말했어. 놈은 순순히 내 말을 따르더군. 내가 놈의 손을 테이프로 감으려고 총을 내려놓았을 때 얼마든지 도망칠 수 있었을 텐데 놈은 가만히 있더군. 놈이 식탁에서 팔을 빼지 못하고, 의자에서 몸을 움직이지 못하게 꽁꽁 동여매느라 테이프 세 롤을 다 썼어. '뭐? 끔찍한 시대였다고? 그 시대를 끔찍하게 만든 장본인이 누구지? 바로 네 놈들이야. 우리 아버지처럼 용기 있는 사람이 저항을 택할 수밖에 없었던 건 국민을 억누르는 독재정권 때문이었어. 우리 아버지가 독재정권에 대해 비판의 목소리를 높이니까 네 놈들은 어떻게 했지? 어린 딸의 눈앞에서 우리 아버지를 살해했어. 그러고도 네 놈 입에서 변명이 나와? 놈은 아무 말도 하지 못했어. 가만히 앉아 울기만 했지. 나중에야 알았어. 내가 놈의 몸에 테이프를 감는 동안 저항하지 않은 건 내 총이 두려워서가 아니었던 거야. 놈은 스스로 생각하기에도 벌을 받아 마땅하다고 느꼈겠지. 끔찍한 벌을 받을 만큼 잔인한 짓을 저질렀다는 걸 스스로 알고 있었던 거지."

"하지만 당신이 보도에게 한 짓도 잔인했어."

"물론 잔인했지. 소리를 못 지르게 입에 테이프를 감고 나서 내가 말했어. '잠시 뒤에는 차라리 총에 맞아 죽지 못한 걸 후회하게 될 거다.' 나는 가방에서 면도칼을 꺼냈어. 그런 다음 보도의 오른손 엄지를 잘랐어. 손가락을 자르는 건 그리 쉬운 일이 아니었지. 뼈를 자르는 게……."

내가 말했어.

"알았어. 더 이상 말하지 않아도 돼."

"아까 말했잖아. 내 이야기를 듣지 않으면 당신이 바라는 진실을 알 수 없을 거라고……."

"진실? 지금 이 상황에서 진실이 있기나 해?"

"그럼 당신은 지금 꿈을 꾼다고 생각해?"

"빌어먹을! 나는 아무것도 모르겠어."

"꿈에서도 손을 베일 수는 있지만 피가 흐르지는 않아. 현실과 꿈은 달라. 꿈은 그저 조금 다른 현실일 뿐이야. 내가 이야기를 다 마칠 때까지 중간에서 끊지 마."

"당신은 정상이 아니야."

"보도의 손가락을 죄다 잘랐으니 정상이 아니라는 거야? 물론 정상이 아닌 짓이었지. 입을 테이프로 칭칭 감아 봉했는데도 고통의 신음 소리가 새어나왔어. 하지만 나는 침착하고 차분하게 내 할 일을 했지. 우선 오른손 손가락을 차례로 잘랐어. 잠깐 쉬었다가 왼손 손가락을 차례로 잘랐지. 그 다음은 눈. 경찰보고서는 잘못된 거야. 난 눈을 도려내지는 않았어. 칼로 얇게 썰었을 뿐이야. 혹시 브뉘엘 감독의 초현실주의 영화 〈앙달루시아의 개〉를 봤어? 그 영화에서 여자가 면도칼로 안구를 써는 장면이 나오잖아. 그걸 보고 착안했지. 정말 기가 막힌 생각이지? 그래, 잔인한 짓을 했으니까 나를 미쳤다고 생각할 수도 있어. 하지만 간혹 큰 상처를 받은 사람은 광기에 휩싸여서……."

"당신의 행동을 정당화하려 하지 마."

"내 행위를 정당화하겠다는 게 아냐. 그냥 내가 한 일들을 당신에게 알리고 싶었을 뿐이야."

"그래, 나에게 알리니까 마음이 편해졌어? 보도를 그런 식으로 죽이고 나니까 당신 아버지의 죽음을 목격한 상처가 조금이라도 아물었어?"

"당시에는 오로지 한 가지 생각뿐이었어. '해야 할 일을 하자. 차분하고 세심하게. 복수를 완수하고 이 끔찍한 나라를 떠나자.' 보도의 안구를 없앤 다음에 목은 아주 살짝 뺐어. 천천히 피를 흘리며 죽어가게 하려고. 하지만 곧 테이프로 막은 코와 입에서 꺽꺽 소리가 나더군. 자기 자신이 흘린 피에 코와 입이 막히기 시작한 거야. 내 가방에는 여분의 옷가지가 들어있었어. 그래서 뒤프레 때와 똑같이 욕실로 가서 옷을 벗고 샤워를 했지. 하지만 이번에는 증거를 깨끗이 없앴어. 프랑스에서 내 살인을 알렸듯, 헝가리에서도 알리고 싶었지. 하지만 내가 헝가리를 벗어나기 전에 알게 되면 곤란하잖아. 그래서 내 지문이 묻어 있는 곳은 깨끗이 닦았지. 피 묻은 옷을 챙겨든 다음 보도가 조용해질 때까지 기다렸어. 그 다음에는 지하철을 타고 부다페스트로 갔어. 테이프를 샀던 가게에 들러 네 롤을 더 샀지. 로바스의 아파트로 가서 초인종을 눌렀어. 로바스가 소리치더군. '꺼져. 아무도 보기 싫어.' 내가 말했어. '공산당 노인복지국에서 나왔어요. 선물을 가져왔어요. 꼭 전달해야 합니다.' 내가 아파트 안으로 들어가 정체를 밝히고 총을 꺼내자 로바스는 계속해서 비명을 질러댔어. 내가 총으로 로바스의 머리를 내려쳤지. 로바스는 곧장 기절했어. 나는 로바스를 테이프로 묶었지. 로바스도 서서히 죽이려 했는데 누군가가 문을 두드렸어. 옆집 여자가 로바스의 비명을 듣고 쫓아온 거야. '로바스 씨, 괜찮아요? 안에 누가 있어요?' 붙잡히지 않으려면 당장 로바스의 목을 베고 주방 창문으로 달아났어야 했지. 로바스의 아파트는 일층이었거든. 하지만 나는 제정신이 아니었어. 머릿속으로 계속 로바스의 손가락을 자르고 안구를 도려내야 한다고 생각했지. 오른손 새끼손가락을 자를 때 로바스가 정신을 차렸어. 고통 때문에 깜박 기절했다가 깨어난 거지. 로바스의 입을 감은 테이프가 헐거워졌는지 그가 또다시 비명을 질렀고, 그 소리가 밖에까지 들렸나봐. 옆집 여자가 경찰에 신고하겠다고 소리치더군. 그래도 나는 도망치지 않았어. 계획대로 차분하게 일을 진행했지."

"당신 스스로 체포되기를 원한 거야?"

"그때에는 내가 뭘 원하는지도 몰랐어. 제정신이 아니었으니까. 난 한 가지 생각에 깊이 몰입하면 이성적인 판단이 불가능해. 그냥 나 자신에게 명령할 뿐이야. '다음 손가락을 잘라' 라고."

"세상에."

마지트는 미소를 지은 다음 담배에 불을 붙였다.

"마침내 경찰이 들이닥쳤지. 경관들이 문을 두드렸어. 그때부터 일을 서둘렀지. 손가락을 확실히 다 잘랐을 때 문을 두드리는 소리는 곧 커다란 나무기둥으로 문을 부수는 소리로 바뀌었어. 문이 부서지는 순간 나는 로바스의 머리채를 거머쥐었지. 문이 부서지고 경관들이 들이닥쳤어. 바로 그때 나는 로바스의 목을 그었어. 경관들이 깜짝 놀라며 멍하게 바라보고 있을 때 나는 내 목을 그었지."

"그리고?"

"그리고……그 결과 내가 증오하는 정권 아래에서 체포되고 재판을 받고 처형되는 건 피할 수 있었지."

"죽음을 대가로?"

"그래, 나는 죽었어."

침묵. 마지트는 담배만 계속 피웠다.

"그 다음은?"

"죽었다니까."

"그게 무슨 뜻이야?"

"나는 현세적인 형태로는 더 이상 존재하지 않는다는 뜻이야."

"죽은 뒤에 또 무슨 일이 있었어?"

마지트는 미소를 짓고 담배를 길게 빨았다.

"그건 말 못 해."

"왜?"

"음⋯⋯못 하니까."

"사망증명서를 봤어. 당신 스스로 목을 긋고 죽었다고 돼 있었어. 그러면⋯⋯그러면⋯⋯당신은 어떻게 여기 있을 수 있지?"

"여기 있으니까."

"그게 말이 돼? 불가능한 일이잖아. 당신 말을 어떻게 믿어?"

"해리, 언제부터 죽음이 말이 됐어?"

"하지만 당신은 여기 있잖아."

마지트는 또 미소를 지었다.

"그래, 하지만 설명은 못 해."

"나에게 설명해줘, 제발."

"그럴 필요 없어. 내가 당신을 위해 한 일도 설명하지 않을래."

"나를 위해 한 일?"

"좋을 대로 생각해. 아무튼 최근에 당신에게 해코지한 사람은 모두 벌을 받았지."

"브라세를 호텔 앞에서 차로 쳤다고? 당신이?"

"응."

"어떻게?"

"사람을 차로 치는 데 특별한 방법은 없어. 빌린 차를 탔지. 메르세데스벤츠 C클래스. 벤츠 중에서 가장 좋지는 않지만 그런 대로 꽤 괜찮은 차야. 〈셀렉트호텔〉에서 브라세가 나오기를 기다렸지. 브라세가 보도에 나오자마자 나는 액셀러레이터를 꼭 밟고 그에게 돌진했어."

"브라세는 운전자를 제대로 보진 못했지만 언뜻 보기에 여자 같았다고 했어."

마지트는 미소를 지었다.

"화장실에 있는 오마르도 당신이 죽인 거야?"

"당신 말이 맞아. 그놈은 똥냄새가 정말 지독했어. 비밀 한 가지 알려줄까? 오마르는 볼일을 보고 나서 화장지를 너무 조금 써서 손에 똥을 잔뜩 묻히는 버릇이 있어. 한 마디로 정말 역겨운 놈이더군. 그놈이 당신에게 얼마나 함부로 구는지, 공용 화장실을 얼마나 지저분하게 쓰는지 다 알아."

"봤어? 어떻게?"

마지트가 담배를 눌러 끄고 다시 새 담배에 불을 붙였다.

"죽어서 가장 좋은 게 뭔지 알아? 마음 편하게 담배를 피울 수 있는 거야."

"하지만 죽어서도 당신은 보통사람처럼 나이를 먹잖아."

"그래. 그건 참 이상한 일이야. 하지만 나는 그렇게 되더라."

"다른 사람은 달라?"

마지트가 고개를 갸웃했다.

"당신은 천국에 못 갔군."

"자살한 사람은 천국에 가기 힘들지."

"그럼 지옥에는?"

"음……아무 데도 안 갔어. 어찌된 일인지 내 아파트에 와 있더군. 죽은 지 십년이 지난 때였어. 그런데 이 아파트는……."

"집세는 누가 내고 있어?"

"헝가리로 가기 전에 내 변호사와 이야기했어. 뒤프레한테 받은 합의금으로 신탁기금을 만들어 달라고. 그리고 유언장에 아파트를 누구도 팔 수 없다고 적었어. 부다페스트에서 일을 제대로 끝내면 내가 아주 오랫동안 잠수를 타리란 걸 알고 있었으니까 그런 내용을 적어서……."

"그럼 자살은 계획에 없던 일이었어?"

"경찰이 쳐들어오기 전까지는 계획에 없었어. 아주 즉흥적인 결정이었지. 하지만 아까도 말했듯이 그때 나는 제정신이 아니었어."

"지금은 제정신이고? 야구배트로 사람을 패서 죽이다니……."

"자기 와이프를 마구 때린 놈이야. 당신을 죽이겠다고 협박했고."

"나에게 직접 협박한 적은 없어."

"당신은 못 들었지만 나는 들었어."

"어디서?"

"그 놈이 운영하는 카페에서. 그 놈은 내가 옆에 있는지도 몰랐지만."

"롭슨은?"

"기억 안 나? 내가 당신에게 물었잖아. 롭슨을 망가뜨릴 좋은 방법이 없는지. 내 질문에 당신은……."

"당신이 롭슨의 컴퓨터에 아동포르노를 넣을 거라고는 생각하지 못했어."

"당신이 은연중 바란 일이야. 롭슨은 당신 인생을 완전히 망가뜨린 놈이야. 벌을 받아 마땅하지. 일주일 안에 놈은 감방에서 자살할 거야."

"당신이 자살하게 만들 거야?"

또 웃음.

"나는 다른 사람 머릿속에 들어가 그 사람을 맘대로 조종할 수 있는 정령이 아냐."

"그래, 그냥 사큐버스지."

"사큐버스는 남자가 자는 사이에 그 남자와 섹스를 하는 여자 악령이잖아. 해리, 당신은 생생하게 깨어 있었어."

"그럼 도대체 당신은 뭐란 말이야? 어제 여기 왔었는데 이 집은 온통 먼지로 덮여 있었어. 관리인은 여기에 몇 년 동안 아무도 안 살았다면서 나를 미친놈 취급했지."

"당신은 미치지 않았으니까 걱정 마. 당신이 나를 찾아오는 날, 그 시간 만큼은 이렇게 멀쩡한 집이 되지."

"이 건물에 사는 다른 사람들은? 아까 관리인을 보니까 최면에 빠진 사람 같던데, 다른 사람들도 모두 그렇게 되는 거야?"

"좋을 대로 생각해."

"도무지 이해가 안 돼. 왜 사흘에 한 번씩, 세 시간만?"

"내가 할 수 있는 게, 얻을 수 있는 게 그것뿐이니까. 나는 바랐어. 당신과의 다정한 밀회. 하지만 나에게는 한계가 있어. 일주일에 두 번, 단 몇 시간만 당신을 만날 수 있지."

"그것밖에 허락을 못 받은 거야?"

"아니, 나에게 이래라저래라 지시하는 사람은 없어."

"그래서 허영덩어리 미국 여자가 일요일마다 여는 살롱에 숨어들어가 나 같은 바보를 찾아다닌 거야?"

"거기서 만난 남자는 당신 빼고 딱 한 명밖에 없어."

"나 말고 다른 한 명은 누구야?"

"허스트라는 독일사람. 1991년 유월에 만났어. 내가 세상에 다시 나타난 직후였지. 나는 내가 다녔던 장소에 다 가보기 시작했어. 내가 죽은 지 십일 년째 되던 때, 파리에 있게 됐어. 그때 나는 허버트 부인의 발코니에 있으면 누군가를 만나게 되지 않을까 생각했어. 몇 주 동안 숨어 있는데 허스트가 나를 알아보더군. 그는 당신처럼 사십대고, 이혼한 지 얼마 되지 않았고, 혼자 파리에 온 사람이었어. 슬프고 외로운 남자였지. 우리는 이야기를 나눴어. 그도 이 아파트에 약속한 다섯 시에 왔어. 우리는 섹스를 하고, 위스키를 마시고, 담배를 피웠지. 허스트는 자기 와이프가 바람피운 이야기, 화가인데 작품이 잘 안 풀린다는 이야기, 고교에서 미술을 가르치는데 아주 답답하다는 이야기를 털어놓았어. 그래, 우리 이야기는 다 다르지만 또 거의 비슷해. 그렇지? 여덟 시가 되어 나는 허스트에게 돌아가라고 했어. 사흘 뒤에 다시 오라고. 허스트도 다시 오겠다고 했지. 하지만 오지 않았어. 그 후로도 종종 허버트 부인의 발코니를 찾아갔어. 누군가 나를 봐 주기를 기대하며 참고 기다렸지. 몇 년 동안 아무도 나에게 눈길을 주지 않았어. 그러다가 당신이 나타난 거야. 당신은 나를 알아봤어. 당신이 기꺼이 나를 보려 했기 때문이야."

"말도 안 돼."

"우리가 함께 보낸 시간이 허구라는 주장은 그만해. 우리 이야기에 논리는 없어. 단지 우리가 함께 했다는 것만이 중요해. 당신은 기꺼이 나를 보려 했으니까."

"헛소리."

"그게 아니라면 당신은 왜 여기에 계속 왔어? 꼬박꼬박 약속을 지켰잖아. 단지 섹스 때문이야?"

"섹스도 큰 이유지."

"그래, 나 역시 그랬어. 하지만 섹스가 전부는 아니었지. 당신은 나를 만나야만 했어. 여러 가지 의미에서 '만나야 했어'. 나는 당신을 위해 잘못된 일을 바로잡아주어야 했고."

"도저히 받아들일 수 없는 이야기야."

"받아들여야 해. 아니, 받아들여! '믿음'의 반대말은 어쩌면 '증거' 인지도 몰라. 하지만 당신에게는 증거가 있잖아. 나. 당신. 여기 이 집."

"당신은 실제로는 존재하지 않아."

"아니, 나는 지금 여기에 분명 존재해. 당신이 존재하는 만큼 나도 존재해. 이 방, 이 순간, 이 시간. 이게 아무것도 아닐지 모르지만, 그 아무것도 아닌 게 우리에게는 전부일 수도 있어. 누가 뭐래도 우리는 지금 함께하고 있으니까. 해리, 당신은 이 사실을 부정할 수 없어. 부정해서도 안 돼. 당신에게는 이게 사랑이니까."

"당신이 뭘 안다고……."

"사랑에 대해? 내가 사랑에 대해 모른다고 생각해? 어떻게 그런 말을 해? 나는 사랑 때문에 미쳤던 사람이야. 나는 사랑 때문에 사람을 죽이기까지 했어. 사랑……내가 아니면 누가 사랑을 알지? 그래, 사랑도 우리 인생의 다른 모든 것과 마찬가지로 끔찍해질 수 있지. 사랑 때문에 낭떠러지 끝에 서게 될 수도 있어. 그렇지만 사랑도 아주 커다란 우주의 뜻에 따라 여기에 혹은 저기에 나타나는 거야. 그러다가 일순 서로의 사랑이 마주치면……그게 행복이야. 사랑보다 더 좋은 건 없어."

"자식에 대한 사랑도 있어."

침묵. 그리고 마지트가 말했다.

"자식은 전부야. 누군가 전부를 앗아갔다면, 그 사람은 죽어 마땅해. 아니, 죽여야 해."

"복수를 하고 나니까 마음의 상처가 전부 치유됐어?"

"자식을 잃은 슬픔과 비탄에서 벗어났는지 묻는 거야? 아니면 내가 저지른 살인의 끔찍한 악몽에서 벗어났는지 묻는 거야? 당연히 아직 벗어나지 못했어. 영원히 벗어나지 못하겠지. 하지만 나는 당신을 통해 새로운 구원을 얻으려 했어."

"미친 짓이야."

"사랑하는 사람을 위해 정의를 실현하는 게 미친 짓은 아니지."

"그건 폭력을 쓰는 사람이 흔히 꺼내놓는 변명이야."

"아무튼 모든 일이 당신에게 유리한 쪽으로 돌아가고 있잖아. 롭슨은 감방에 갔어. 세제르와 놈의 못된 오른팔은 경찰에 체포됐어. 세제르 일당은 당신을 죽이려 했던 자들이야. 오마르는 당신을 협박했다가 죽었어. 야나의 남편은 세상에 더 이상 살 가치가 없는 놈이었지. 당신은 조금도 불평할 이유가 없어. 조만간 모든 일이 당신에게 유리하게 전개될 거야."

나는 벌떡 일어섰다.

"내가 이 미친 짓을 받아들일 것 같아?"

"당신은 이미 받아들였어. 처음부터 당신은 나와 공범이었지."

"처음부터? 내가 당신을 볼 수 있었기 때문이라는 뜻이야? 다른 사람은 보지 못하는 당신 같은 여자를?"

"왜 내가 당신 눈에 보였을지 생각해봤어? 당신이 나를 간절히 필요로 했기 때문이야. 당신은 해결하고 싶은 온갖 문제들 때문에 나를 필요로 했던 거야."

"당신은 그런 나를 늘 따라다녔고?"

"그렇다고 할 수 있지."

"하필이면 왜 나야?"

"그런 한심한 질문이 어디 있어? 우리는 서로 연결되어 있어."

"연결? 당신은 그저 일주일에 두 번씩 섹스 상대를 만난 것뿐이야."

"그럼, 당신은?"

"끔찍하기 짝이 없는 날들 속에서 내가 간절히 기다리고 바란 건 오로지 당신을 만나는 것뿐이었어."

"나는 달랐을 거라 생각해? 이 방에서 우리가 섹스만 했다고 생각해? 당신도 잘 알고 있듯이 우리는 대화를 나누었어. 서로 상대에게 마음속 이야기를 다 털어놓았지. 그러면서 안식을 찾았던 거야. 나는 그게 좋았어. 당신과 나누는 대화가 점점 더 필요했어. 그런 내 마음을 당신에게 제대로 표현하지 못했을지도 몰라. 아니, 당신을 멀리했어야 했는지도 몰라. 하지만 당신은 계속 가까이 다가왔어. 내가 당신을 필요로 한 만큼 당신도 나를 필요로 했던 거야."

"내가 앞으로도 여기, 당신이 만들어놓은 이 이상한 공간에 계속 올 거라 생각한다면……."

"이제 당신은 나에게서 벗어날 수 없어."

마지트의 목소리는 나직하고 건조했다.

"벗어날 수 있어. 아니, 벗어날 거야. 우리 관계는 이제 끝났어. 당신처럼 죽었어."

"아니, 죽지 않았어. 이제 당신은 나에 대해 다 알게 됐어. 당신은 싫든 좋든 일주일에 두 번씩 여기에 와서 나를 만나야 해. 나는 영원히 당신을 지켜주는 사람이 됐으니까. 우린 끝이 아니야."

"집어치워."

나는 문으로 갔다.

"해리, 유치하게 굴지 마. 그래, 이해할 수 있어. 받아들일 시간이 필요하겠지."

"아니, 난 아무것도 받아들이지 않을래. 오늘이 지나면 다시는 내 얼굴을 보지 못할 거야."

"아니, 볼 수 있을 거라 믿어. 당신은 나를 계속 찾아올 수밖에 없을 거야. 당신 스스로 해결할 수 없는 문제에 직면하게 되면 어쩔 수 없이 나를 찾아오게 될 거야."

"꿈 깨. 앞으로 내 주위에서 얼씬거리지 마."

"그러지 마, 해리. 정말 묻고 싶은 게 있어. '해리, 당신은 내 옆에 얼씬거리지 않을 자신 있어?'"

"물론이야."

나는 그렇게 말하며 얼른 현관문을 나갔다.

마지트가 문을 닫으며 말했다.

"사흘 뒤에 봐."

나는 계단을 달려 내려갔다. 중앙 마당을 지나 관리사무소 앞에서 잠깐 동안 걸음을 멈췄다. 관리인은 여전히 최면에 걸려 가만히 앉아 있었다. 나는 정문으로 가 잠금장치를 열었다. 이번에는 철컥 소리와 함께 잘 열렸다.

나는 거리로 나왔다. 자동차 소리가 귀를 가득 채웠다. 길 양편으로 오가는 행인들도 있었다. 모퉁이 상점의 나이 든 주인은 작은 카운터 뒤에서 한없이 지루한 표정으로 앉아 있었다. 세상은 평소와 다름없이 잘 돌아가고 있었다.

다시 마지트의 아파트 건물 정문으로 갔다. 내가 잠시 전까지 머물렀던 세계가 정말 일 분도 지나지 않아 사라질까? 나는 암호 키의 비밀번호를 누르고 안으로 들어갔다. 중앙 마당에 서서 관리 사무소를 보았다. 관리인은 이제 최면 상태에서 벗어나 있었다. 그는 나를 보자마자 책상에 놓아둔 각목을 집어 들고 일어나더니 밖으로 뛰어나왔다.

"또 왔어? 다시 오지 말라고 했지? 당장 꺼지지 못해."

관리인이 위협적으로 각목을 휘둘렀다.

나는 얼른 거리로 뛰어나가 지하철역을 향해 걸었다. 반쯤 가다가 몸이 몹시 떨렸다.

'지금도 마지트가 내 옆에 있을까? 내가 가는 곳이 어디든 그림자처럼 나를 뒤쫓아 다닐까?'

카페에 들어가 위스키 더블을 시켰다. 이미 마지트가 따라준 위스키를 많이 마셨고, 좀 더 마셨지만 마음은 좀처럼 진정되지 않았다.

'내가 정말로 미친 걸까?'

손가락을 코에 가져다댔다. 마지트의 깊은 곳에 닿았던 내 손가락에서는 아직도 그녀의 냄새가 남아 있었다. 손에 붙인 반창고도 만져보았다.

'죽었는데⋯⋯죽은 여자가 내 손에 반창고를 붙여주다니?'

나는 또 위스키 더블을 주문했다.

'생각을 해보자. 생각을 해보자.'

아니, 생각하지 말자. 그냥 달리자. 호텔로 돌아가 가방을 챙기고 택시를 타자. 기차역으로 곧장 달려가 런던으로 가는 밤차를 타자.

'하지만 소설은?'

소설 따위는 잊어버리자. 당장 파리를 떠나자.

'그 다음에는? 그 소설이 아니면 내가 파리에서 보낸 시간은 의미를 잃게 된다. 영국에 가서 마땅히 할 일도 없다. 백업디스크라도 있으면 줄거리를 다시 따라갈 수 있을 텐데. 나중에 내 자신에게 위안삼아 말할 수 있을 텐데. 나는 최소한 뭔가 이루기 위해 노력했다고. 사무실로 가서 디스크를 가져오자. 이제 겁낼 게 없지 않은가? 세제르와 마무드는 경찰서에 갇혀 있다. 형사들은 이제 그 건물 따위에는 관심도 없다. 디스크를 가져오자. 건물에 들어갔다 나오는데 일 분도 걸리지 않을 것이다. 디스크를 챙기면 당장 기차역으로 가서 여기서 벌어진 일들을 다 잊자.'

카페에서 일어설 즈음에는 결론이 조금 달라져 있었다. 새벽에 사무실에 들어가 백업디스크를 가져오는 게 가장 좋을 것 같았다. 새벽 6시쯤이 가장 좋겠지. 자정에는 누군가 나를 해치려고 기다릴지도 모르니까. 하지만 몇 시간이고 내가 나타나지 않으면, 내가 아예 오지 않을 거라 체념하고 돌아가겠지. 5시 30분까지 잠을 자둘 필요가 있었다. 정말이지 나에게는 잠이 필요했다.

나는 힘겹게 몸을 일으켜 카페를 나왔다. 지하철을 타고 기차역으로 가 다음날 아침 7시 35분에 출발하는 런던 행 유로스타 표를 예매했다. 티켓 값을 계산하려고 지폐를 세다가 다시 한 번 생각했다.

'마지트가 나를 지켜보고 있을까?'

다시 지하철을 타고 샤토도 역에서 내렸다. 세바스토폴 대로에 늘어서 있는 상점 한 곳으로 들어갔다. 상점은 다카르, 베냉 같은 아프리카 도시로 전화하는 사람들로 붐볐다. 나는 전화카드를 사들고 합판으로 조악하게 만든 칸막이로 들어갔다. 앞에 전화기가 놓여 있었다. 손목시계를 보았다. 파리 시각으로 오후 8시 5분, 오하이오는 오후 2시 5

분이다. 수화기를 들었다. 피하고 싶지만 꼭 걸지 않으면 안 될 전화……

벨이 두 번 울리자 수잔이 전화를 받았다.

내가 말했다.

"안녕?"

수잔이 나직이 말했다.

"해리?"

"그래, 나야. 잘 지내?"

"잘? 아주 끔찍하게 잘 지내. 내 형편이 어떤지 다 알고 전화했지? 아니면 한 번도 연락이 없다가 왜 이제야 불쑥 전화했겠어."

헤어지지 전까지 몇 년 동안 수잔이 늘 나에게 했던 말투.

"내가 그동안 전화하지 않은 건 당신이 하지 말라고 해서야."

"알아, 알아. 그냥 흘려들으면 안 돼? 지금 내가……"

"수잔, 당신이 잘 지내는지 궁금해서 전화했어. 그것뿐이야."

침묵. 이내 수잔이 숨죽여 우는 소리가 들렸다.

"롭슨이 오늘 아침에 목을 맸어."

이런 젠장.

내가 물었다.

"롭슨이 자살했어?"

"그래, 오늘 아침에 감방에서 침대시트로 목을 맸대. 나도 방금 전에야 알았어. 텔레비전 방송국 기자가 나에게 전화해 그 끔찍한 소식을 전하며 내 심정이 어떤지 물었어. 개자식. 남의 불행 앞에서 어쩜 그런 태도를 보일 수 있어?"

나는 아무 말도 하지 못했다. 수잔이 계속 말을 이었다.

"며칠 사이에 모든 걸 다 잃었어. 모두 다. 직장, 경력. 학장과 놀아

난 게 밝혀졌으니 이제 다른 학교에서 교수 자리를 얻기도 힘들겠지. 롭슨이 아동포르노를 보고 있었다니, 정말 끔찍해."

또 숨죽인 흐느낌.

내가 말했다.

"내가 도울 일이 뭐 없을까?"

"괜히 너그러운 척하지 마. 속으로는 쾌재를 부르고 있다는 걸 다 알아. 이제 당신의 적이……."

수잔은 결국 말을 잇지 못하고 울음을 터뜨렸다.

"수잔, 메건과 통화할 수 있을까?"

"메건은 지금 통화할 입장이 아니야. 롭슨이 저지른 범죄를 모르는 사람이 없어. 메건 학교 친구들도……. 당신도 알잖아. 아이들이 더 잔인하다는 거."

"메건한테 전해줄래? 내가 통화하고 싶다고."

"알았어."

"메일을 보내면 내가 전화하겠다고 전해줘. 돈이 필요하면……."

"지금도 파리에 있어?"

"그래, 파리에."

"일해?"

"지금은 안 해."

"일도 안 하는데 돈이 어디 있어?"

"일을 좀 했어. 아주 조금이지만 돈을 조금 모아두었어. 그러니까 상황이 힘들면……."

"지금은 아무런 생각도 못하겠어."

수잔은 그렇게 말하고 나서 한참 뒤에 덧붙였다.

"메건한테 말할게. 당신이 전화했다고."

그런 다음 전화가 끊겼다.

'마지트, 다 들었지? 퍽이나 자랑스럽겠네. 당신이 죽인 사람이 한 명 더 늘어났어. 내가 기뻐할 줄 알지? 지금 내 기분이 얼마나 끔찍한지 알아? 지금 난 죄책감밖에 못 느끼겠어.'

이제 그만! 잠을 자야 해. 곤히 자고 기운을 차려야 해. 수면제를 먹어. 위스키를 마셔. 그냥 호텔로 가서 담요를 덮어. 새벽까지 잔 뒤에 깨끗이 떠나는 거야.

그래서 나는 〈르노르망디호텔〉의 내 방으로 돌아왔다. 가방을 다시 쌌다. 휴대용 라디오 알람을 오전 5시 15분에 맞추고 수면제를 먹은 다음 삐걱거리는 침대로 올라가 베개를 꼭 끌어안았다. 마지트의 목소리가 귓전에 울렸다.

'이제 당신은 나를 벗어날 수 없어.'

'이제 아침이 되면 나는 기차를 타고 당신을 벗어날 거야. 당신은 나를 막지 못해. 나를 괴롭히고 싶다면 얼마든지 그렇게 해. 런던까지 따라와 봐. 그래도 나는 또 벗어날 테니까. 이제 우리는 끝났어.'

수면제가 효과를 발휘해 기절하다시피 잠을 잤다. 알람 소리에 잠에서 깨어났다. 나는 침대에서 벌떡 일어나면서 마지트가 옆에 있다고 느꼈다. 내가 잠을 자는 동안 마지트가 내 무의식 속으로 들어오는 건 아닐까?

'내가 잠든 모습을 지켜보나? 합판 칸막이 안에서 수잔한테 전화할 때에도 마지트는 내 옆에 앉아 통화내용을 다 들었어. 이제 마지트는 수잔을 해코지할 계획을 세우고 있을지도……'

아침이야. 잠을 잘 잤어. 두 시간 뒤면 기차가 출발해. 디스크를 챙기고, 기차역으로 가. 떠나. 그러면 이 망상도 곧 사라질 거야.

'믿음의 반댓말은 증거인지도 몰라.'

마지트의 그 말은 네 생각을 맘대로 조종하려고 던진 말일 뿐이야. 손에 생긴 상처? 네가 망상에 빠져 스스로 낸 상처야. 관리인의 말이 맞아. 난 미쳤어. 디스크를 챙기고 기차를 타. 런던에 가면 곧장 정신과 의사를 찾아가. 약을 먹고 망상을 끝내. 현실로 돌아가.

좁은 욕실에서 샤워를 했다. 고개를 젖혀 얼굴에 물줄기를 맞고 서둘러 옷을 입었다. 프런트를 지날 때의 시각은 5시 40분이었다. 거리는 텅 비어 있었다. 포부르 생드니에 있는 시장의 상점들에 물건을 대는 트럭 몇 대만이 보일 뿐이었다. 가방을 끌며 페티트제큐리 가로 향했다. 인터넷카페를 지날 때 그곳을 흘깃 쳐다보았다. 셔터가 내려져 있었다.

'턱수염, 안녕. 엿이나 먹어.'

내 일터였던 건물 가까이까지 왔다. 골목 입구에서 걸음을 멈추고 주위를 살폈다. 이제 막 동이 트려 하고 있었다. 청회색 새벽빛이 자갈길을 비췄다. 골목 안에는 사람이 아무도 없는 것 같았다. 다시 고개를 돌려 거리를 보았다. 텅 비었고, 지나가는 자동차도 없었다. 주위 건물의 창도 다 확인했다. 모두 다 셔터나 커튼이 내려져 있었다. 그 어디에도 나를 유심히 지켜보는 사람은 없었다.

좋아. 이제 속으로 숫자를 세면서 사무실에 다녀오자. 들어갔다가 여기로 나왔을 때, 딱 6시가 되면 돼.

'하나, 둘, 셋, 넷……'

정문에서 고개를 들었다. 카메라는 사라지고 브래킷만 남았다. 경찰이 증거로 가져간 것 같았다.

열쇠는 미리 쥐고 있었다. 문을 열었다.

'아홉, 열, 열하나……'

복도는 텅 비어 있었다. 복도 끝에 있는 철문 틀에는 경찰이 붙인 노란색 테이프가 늘어져 있었고, 문은 활짝 열려 있었다. 그러나 안을 들여다볼 생각은 없었다. 가방을 정문 옆에 두고 계단으로 달려갔다. 두 번째 열쇠를 손에 쥐고 문을 열었다.

'열일곱, 열여덟, 열아홉, 스물……'

내 책상은 뒤집혀 있고, 비상구 문은 열려 있었다. 이용할 일도 없었던 비상구. 바닥의 리놀륨은 대부분 파손돼 있었다. 경찰이 바닥을 뒤졌겠지. 그래도 비상구 위에 있는 작은 틈은 못 봤을걸.

'스물셋, 스물넷, 스물다섯……'

비상구 앞으로 갔다. 위쪽 틈으로 손을 올렸다. 손가락을 더듬거렸다. 디스크가 너무 깊이 들어가 있어 손가락에 집히지 않았다.

'젠장, 젠장, 젠장.'

디스크의 한쪽이 튀어나오게 하려고 손가락으로 다른 한쪽을 찔렀지만 소용없었다. 이번에는 열쇠를 이용해 디스크를 빼내보려고 해보았다.

디스크의 한쪽 끝이 조금씩 빠져나오기 시작하면서 또 다른 일이 벌어졌다. 쾅 소리와 함께 출입문이 닫혔다. 곧바로 밖에서 문을 걸어 잠그는 소리가 들려왔다.

나는 얼른 문으로 달려가 문손잡이를 잡고 마구 돌렸지만 문은 꿈쩍도 하지 않았다. 열쇠를 집어넣었지만 돌아가지 않았다. 열쇠를 빼려 하는데 이제 열쇠가 꽉 물려 움직이지 않았다. 좌우로 마구 흔들고 앞뒤로 힘을 주었지만 열쇠는 빠질 생각을 하지 않았다. 나는 문을 발로 걷어찼다. 한 번, 두 번, 세 번, 네 번.

'소용없어. 안 열려. 절대로 안 열려.'

또 다른 소리가 들렸다. '펑' 하는 소리. 방 환기구에서 뭔가 폭발한 것 같았다. 난방이 과열되어 나는 소리가 아니었다. 순식간에 방이 뿌옇게 될 만큼 회색 연기가 가득 찼다. 매캐한 연기가 코로 들어왔다. 눈이 따가웠다. 입술도, 코도, 폐도 따가웠다. 나는 간신히 비상구 쪽으로 달려갔다. 비상구에서 이어진 통로에도 벌써 연기가 가득 차 있었다. 그래도 열 걸음쯤 앞으로 나아가자 신선한 공기를 조금이나마 마실 수 있었다. 비상구의 통로는 달려가면서 계속 벽에 이마를 찧어야 할 만큼 좁았다.

통로 끝까지 왔지만 문은 없었다. 그저 벽이었다. 곧장 달려가다가 벽에 쾅 부딪쳤다. 이제 매캐한 연기가 통로를 가득 채웠다. 신선한 공기는 모두 사라졌다. 이내 캑캑거리는 기침이 쏟아졌다. 코에서 피가 흘렀다. 연기가 점점 짙어졌고 폐가 쓰라렸다. 흙바닥에 바싹 엎드려 계속 캑캑거렸다. 왠지 토할 것 같아 나는 소리쳤다.

"마지트! 마지트! 마지트!"

아무 일도 일어나지 않고 숨만 더 막혔다.

"마지트! 마지트! 마지트!"

목소리가 갈라지며 눈앞이 흐릿했다. 연기 속에서 내 머리에는 단 한 가지 생각만이 가득했다.

'이런 게 죽음이구나. 서서히 연기에 질식해 결국 아무것도 보이지 않게 되는 것.'

"마지트! 마지트! 마지……."

목소리가 점점 약해져 마지트의 이름을 끝까지 부를 수 없었다. 기침, 딸꾹질, 죽음이 가까이 오면 공포에 질릴 줄 알았다. 그러나 질식 상태에 내 자신을 맡겼다. 마음이 기묘할 만큼 침착해졌다. 아무리 비참한 상황에서 죽더라도 죽음은 아주 자연스러운 과정이야. 여기 있다가 없어지는 것뿐. 그리고 연기로 가득 찬 이 방 너머의 세상은 아무일 없다는 듯이 잘 돌아가겠지.

죽음을 받아들인 순간, 더없이 이상한 일이 벌어졌다.

문이 확 열리며 소방관이 뛰어 들어왔다. 방독면을 쓴 소방관의 손에는 방독면이 하나 더 들려 있었다. 소방관은 나를 붙잡고 내 얼굴에 방독면을 씌웠다. 산소가 폐로 확 밀려들었다. 소방관은 딱 한마디만 했다.

"운이 정말 좋군요."

19

닷새 동안 병원에 있었다. 나중에 알게 됐지만, 그때 병원에서는 나를 '심각하지만 안정적인 상태'로 분류했다고 한다. 화상은 입지 않았지만, 유독가스를 심하게 마셔 폐가 영구히 손상될지도 모른다고 했다. 눈도 유독가스에 심하게 노출됐다. 염증이 가라앉을 때까지 눈은 48시간 동안 식염수로 덮여 있었다. 산소호흡기도 달고 있었다. 폐가 심하게 손상됐지만 조만간 회복될 것이라는 의사의 진단이 내려지고 나서야 산소호흡기를 뗐다.

의사가 말했다.

"앞으로 반 년 동안은 절대로 비행기를 타선 안 됩니다. 기압이 변하면 기관지 전체에 심각한 손상이 초래될 수 있습니다. 생명을 잃을 수도 있어요. 당분간 절대 안정을 취하세요. 그런 사고를 당하고도 살아남은 게 오히려 행운이죠."

병원에서는 모두들 나에게 행운이라 말했다. 경찰도 마찬가지였다. 쿠타르 형사까지도 그렇게 말했다. 쿠타르 형사는 내가 호흡기를 떼고 나서 나를 찾아왔다. 내 안부가 염려되어 병문안을 온 건 아니었다.

쿠타르 형사는 내 침대 옆으로 의자를 끌어와 앉으며 말했다. "신의 가호가 있었군요. 선생을 구조한 소방관이 그러던데, 삼 분만 늦었어도 선생은 아마 살아남지 못했을 거라더군요."

"퍽이나 행운이네요."

"죽음의 문턱에서 가까스로 탈출했으니 우울하고 냉소적이 될 만합니다. 하지만 의사가 마음을 편안하게 만들어주는 약도 처방했을 텐데요?"

"옆에서 괴롭히는 사람만 없으면 나는 그리 우울하지 않아요."

"용의자를 잡아 방화와 살인미수로 기소했어요. 델리크 씨라고, 선생도 아는 사람일 텐데⋯⋯. 페티트제큐리 가의 인터넷카페에서 일하는 사람. 그가 누군지 선생도 잘 알죠?"

"콧수염을 기르고 늘 인상을 쓰는 사람 말입니까?"

"예, 바로 그 사람입니다. 세제르의 명령으로 건물을 불태우려 했다는 증거를 잡았어요. 세제르는 아타니의 살인을 교사한 혐의로 구금 중입니다. 사실은 세제르가 선생의 집주인이고, 고용인이었어요. 세제르는 자기가 우두머리라는 사실을 절대 밖으로 드러내지 않았죠. 쓰레기통에서 시체로 발견된 카말을 죽인 범인도 델리크였어요. 카말이 보관하고 있던 헤로인 일킬로그램이 없어지는 바람에 살해했다더군요. 인터넷카페의 실질적인 주인도 세제르였어요. 세제르는 델리크에게 카말을 없애면 인터넷카페 지분을 주겠다고 약속했죠. 선생이 목숨을 잃을 뻔한 화재의 방화범도 델리크가 확실해요. 델리크는 아직 범행을 부인하고 있어요. 불은 건물 환기 장치를 돌리는 발전기 옆에서부터 붙기 시작했고, 누군가 불길에 유황을 뿌려 유해가스를 더 많이 발생시켰어요. 그런 다음 난방 팬 출력을 최대로 올렸죠. 선생을 방에 가두고 그런 짓을 했으니까 아주 계획적인 행위라 볼 수 있습니다. 델리크는 범행을 완강하게 부인하고 있지만 인터넷카페에서 유황이 든 자루가 발견됐어요. 델리크는 그게 왜 거기 있는지 모르겠다고 항변했어요. 하지만 누가 그걸 거기에 가져다 놓았겠어요."

'나는 누가 그랬는지 다 알지.'

"자루는 사분의 삼이나 비어 있었어요. 화재현장에서 발견된 유황과 인터넷카페에서 찾은 유황은 동일한 제품으로 밝혀졌어요. 확실한 증거를 잡은 셈이죠. 지나가던 여자가 건물 꼭대기 층에서 연기가 솟는 걸 보고 소방서에 신고했다는군요. 선생한테는 정말이지 다행스러운 일이 아닐 수 없죠. 그 여자가 선생을 살린 생명의 은인이니까."

"그 여자는 자기 신분을 밝혔나요?"

"아뇨. 불이 났다고 신고하고 전화를 끊었다더군요. 선생의 유령 여인이 한 명 더 늘었네요."

'아니, 바로 그 여인이야. 하나뿐인 나의 유령 여인.'

"델리크가 선생의 방도 엉망으로 만든 것 같아요. 정말 엉망이더군요."

"제 방을 감시하고 있었군요?"

"선생의 방이 엉망이 되었다고 해서 출동했죠."

"누가 신고했죠?"

"선생 방은 범죄현장 바로 옆이잖습니까? 오마르가 죽은 곳에 간 경관이 선생 방이 엉망이 된 걸 발견했어요. 당연히 수사에 착수했죠. 가난한 소설가의 방을 엉망으로 만든 이유가 뭔지 궁금했으니까. 선생

소설의 첫 장도 번역했어요. 선생이 스스로를 소설가라고 말했지만, 그 말을 확인하기 위해서는 선생의 글을 읽지 않을 수 없었죠."

"그게 합법적인 일인가요?"

흥분해서 말이 제대로 나오지 않았다.

"기뻐하셔야죠. 선생의 소설이 번역됐는데 그런 기회가 어디 쉽게 오겠어요?"

"마음에 들던가요?"

"아, 그 말씀을 들으니 진짜 작가가 맞는 것 같군요. 작가들은 늘 독자의 반응에 신경을 쓰니까. 예, 아주……흥미롭더군요."

"마음에 안 들었군요."

"어떻게 아셨죠?"

"미국인은 반어법을 모른다고 알려져 있지만 실은 아주 잘 알죠."

"첫 장은 아주 마음에 들었어요. 미국 중산층의 일상, 보수적인 아버지, 신경질적인 어머니, 예민한 아들. 독창적이었죠. 자전적인 요소도 조금 들어가 있는 것 같던데……."

"잘 보셨군요."

"사실 나머지 부분도 계속 읽고 싶지만 더 읽으려면 번역을 의뢰해야 하는데, 소설이 아주 길더군요. 지금까지 쓴 게 원고지로 육백 쪽이 넘던데 주인공이 아직 대학도 졸업하지 못했더군요. 이런 류의 소설을 성장소설이라 부르던데, 맞습니까? 왠지 성장소설 같은 무게가……."

"무게라뇨? 내 소설이 무겁고 지루하다는 뜻인가요?"

"제 말을 잘못 알아들으시는군요. 하지만 우리가 여기서 문학평론이나 하고 있을 때는 아니죠. 파라디스 가에서 지낸 선생의 생활이 어땠는지 알아보는 게 우리 대화의 목적이니까요. 자, 선생은 소설을 쓰고 있었고, 경비 일을 하고 있었습니다. 선생은 경비 일에 대해 거짓 증언을 했지만요. 델리크는 왜 선생의 방을 샅샅이 뒤졌을까요? 선생의 여러 동료들을 생각하면……."

"그 사람들은 내 동료가 아닙니다."

"뭐, 그렇다고 해두죠. 아무튼 선생이 업무적으로 연관을 맺고 지낸 그들은 불법 물질을 암거래했습니다. 그래서 선생도 집에 마약을 숨겨두지 않았……."

"절대로 그런 일에 연루된 적이……."

나는 기침을 심하게 내뱉기 시작했다. 숨이 가빴다. 쿠타르가 일어서서 침대 옆 탁자에 있는 물을 건넸다. 물을 힘들게 목으로 넘겼다.

쿠타르는 무표정하게 나를 지켜보고 있었다. 기침이 잦아들자 쿠타르가 말했다.

"선생의 재킷 주머니에 이천팔백 유로가 들어 있더군요. 그 돈의 출처도 궁금합니다. 비닐봉투 여러 개에 돈을 나눠서 쌌더군요. 돈을 그런 식으로 보관하는 사람은 본 적이 없습니다만……."

나는 그 돈을 모은 경위, 비닐봉투에 넣어 싱크대 아래에 있는 구멍에 숨겨둔 이유, 내가 가진 전 재산이 그것뿐이라는 고백, 그래서 그 돈이 경찰에 압수되면…….

"거리에 나앉아야 합니까?"

"살아갈 수 없을 겁니다. 수중에 아무것도 없으니까. 아무것도. 신용조사도 해보고 은행계좌도 조사해 봐요. 그 이천팔백 유로는 내가 가진 전 재산입니다."

정적. 쿠타르가 오른손 엄지와 검지로 지포라이터를 만지작거리며 뚜껑을 딸깍 소리를 내며 열었다가 닫았다. 담배 생각이 간절해보였다.

"돈은 돌려드리겠습니다. 선생의 돈은 수사와 연관이 없으니까요. 선생의 가방과 옷도 수상한 점은 없었어요. 방에서도 수상한 물건은 발견하지 못했습니다. 그렇다면 델리크는 왜 선생의 방을 뒤졌을까요? 그게 아직 풀리지 않는 수수께끼입니다."

'델리크가 아니라 마지트의 짓이니까요. 그녀는 정신 나간 유령이니까.'

내가 말했다.

"파라디스 가는 원래 좀 이상한 동네잖아요."

쿠타르가 슬며시 웃었다.

"선생의 그 말에는 전적으로 동감합니다. 그리고 이제는 선생이 정말 순진한 분이라는 걸 알았어요. 그런 경비 일을 의심 없이 맡아서 하다니……."

"그 일을 맡아 한 건 순진하기 때문만은 아니었어요. 주변 일에 무관심하기 때문이었죠."

"일종의 허무주의군요. 하지만 선생의 허무주의는 망상과 섞인 경향이 있어요. 이제 카다르 부인이 죽었다는 사실은 받아들이셨습니까?"

"네, 이제는 마지트가 죽었다는 걸 잘 알고 있습니다."

"아, 좋아지셨군요. 죽을 뻔한 경험 때문에 이승과 저승 사이에 큰 벽이 가로놓여 있다는 걸 깨닫게 된 건가요?"

"네, 뭐, 비슷합니다."

"카다르 부인의 과거를 아주 자세히 알고 계시던데, 그건 어떻게 된 일이죠? 설명을 듣고 싶은데요."

"그게 그리 중요한가요?"

쿠타르 형사는 지포라이터 뚜껑을 또 찰칵찰칵 여닫았다.

"뭐, 그다지 중요하진 않습니다만 왠지 궁금해서요."

피로감이 몰려왔다. 나는 다시 베개에 머리를 뉘었다. 쿠타르가 알 아채고 자리에서 일어섰다.

"의사 말로는 며칠 뒤면 퇴원할 수 있다고 하더군요. 퇴원하고 나서 는 뭘 할 건가요?"

"새 집을 찾아 소설을 완성해야죠. 그날 사무실에 간 건 소설 때문 이었으니까요. 거기 두고 온 백업디스크를 찾으러……."

"예, 레클레르 형사에게 남긴 진술을 읽었어요."

"노트북을 돌려받았으면 백업디스크를 찾으러 사무실에 갈 일도 없 었을 거라는 말도 하던가요?"

찰칵, 찰칵.

"노트북은 증거품입니다. 아직 수사가 종결되지 않았어요. 방에도 디스크를 두셨으면…….'

'방에도 디스크가 있었지. 하지만 마지트가 내 방을 엉망으로 만들 어놓고 디스크를 가져갔어. 나를 혼란에 빠뜨리려고. 그래야 내가 사 무실로 갈 테니까. 그래야 나를 가두고 죽을 위험에 빠뜨릴 수 있을 테 니까. 그래야 내가 마지트의 이름을 애타게 부르며 도움을 청할 테니 까. 그래서 이제……."

내가 물었다.

"언제 내 노트북을 돌려받을 수 있을까요?"

"조만간 돌려드릴 겁니다."

"소설 파일만 디스크에 복사해줄 수는 없을까요?"

"조만간."

나는 눈을 감고 아무 말도 하지 않았다.

"다시 연락드리겠습니다. 퇴원한 뒤에 새로 집을 구하면 주소를 꼭 알려주세요. 그래야 노트북을 돌려드릴 수 있을 테니까."

'그래야 나를 계속 감시할 수 있을 테고.'

내가 대답했다.

"알겠습니다."

쿠타르가 말했다.

"이제 선생의 혐의는 다 풀렸습니다."

'아니, 나는 아직 풀려나지 않았어.'

닷새나 더 병원에 입원해 있었다. 퇴원하던 날, 레클레르 형사가 진술서에 서명을 받으러 왔다. 처음 불이 났을 때 내가 사무실에 갇힌 상황, 세제르가 실질적으로 건물을 운영한다는 사실을 감춘 채 나를 고용한 사연, 나는 건물에서 무슨 일이 일어나는지 전혀 몰랐다는 확인 등등이 담긴 진술서였다.

"이 진술서는 세제르가 델리크에게 불을 질러 건물과 선생을 다 없애라고 명령했다는 증거로 쓰일 겁니다."

경찰은 내 말을 믿는 눈치였다. 델리크는 저지르지도 않은 죄를 뒤집어쓰게 됐다. 하지만 모든 일에는 희생자가 있기 마련이다. 누구나 흔히 다른 사람에게 죄를 뒤집어씌우지 않던가? 우리는 늘 다른 사람에게로 비난의 화살을 돌리고, 언제든 다른 사람을 탓한다. 그렇게 희생양을 만들어야만 이야기가 해피엔딩으로 끝날 수 있다. 마지트가 불을 낸 진범이라고 말하면 경찰은 대단히 혼란스러워할 것이다. 그들이 구상한 대로 이야기를 끝맺을 수 없으니까. 그 경우 나는 정신병동으로 거처를 옮겨야 할 것이다. 어쨌든 델리크는 방화가 아닌 다른 일로도 죄를 지었다. 그렇다. 우리 모두 죄를 짓고 산다.

나는 진술서에 서명했다. 레클레르 형사는 진술서를 받아들며 말했다.

"미국에서 선생을 모함한 남자가 어떻게 됐는지 들었습니다. 이제 마음이 홀가분하겠군요."

'프랑스 형사들도 롭슨 이야기를 계속 주시하고 있었군. 어쨌든 이 사람들은 경찰이니까. 경찰은 나와 연관된 일은 뭐든 다 주시하고 있었던 거야.'

"모든 문제는 나 때문에 벌어진 겁니다. 그 사람이 안됐어요."

"참으로 마음이 너그러우십니다."

너그럽다. 그 말이 또 나왔다. 나는 조금도 너그럽지 않다. 나는 그저 이 모든 사태를 배후에서 조종한 여자를 알고 있을 뿐이다.

"많이 회복되신 것 같아요."

레클레르 형사는 그 말을 남기고 떠났다.

'회복된 건 없어.'

그래도 이튿날 퇴원했다. 나는 퇴원 전에 전화번호부에서 좋은 곳을 발견했다. 파리6구에 있는 별 하나짜리 호텔. 프런트직원도 매우 친절했다. 방이 있다고 했다. 1박에 70유로.

"한 달 가까이 묵으신다고요? 그러면 일박에 육십 유로까지 깎아 드릴 수 있습니다."

얼른 암산했다. 일주일 숙박비 420유로에 생활비 150유로. 한 달 보름은 버틸 수 있었다.

'그 다음에는? 그 다음에는? 어떻게 살아갈래?'

알 수 없었다.

호텔은 드라공 가에 있었다. 가방을 들고 택시에서 내려 거리를 휘둘러보았다. 온통 구두 가게, 값비싼 옷을 입은 여자들, 좁은 보도, 관광객들, 양복 입은 비즈니스맨들, 고급 레스토랑, 돈.

호텔은 오래됐지만 괜찮았다. 방은 깨끗했고, 침대 매트리스는 꺼지지 않았고, 바닥에서 천장까지 이어진 창에서는 빛이 잘 들어왔다. 프런트직원은 정중했다. 조금 걸어가면 영화관들이 모여 있는 곳이었다. 하지만 지금은 동네 탐험이나 하고 있을 때가 아니었다. 유독가스를 마신 영향이 아직 몸에 남아 있었다. 오데옹까지 잠깐 걸어가 몽시에르프랭스 가에 있는 영어서적 서점에 갔다. 페이퍼백 네 권을 사 호텔로 돌아왔을 때는 몸이 몹시 피곤했다.

종일 침대에 누워 있었다. 병원에서 산소가 담긴 캔 세 개를 받아 왔다. 캔에는 입을 대고 산소를 들이마실 수 있는 플라스틱 장치가 붙어 있었다. 담당 간호사는 숨이 찰 때마다 산소 캔을 들고 네댓 번 들이마시라고 했다. 호텔에 들어온 첫날, 산소 캔 하나를 거의 다 썼다. 첫날에는 잠을 이룰 수 없었다. 호흡이 불규칙하고 고통스러웠지만 그것이 잠을 이루지 못한 이유의 전부는 아니었다. 내가 잠을 못 이룬 건 이튿날이 린네 가에 가기로 되어 있는 날이었기 때문이다.

사흘 전, 마지트와 만나기로 되어 있는 날, 나는 병원에서 산소호흡기를 달고 누워 있었다. 마지트라면 그런 내 사정을 충분히 이해했을 것이다. 하지만 이제는 마지트도 내가 퇴원해서 호텔로 옮길 만큼 몸이 회복되었다는 걸 모를 리 없었다. 오늘, 마지트는 나를 기다리고 있을 것이다.

4시 40분에 호텔을 나섰다. 생제르맹 대로에서 택시를 탔다. 러시아워인데 기적처럼 빈 택시가 있었다. 10분 늦게 린네 가에 도착했다. 식물원을 지나갔다. 호흡이 가빠지는 걸 조심하며 천천히 걸었다. 짙푸른 하늘, 따뜻한 공기, 어느새 초여름이 다가와 있었다. 벌써 몇 주

전에 여름이 시작되었지만 나는 알아챌 여유가 없었다.

4시 55분, 아파트 건물 정문이 가까워졌다. 5시. 정문 암호 키를 눌렀다. 철컥, 문이 열렸고 나는 안으로 들어갔다. 정적. 이제 나는 안다, 그 정적이 예사롭지 않다는 사실을. 관리사무소 안의 관리인은 돌처럼 굳어 있었다. 계단으로 갔다. 어느 집이든 아무런 소리도 나지 않았다. 내가 마지트 집 현관문을 두드리는 소리만이 울려 퍼졌다.

마지트가 문을 열며 말했다.

"당신은 사흘 전에도 왔어야 했어."

나는 마지트의 아파트로 들어가며 말했다.

"화재사고 때문에 못 왔어."

"정말이야?"

마지트는 나를 뒤따라오며 말했다.

나는 마지트의 팔을 잡고 등 뒤로 꺾었다.

"다 알면서 시치미 뗄 거야?"

"해리, 이제 나에게 폭력까지 쓰는 거야? 소용없어. 나는 통증을 못 느끼니까."

나는 마지트를 떠밀었다.

"당신은 못 느끼겠지만 나는 느껴. 하마터면 죽을 뻔했어."

"나를 이렇게 밀치는 걸 보니 빨리 회복됐네."

"밀쳐? 당신은 어디든 나를 따라다니면서⋯⋯."

"증거도 없으면서⋯⋯."

"당신은 나를 건물에 가두고 불을 냈어. 이전에 만났을 때 당신의 이름을 소리쳐 부르며 도와달라고 애원하는 일이 있을 거라고 했지? 그래, 그런 일이 있어서 다행이야?"

마지트가 미소를 지으며 담배에 불을 붙였다.

"증거가 없잖아."

"경찰이 말했어. 웬 여자가 신고했다고."

"그래? 그럼 그랬나 보지. 그리고 백업디스크는 몇 개 더 만들어 놨어야지."

마지트가 가운 주머니에서 디스크를 꺼냈다.

"내 방에서 그걸 훔치다니⋯⋯."

"이건 그냥 흔한 디스크야. 세상에 이런 디스크가 어디 하나뿐이야? 특별한 라벨도 붙어있지 않잖아. 이게 당신 건지 누가 알아?"

"나를 사무실에 가게 만드는 방법은 오로지 그것뿐이었어. 당신은 방에 숨겨둔 디스크가 없어지면 사무실에 가서 찾아와야 한다는 걸 잘 알고 있었겠지."

"노트북은 경찰이 압수했으니까?"

"그것 봐! 당신이 나를 계속 쫓아다닌다는 증거잖아."

"눈에 보이는 증거는 없잖아? 모든 게 그저 당신의 추측일 뿐이지."

"나를 이제 그만 가지고 놀아."

마지트가 다가오면서 가운을 젖혔다. 가운 속에는 아무것도 입지 않았다.

"당신을 가지고 노는 게 좋아. 아주 쉽거든."

마지트는 내 바지로 손을 뻗었다.

나는 몸을 빼려 했지만 마지트는 내 벨트를 잡고 내 아랫도리를 끌어당겼다.

"내가 당신과 섹스할 거라 생각한다면⋯⋯."

"섹스할 거라 생각해."

마지트는 내 청바지 단추를 벗겼다.

"나는 관심 없어."

나는 다시 마지트를 밀치려 했다.

"거짓말. 폐가 아프다는 거짓말도 안 통해."

마지트가 내 뒷머리를 잡고 혀로 내 목을 애무했다. 그러고 나서 내 바지를 벗겼다. 나는 마지트를 침대로 던지고 곧장 그녀의 안으로 들어갔다. 마지트는 뜨겁게 반응했다. 내 머리카락을 잡아당기고, 내 목을 물었지만 나는 제지하지 않았다. 오히려 격렬히 허리를 움직였다. 마지트도 그랬다. 그러나 절정이 끝나자마자 허망한 기분이 들었다. 일어서서 목을 만지자 피가 묻어났다.

마지트가 담배를 집으며 말했다.

"죽은 여자와 섹스를 했는데 그 여자 때문에 피가 났네. 정말 그렇게 생각해?"

나는 말없이 청바지를 입었다.

"이렇게 빨리 가게?"

"나에게 뭘 더 원해?"

마지트가 웃었다.

"뭘 원하다니? 이거야말로 대단한 멜로드라마네. 내가 뭘 원하는지 당신이 더 잘 알잖아. 사흘마다 한 번씩 만나는 것. 더도 덜도 아닌 딱 그것 한 가지. 당신은 정해진 시각에 여기로 와. 섹스, 대화, 위스키 그리고 여덟 시에 나가면 돼. 당신이 여기 없을 때 뭘 하든 뭘 보든 나는 상관없어. 어디든 마음대로 가. 좋은 상대가 있으면 섹스를 해도 괜찮아. 단지 약속한 시각에 여기에 오기만 하면 돼. 당신이 우리 만남에 충실하기만 하면 나도 당신한테……."

"나에게 뭘 줄 거야? 영생?"

"아, 당신은 언젠가 죽을 수밖에 없지. 그건 나도 어쩔 수 없어. 하지만 내가 약속할 수 있는 건 앞으로 당신이 죽을 때까지 돌봐주겠다는 거야. 당신이 편하게 살 수 있도록 해줄게. 전에도 말했지만, 당신에게 부와 명성을 줄 수는 없어. 가령 당신 소설을 출간하게 만들 수는……."

"내 소설을 읽었어?"

"디스크가 있으니까."

"컴퓨터가 없잖아?"

"나는 어떤 컴퓨터에도 접속할 수 있어. 여하튼 읽었어. 당신은 분명 재능이 있어. 아니, 재능이 풍부해. 문장의 전환, 상황을 만들어내는 힘, 인물 묘사가 아주 좋아. 그런데 문제는, 이야기가 명확하지 않다는 거야. 그 좋은 솜씨가 드러나지 않는다는 거야. 당신은 소설을 쓰는 것이지 시를 쓰는 게 아니라는 걸 명심해."

"내가 시를 쓴다고?"

"시적인 감상주의에 빠져 줄거리가 허우적거리잖아. 현학적으로 보이기도 하고……."

"젠장, 이제 너도나도 자기가 평론가인 줄 아는군."

"형사 말이야?"

"형사가 내 병실에 있을 때에도 거기 있었어?"

"당신이 증거를 댈 수는 없겠지만……."

"어서 디스크나 돌려줘."

"어렵지 않지."

마지트가 가운 주머니에서 디스크를 꺼내 침대에 던졌다.

"솔직히 말해 잔가지를 다 쳐내고 다시 쓰는 게 더 좋을……."

"그만, 더 이상 듣고 싶지 않아."

"뭐, 좋을 대로."

나는 디스크를 집어들었다.

"다시는 오지 않을 거야."

마지트는 맥없이 한숨을 내쉬며 의자에 앉아 담배를 집어 들었다.

"해리, 왜 그래? 나는 아주 작은 걸 원하는 대신 많은 걸 주려 하는데……."

"당신은 나를 옭아매려 하고 있어."

"고작 일주일에 두 번, 세 시간씩 나를 만나주면 돼. 겨우 그 정도를 옭아매는 거라 여기는 거야? 지금 당신이 처한 상황을 생각해 봐. 당신은 직업도 없고 미래도 없어. 한심한 경비 일을 해 모은 돈이 얼마지? 이천팔백 유로? 그래, 그 돈으로 드라공 가에 있는 별 하나짜리 호텔에서 몇 주 정도는 지낼 수 있겠지. 그 다음은 어떡할 건데?"

나는 손으로 얼굴을 감쌌다.

'마지트는 다 알고 있어. 마지트는 늘 내 옆에 있어.'

"아무튼 이제 다시는 안 와. 이번이 마지막이야."

"멍청이."

"당신이 나에게 무슨 짓을 해도 내 결심은 바뀌지 않아."

"아니, 당신은 그럴 수 없어. 절대로."

"상관없어."

"상관있게 될 거야."

"나를 고문하든, 망치든, 죽이든……."

"해리, 아무 말이나 마구 갖다 붙이지 마."

"마구 갖다 붙이는 게 아니야. 나는 정확히 내 생각을……."

나는 말을 마저 끝맺지 못했다. 갑자기 기침이 격하게 쏟아져 허리까지 굽혔다. 가래가 입안에 가득 찼다. 그 자리에서 죽을 것 같았다. 마지트가 나를 욕실로 데려가 세면대에 피 섞인 가래를 뱉게 했다. 그러고 나서 마지트는 주방에서 산소 캔을 가져왔다. 내가 병원에서 받은 산소 캔과 똑같은 제품이었다. 나는 산소 캔을 따서 입에 대고 두 번 크게 들이마셨다. 세 번째로 산소를 마시자 숨 쉬기가 훨씬 수월해졌다.

"내가 입원했던 병원에서 산소 캔을 가져왔어?"

"그럴지도……."

나는 겨드랑이에 산소 캔을 끼우고 일어섰다.

마지트가 말했다.

"다음에 올 때를 대비해 그건 여기 두고 가지 그래?"

"다음은 없어."

"아니, 있어."

"꿈도 꾸지 마."

"당신은 다시 올 거야. 다시 와야 하니까. 하지만 해리, 잘 생각해. 사소한 의무 때문에 생명을 내던지지 말고……."

"의무? 내가 왜 당신에 대한 의무를 짊어져야 하지?"

"벌써 잊었어? 당신은 죽기 직전에 내 이름을 불렀잖아. 그래서 살 수 있었고."

"아무튼 앞으로 나를 볼 일은 없을 거야."

"내가 꼭 당신을 강제로 여기까지 오도록 만들어야 하겠어?"

"뭐든 마음대로 해."

나는 그 말을 남기고 마지트의 집을 나왔다.

30분 뒤, 나는 호텔로 돌아왔다. 침대에서 담요를 뒤집어쓴 채 웅크리고 누웠다. 다시 가래가 끓을 때를 대비해 플라스틱 쓰레기통도 침대 옆에 놓아두었다. 두려웠다. 혹시 호텔 지붕이 무너지지 않을까? 독벌레들이 공격하지 않을까? 피를 쏟지 않을까(마지트가 그렇게 끔찍한 짓까지는 하진 않겠지만). 목을 만져 보았다. 아직도 마지트가 깨문 곳에서 피가 난 자국이 남아 있었다.

'죽은 여자와 섹스하고, 그 여자 때문에 피까지 났어.'

나는 베개로 얼굴을 가렸다.

'이건 꿈이야.'

하지만 병원에 입원하게 된 것, 그래서 결국 마지트의 아파트로 가지 않을 수밖에 없었던 걸 생각했다.

'이건 피할 수 없는 현실이야.'

내가 의무를 다하지 않으면 부득이 해를 입히지 않을 수 없다고 한 마지트의 말이 심각하게 느껴졌다. 하지만 이제는 상관없었다.

나를 죽이라지. 상관없어.

이튿날 오전에는 호텔방에서 꼼짝도 하지 않았다. 오후 1시가 되어서야 방을 나갔다. 근처에 있는 인터넷카페에 들렀다. 더그가 보낸 메일이 와 있었다. 롭슨의 자살 사건을 자세히 설명한 메일이었다. 수잔의 처지도 급전직하했다고 적혀 있었다. 수잔은 대학에서 해고되었고, 롭슨의 포르노사업에 연루되지는 않았는지 FBI의 수사를 받고 있다고 했다.

어제 수잔에게 전화했는데 목소리가 안 좋았어. 우울증이 심하다는 소문도 있어. 그럴 만도 하지. 메건도 충격을 크게 받았을 거야. 자네가 단 며칠이라도 다녀가면 좋겠어. 메건한테 큰 도움이 될 거야. 이렇게 된 마당에 수잔도 싫다고 하지는 않겠지.

더그의 메일을 읽고 나서 인터넷검색으로 롭슨 사건을 다룬 최근 뉴스를 찾아보았다. 수잔이 대학에서 해고된 기사가 나와 있었다. 기사내용 중에는 내가 해고된 스캔들도 언급되었다. 언론은 늘 불행한 삶을 캐내는 것에만 열을 올린다.

불쌍한 내 딸, 얼마나 힘들까?

나는 수잔에게 메일을 썼다.

힘든 처지라 들었어. 뭐라고 위로의 말을 전해야 할지 모르겠어. 내가 언제라도 기꺼이 도울게. 전화로 말했지만, 메건과 다시 연락하고 싶어. 메건을 만날 수 있다면 더욱 좋고. 물론 메건의 의사가 중요하겠지. 내 연락처를 남길게.

나는 메일에 호텔 전화번호와 내 방 번호를 적었다.

이튿날, 아침과 밤, 두 차례 메일을 확인했지만 답장은 없었다. 인터넷카페에 간 걸 빼고는 호텔방에 처박혀 지냈다. 책을 읽고, 잠을 자고, 가끔 발작적인 기침을 했다. 그 다음날에도 답장이 오지 않았다.

영화를 보러 갔다. 알프레드 히치콕의 마지막 영화 〈가족 음모〉를 봤다. 극장을 나와 센 강변을 15분 동안 산책했다. 5시. 나는 마지트의 아파트에 가지 않고 호텔로 돌아왔다.

하늘이 무너지기를 기다렸다. 정말 하늘이 무너지는 일은 이튿날 밤에 일어났다. 자정 직전에 내 방 전화벨이 울렸다. 수잔이었다. 수잔은 말을 제대로 잇지 못했다.

"메건이 오늘 학교에 가다가 차에 치였어. 뺑소니 사고야. 아직 메건은 의식이 없어. 다리가 부러지고 엉치뼈를 크게 다쳤어. 병원에서는 뇌에도 손상을 입었을 수 있대. 아직 의식이 없는 걸 보면 뇌에도……."

수잔이 미처 말을 맺지 못하고 울음을 터뜨렸다. 울음 사이로 간신히 내뱉은 몇 마디를 이어 정리해보니 메건은 클리블랜드 주에서 신경외과 진료가 가장 뛰어나다는 병원으로 이송되었다는 걸 알 수 있었다.

"지금 병원에서 전화하는 거야. 상태가 안 좋아. 우리 메건이……."

이제 수잔은 통곡하듯 울며 말을 잇지 못했다.

나는 다음날 아침 첫 비행기를 타고 병원에 가겠다고 말했다. 나는 전화를 끊고 비틀비틀 욕실로 가 변기를 붙잡고 주저앉아 마구 토했다. 더 이상 토할 것이 없자 울음이 터져 나왔다.

'내가 꼭 당신을 강제로 여기까지 오게 만들어야 하겠어?'

'뭐든 마음대로 해.'

정말 마지트는 마음대로 했다.

밤새 거리를 돌아다녔다. 레잘 근처에 있는 24시간 인터넷카페에 들어갔다. 인터넷검색을 해보니 아침 9시에 시카고 행 비행기가 있었다. 그 비행기를 타면 시카고 시간으로 오후 2시에 클리블랜드로 가는 비행기로 갈아탈 수 있었다. 신용카드가 있었다면 그 즉시 표를 구입했을 텐데, 호텔로 돌아가 프런트에 부탁하는 수밖에 없었다.

오전 5시에 공항으로 가는 택시를 예약해 달라면서 내가 급히 미국에 가야 하는 이유를 설명하자 프런트직원은 아주 친절하게 나를 방까지 부축해 주었다. 내가 이틀 뒤에 꼭 파리로 돌아온다고 말하자 프런트직원은 깜짝 놀라며 말했다.

"걱정 마세요. 설령 방이 부족해 손님방을 내주어야 할 형편이 된다고 해도 짐은 잘 보관해 두겠습니다. 따님 상태가 좋아지지 않으면……."

'메건이 좋아질 수 있는 방법은 단 하나야. 내가 이틀 뒤 5시에 린네가 13번지에 가는 것.'

6시에 공항에 도착했다. 클리블랜드를 경유해 시카고로 가는 왕복 항공권을 끊었다. 공항 라운지에서 수잔의 휴대전화로 전화했다. 오하이오 시간으로는 새벽 1시였다. 수잔은 녹초가 된 목소리로 들릴 듯 말 듯 말했다.

'메건은 아직도 의식이 없어. MRI검사를 했는데 뇌에 손상이 갔대. 의사는 결과가 어떻게 될지 모른다는 말만 해. 메건은 어떤 자극에도 반응을 보이지 않고 있어. 아주 심각한 상황이 될 수도 있대. 앞으로 이십사 시간이 고비래."

"클리블랜드 시간으로 오후 두 시에 도착할 거야. 그 사이에 잠을 좀 자둬."

"잠은 필요 없어. 내 딸이 필요할 뿐이야."

나는 괴로워 미칠 것 같았다.

마지트가 교통사고를 일으켰을까?

수잔은 아직 사고 경위에 대해 말하지 않았다. 하지만 나는 마지트가 자기 딸과 남편을 잃은 뺑소니사고와 거의 흡사하게 일을 꾸몄다고 확신했다. 하지만 마지트가 꾸민 일이 아니라면? 그저 아주 끔찍한 우연일 뿐이라면? 그러면 어쩌지? 그래서 메건이 죽으면?

'자식을 잃은 슬픔은 절대 극복하지 못 해. 절대로.'

비행기가 이륙할 때 기침이 시작되려 했다. 의사의 말이 떠올랐다.

의사는 내가 비행기를 타면 죽을 수도 있다고 했다. 고도가 높아지자 가슴이 찢어지는 듯 아팠다.

내 옆에 앉은 여자가 자기 일행에게 "어머, 이 분, 심장 발작이 일어났나 봐!"라고 말하며 승무원을 불렀다. 승무원 두 명이 걱정스러운 표정으로 달려왔다.

"손님, 괜찮으세요?"

나는 얼마 전에 폐를 다쳐 잠시 호흡이 불안정했다고 말하고 산소 캔이 있는지 물었다. 한 승무원이 산소 캔을 가져왔다. 나는 산소를 연거푸 세 번 들이마셨다. 곧 통증이 가라앉았다. 그러나 메건이 죽을지도 모른다는 생각이 여전히 나를 압박했다.

"좀 더 편한 좌석으로 안내해드리겠습니다."

나는 비즈니스 석으로 옮겨갔다. 침대 같은 좌석에 누워 베개와 담요도 받았다. 슬리퍼도 받았다. 화장실로 가서 신발을 벗고 슬리퍼로 갈아 신고 나서 조피클론을 먹었다. 그런 다음 산소를 두 번 더 들이마시고 잠들었다.

나는 여섯 시간 동안 곤하게 잤다. 며칠 만에 처음 제대로 잠을 잤다. 도착 30분 전에 잠에서 깨어났다. 앞으로 24시간이 아무리 힘들더라도 몸을 움직일 수 있을 것 같았다.

이륙하면서 기압이 변하자 또다시 가슴이 바이스에 조임을 당하듯 아팠다. 이번에는 산소 캔도 별반 도움이 되지 않았다. 착륙한 뒤에는 한참 동안 산소 캔을 들이마셔야 했다.

시카고에서 클리블랜드로 갈 때에도 산소 캔 하나를 다 썼다. 메건이 입원한 대학병원에 도착할 무렵에는 숨 쉬기가 힘들었다.

신경외과 병동은 병원 신관 2층이었다. 중환자실은 복도 끝이었다.

간호사가 나를 안내했다.

"놀라지 마세요. 중환자의 몸에는 온갖 의료 장비가 붙어 있습니다. 환자 모습을 차마 못 보시겠으면 말씀하세요. 그러면 저희가 밖으로 모십니다."

메건의 침대는 맨 끝이어서 중환자실 환자들의 침상을 쭉 지나가야 했다. 모두 혼수 상태였다. 온갖 관들과 선들이 몸에 붙어 있고, 그 옆에는 모니터가 비치돼 있었다.

메건의 침대를 보는 순간 배를 힘껏 걷어차인 것 같았다. 갖가지 장치는 다른 환자와 다를 바 없었지만 메건은 내 아이였다. 내 딸이었다. 내 딸이 온갖 의료장비에 의지해 생명을 유지하고 있었다. 긴 금발은 흰 모자에 가려 있었지만 얼굴은 여전히 천사 같았다.

수잔은 의자에 축 늘어져 있었다. 그렇게 지친 모습은 처음 보았다. 구부정한 어깨, 퀭한 눈, 물어뜯긴 손톱. 흰 가운을 입은 남자가 침착한 목소리로 수잔에게 뭐라 설명했다. 나는 수잔에게 다가가 어깨에 팔을 둘렀다. 내 팔이 닿자 수잔의 몸이 뻣뻣하게 굳었다. 수잔은 인사도 없이 몸을 빼냈다.

수잔이 아무런 감정 없는 말투로 의사에게 말했다.

"메건의 아빠예요."

나는 의사와 악수를 나눴다. 의사의 이름은 배리 클라이드였다. 그는 30대 후반의 침착하고 사려 깊은 남자였다.

"MRI검사 결과, 뇌진탕 증세가 보입니다. 이런 뇌진탕은 점차 회복될 수 있습니다. 그건 좋은 소식입니다만 나쁜 소식이 한 가지 있습니다. 메건이 자극에 전혀 반응하지 않습니다. 솔직히 말씀드리면 심각하게 염려됩니다. 뇌진탕 증세가 호전되면 자연히 이런 상태가 나아질 수도 있지만, 그렇지 않을 경우 계속 혼수상태로 지내게 될 수도 있습니다."

내가 물었다.

"그럼, 죽을 수도 있나요?"

"다른 바이탈 신호는 다 좋습니다. 심장도 튼튼하고, 뇌에 충분한 산소도 공급되고 있습니다. 그러니까 생명의 위협은 없습니다. 하지만 아까 말씀드렸듯이 식물인간이 될 수도 있습니다. 물론 그건 최악의 경우지만……."

나는 고개를 숙이고 눈을 감았다. 눈물이 솟았다. 의사가 내 어깨를 어루만졌다.

"희망을 버리지 마세요. 뇌는 아주 신비로운 기관입니다. 심각한 손상을 입고도 곧잘 회복되는 경우가 있습니다. 시간의 흐름에 맡겨두어야 합니다."

의사가 나가고 나와 수잔만이 남았다. 우리가 함께 만든 딸을 앞에 두고, 우린 서로 아무 말도 할 수 없었다. 수잔은 다시 엉엉 소리 내어 울기 시작했다. 나는 수잔의 손을 잡으려 했다. 수잔은 내 손을 뿌리쳤다.

"당신의 위로는 필요 없어."

나는 조용히 말했다.

"알았어. 커피 마실래?"

"방금 딸을 만나러 와서 커피를 마시러 간다고? 딸 옆에 조금이라도 더 붙어있어."

"차마 못 보겠어."

"아니, 익숙해져야만 해. 어차피 금방 낫지는 않을 테니까. 어제 동생한테 전화했어. 동생 친구가 서부에서 유명한 신경외과 전문의로 일하고 있잖아. 그에게 메건의 진단서를 메일로 첨부해 보냈어. 그는 여기 의사보다 무섭게 말했어. 뇌 손상을 입은 경우 회복될 확률은 십오 퍼센트에 지나지 않는대. 게다가 평생 식물인간으로 살 확률이 오십 퍼센트래."

"완전히 회복될 수 있는 확률이 십오 퍼센트면 적지 않은……."

"아니, 기대하기 힘든 수치야. 내가 어제 메건을 학교까지 데려갔어야만 했는데 변호사한테 가느라 정신이 없었어. 나, 감옥에 갈지도 몰라."

"당신이 롭슨의 사업과 무관하다는 사실이 곧 밝혀질 거야."

"내 형편이 엉망이 되었다는 걸 잘 알고 있군. 마음속으로 쾌재를 불렀겠지?"

"그럴 리가? 메건 앞에서는 싸우지 말자."

"메건은 말을 듣지 못 해. 듣는다 한들 어쩔 거야? 우리는 이미 부모 자격을 잃은 지 오래야."

"메건이 그동안 우리 때문에 힘들었다는 건 분명한 사실이겠지. 하지만 메건은 우리를 미워하지 않을 거야. 우리가 메건을 위해 상황을 좋게 만들어 간다면……."

"맘 편하게 성자 같은 소리나 하고 있네. 메건은 깨어나지 못해. 죄 없는 메건이 우리 때문에 희생됐어. 우리는……."

수잔은 메건의 침대 난간을 붙잡고 울기 시작했다. 간호사가 얼른 다가왔다. 간호사는 수잔의 어깨에 팔을 두르고 복도로 데려갔다. 나도 침대 난간을 붙잡고, 정신을 놓지 않으려고 애썼다. 상황을 좋게 만들겠다고, 어떤 희생을 치르더라도 메건을 깨어나게 만들겠다고 다짐했다.

몇 분 뒤 간호사가 왔다.

"부인도 진료를 받도록 조처했어요. 부인은 지금 정신과 치료가 필요해요. 입원실을 마련했어요. 부인을 만나시려면⋯⋯."

"지금은 제가 보기 싫을 겁니다."

간호사는 잠시 내 말뜻을 생각하고 나서 말했다.

"필요한 게 있으면 언제든 말씀하세요."

"물 한 잔만 마실 수 있을까요? 메건 옆을 떠나고 싶지 않아서⋯⋯."

나는 다섯 시간 동안 메건의 병상 옆에 앉아 있었다. 메건의 손을 잡고, 심장 모니터를 지켜보고, 호흡기 소리에 귀를 기울였다. 생각하고 생각하고 또 생각했다. 손바닥에 얼굴을 파묻었다. 줄곧 이어졌던 생각은 이제 입에서 말로 흘러나왔다.

'알았어, 마지트. 내일 돌아갈게. 다시는 약속을 어기지 않을게. 당신이 원하는 대로 다 할게. 단, 메건을 돌려줘.'

정오쯤 꾸벅꾸벅 졸다 화들짝 놀라 깼다. 3시, 메건은 여전히 움직이지 않았다. 5시, 철제 의자에서 딱딱하게 굳은 몸을 간신히 폈다. 메건의 이마에 입을 맞췄다. 간호사에게 지금 파리에 가야 한다고 말하고, 수잔에게는 24시간 안에 전화하겠다는 말을 전해 달라고 부탁했다.

파리 공항에 도착해 비틀비틀 화장실로 갔다. 피가 섞인 가래를 토하고 입국 심사대로 갔다. 내 여권을 살피던 경관이 모니터를 흘깃 쳐다보고 나서 말했다.

"프랑스에 다시 들어오시는 겁니까?"

"프랑스가 좋아요."

"직업이 뭐죠?"

"소설가입니다. 그러니까 프랑스에서는 직업이 없다고 할 수 있죠."

"얼마나 머무십니까?"

"몇 주요."

스탬프. 스탬프. 나는 3개월 비자로 또 프랑스로 돌아왔다.

드라공 가 호텔의 프런트직원이 웃으며 열쇠를 내밀었다.

"따님은 회복됐습니까?"

"아직요."

"상태는 괜찮은가요?"

"아뇨."

"뭐라 위로의 말씀을 드려야 할지 모르겠습니다."

"고맙습니다."

"올라가서 주무시면 됩니다. 방은 다 정리해 두었습니다."

"혹시 제가 잠에서 못 깨어나면 네 시에 깨워 주세요."

오후 내내 잤다. 4시 30분에 호텔을 나섰다. 5시 정각에는 마지트의 아파트 건물 정문 앞에 다다랐다. 나는 다시 또 다른 세계로 들어섰다. 딱 한 번 노크에 마지트가 문을 열었다. 나는 마지트의 얼굴을 주먹으로 세게 쳤다. 마지트가 침대에 쓰러졌다.

"이 개 같은 년. 나 때문에 내 딸을 죽이려 해?"

마지트는 얼굴을 어루만지며 일어섰다.

"증거도 없잖아."

"닥쳐!"

이번에는 손등으로 마지트의 뺨을 갈겼다. 마지트가 또다시 침대에 쓰러졌다. 마지트는 고개를 돌리고 나를 보며 씩 웃었다.

"잊었어? 난 통증을 못 느껴. 하지만 당신은 다르지. 당신은 아픔 속에서 살지. 그리고 지금 행동으로 뭘 증명했는지 알아? 당신도 다른 남자들과 똑같다는 사실이야. 남자들은 대개 자기가 무기력한 존재라는 걸 알게 되면 폭력을 사용하지. 여자를 때리는 남자들은 자기가 무능하다는 걸 증명하는 거나 다름없어. 어쨌든 계속 때려 봐. 또 때려. 내 몸을 유린해 봐. 당신 기분이 풀릴 수 있다면 무슨 짓이든 해도 괜찮아."

"내 기분이 풀리는 길은 단 하나뿐이야. 내 딸이 혼수상태에서 벗어나 아무런 후유증 없이 회복되는 것."

"바라는 게 너무 많네."

"도와줘. 제발 나를 도와줘."

"물론 도와줘야지. 하지만 당신이 약속을 지키는 게 우선이야. 사흘마다 다섯 시에서 여덟 시까지 반드시 여기에 있어야 해. 지금 그러겠다고 약속하고 다음에 안 나타나면 당신 딸은 죽어."

"여기 올게, 약속해."

침묵. 마지트가 일어났다.

"그럼 계약이 체결됐어. 이제 가도 돼. 다음번에는 아무 일 없었던 것처럼 만나. 하지만 한 번만 더 나를 때리면……."

"다시는 그런 일 없을 거야."

"한 번 믿어보지. 자, 이제 돌아가."

"가기 전에 확인해둘 게 있어. 이 만남이 언제까지 계속되어야 하지? 영원히?"

"그래, 영원히."

호텔로 가는 길, 수잔의 휴대폰으로 전화했다. 수잔은 내가 파리로 떠난 것에 대해 벌컥 화를 냈다.

"당신은 조금도 안 변했어. 늘 그 모양이지. 위기가 닥치면 그저 도망칠 생각만……."

"나도 어쩔 수 없었어. 오늘 면접이 있었어. 당신도 돈이 필요하잖아."

"나한테 뒤집어씌우려 하지 마."

"내가 뭘 뒤집어씌운다고 그래?"

"그렇게 말한 셈이잖아. 내가 일자리를 잃어 병원비도 못 낼 거라고."

나는 말을 돌렸다.

"메건은 어때? 좋아지는 신호는 없어?"

"아니."

"당신은? 잠은 좀 잤어?"

"조금."

"조금이라도 차도가 있으면 나에게 전화해."

"알았어."

수잔은 전화를 끊었다.

하루가 지났다. 나는 예약되어 있던 진찰을 받으러 병원에 갔다. 엑스선사진을 찍었다. 의사는 사진을 보고 나서 말했다.

"비행기를 탔죠?"

"딸이 위독해서 어쩔 수 없이……."

"자살 행위라는 걸 몰라요? 제가 분명 말씀드렸잖아요. 제 말을 무시하는 바람에 그동안 회복된 게 다 물거품이 됐어요. 가래에 피가 섞인 게 증거죠. 한 번만 더 비행기를 타면 죽을 수도 있어요. 반 년 동안은 절대 비행기를 타지 마세요. 알겠습니까?"

호텔로 돌아와 남은 돈을 세어 보았다. 미국에 다녀온 항공료를 쓰는 바람에 지출이 많은 편이었다.

'심각하게 생각하지 마. 그냥 상황이 되어가는 대로 몸을 맡겨. 달리 방법이 없잖아.'

호텔방에서 나가지 않고 책을 읽으려 애써 보았다. 걱정 대신 다른 생각을 하려 애써 보았다. 결국 10시에 침대로 갔다. 3시간 뒤, 전화벨 소리에 화들짝 놀라 잠에서 깨어났다.

프런트직원이었다.

"손님, 전화가 와 있습니다."

직원이 전화를 연결했다. 수잔이었다. 수잔의 첫마디.

"메건이 눈을 떴어."

20

메건은 눈을 뜬 그날, 말도 했다. 다음날, 스푼으로 밥을 먹었다. 그 다음날에는 왼쪽 팔다리에 깁스를 했지만 혼자 벽을 짚으며 화장실에 다녀왔다. 그 다음날, 경찰이 뺑소니 운전자를 찾아냈다. 최근 이혼한 40대 여자로, 클리블랜드에 있는 대형 로펌에서 일하는 변호사였고, 가뜩이나 음주운전 때문에 심각한 문제를 겪고 있었다. 사고를 낸 아침에도 모텔 방에서 아침을 먹으며 반주로 술을 마셨다.

모텔에서 차를 몰고 출발한 지 5분 만에 메건을 치고, 겁에 질려 계속 차를 몰고 갔다. 켄터키 주 경계 근처의 모텔까지 가서 숨어 지내다가 이제야 경찰에 발각됐다.

메건의 변호사는 음주 운전 변호사와 그녀가 소속된 로펌을 압박했다. 얼른 합의하지 않으면 비도덕적인 행동을 언론에 공표하겠다고.

수잔과 나는 매일이다시피 통화했다. 수잔은 합의사항을 나에게 알려주었다.

"우리 측 변호사는 아주 단호한 사람이야. 합의금으로 오십만 달러를 받아낼 수 있을 것 같대. 그 돈이면 메건의 학비문제는 해결돼. 일자리를 찾을 때까지 나도 숨을 돌릴 수 있을 거야."

내가 말했다.

"메건이 수술 후유증 없이 깨어났다는 게 정말 다행이야. 하지만 마음의 상처는……."

"우리에게 받은 상처에 또 심한 상처가 더해진 셈이지. 제 엄마가 변태와 놀아나 대학에서 쫓겨났으니……."

"이제 자학은 그만해."

"하지만 나는 내가 미워. 나를 비난할 수밖에 없어."

"그래, 나도 내가 미워."

"또 너그러운 척하네. 당신이 그럴 때마다 내가 더 형편없는 사람이 된 것 같아."

"당신에게 죄책감을 느끼게 하려는 말이 아니야. 나는 그저 당신을 위로하려고……."

침묵. 수잔이 흐느끼는 소리가 들려왔다.

수잔이 훌쩍이며 말했다.

"미안, 미안. 나는 요즘 정말 엉망이야. 내가 일을 다 망쳐놓고……."

"메건이 건강하게 살아났잖아. 지금 중요한 건 그것뿐이야. 메건과 통화하고 싶어."

"내가 당신 이야기를 했어. 당신이 파리에서 당장 날아와 옆을 지켰다고. 메건이 그 이야기를 듣고 얼마나 좋아했는지 몰라. 하지만 왜 그렇게 서둘러 파리로 돌아갔는지 이해하지 못하는 눈치였어."

메건을 그렇게 만든 여자가 나를 놓아주지 않기 때문이지. 내가 의무를 다하지 않으면 메건은 계속 혼수상태에 빠져 있을 수밖에 없어.

"전에도 말했지만, 면접이 있어서……."

"딸이 위독하다고 말하고 양해를 구할 수도 있었잖아."

"그렇게 말했지만 충분히 이해한다면서도 그 자리를 얼른 채워야 해 내가 면접을 보지 않으면 부득이 다른 사람을 쓸 수밖에 없다고 했어. 나도 돈이 없고 당신도 돈이 없으니, 그 회사에 조금 기다려 달라고 말할 형편이 아니었지."

"내가 실직한 걸 그렇게 꼬집어야 속이 시원해? 당신은 내 죄책감을 최대한 부풀려……."

"수잔, 이제 그만."

"내 말이 맞잖아. 당신도 들어야 해. 진실은……."

'내가 진실을 말해 볼까? 바로 이런 식의 대화 때문에 나는 우리 결혼생활에 진저리를 내기 시작했어.'

나는 수잔의 말을 끊고 말했다.

"진실은……내가 앞으로 반 년 동안 미국에 못 간다는 거야."

"뭐?"

나는 야간경비로 일하다가 화재가 나는 바람에 몸을 다쳤고, 의사가 폐가 나빠져 당분간 비행기를 탈 수 없다고 했다는 말을 전했다.

수잔은 내가 야간경비로 일했다는 말을 쉽게 받아들이지 못했다.

"그럼 지난번 비행기를 타고 병원에 왔던 건 목숨을 건 행동이었단 말이야? 내가 그처럼 위험한 행동을 무릅쓴 당신에게 박수라도 치길 바라?"

"나를 어떻게 생각하든 그건 당신 자유야. 지난번 비행기를 타는 바람에 피를 토했어. 의사가 연말까지 비행기를 타면 안 된대. 나도 메건을 보러 가고 싶은 마음이 굴뚝같지만 현재 상황이 너무 안 좋아. 당신은 이런 나를 비난하고 싶겠지? 마음대로 해. 당신은 늘 그랬으니까."

나는 그 말을 끝으로 전화를 끊었다.

몇 시간 뒤, 나는 마지트의 침대에 누워 있었다.

마지트가 말했다.

"잘했어. 자기 의사를 명확하게 밝혀둘 필요가 있지."

"내가 평소 수잔을 어떻게 대했는지 알아?"

"당신 일이라면 모르는 게 없지. 당신이 여기 오리란 것도 알고 있었어."

"내가 여기 온 건……."

"내가 만들어놓은 함정에 빠져 어쩔 수 없는 일이었다고? 어떻게 생각하든 당신 자유야. 하지만 나에게 분노를 품으면 우리 만남이 즐거울 수 없잖아. 당신이 마음을 고쳐먹으면 우리 만남이 여러모로 유익할 수 있다는 걸 깨닫게 될 거야. 이제 보름 뒤면 돈도 다 떨어질 텐데, 당신 일자리도 생각해봐야 하잖아."

사흘 뒤, 우리는 평소처럼 섹스를 마치고 위스키를 마시고 있었다. 마지트가 말했다.

"이번 일요일에 로레인 허버트 살롱에 가야 해."

"안 돼."

"왜?"

"내가 내 이름을 대고 방문신청을 하면 당장 안 된다고 할 거야."

"사람은 늘 자기 생각에만 빠져 산다니까. 당신이 나를 찾느라 허버트 부인을 찾아갔던 게 문제가 될 거라 생각해? 걱정 마. 허버트 부인은 당신이 내는 이십 유로의 입장료만 신경쓸 뿐이야. 내일 전화해서 일요일에 가겠다고 말해. 살롱에 가면 로렌스 코센을 만나. 파리 소재 미국문화원장이야. 그 사람은 여자를 꼬드기려고 매주 허버트 부인의 살롱을 찾지. 그가 미국문화원에서 영화를 가르칠 사람을 찾을 거야. 그 사람한테 당신이 얼마나 매력이 많은 사람인지 보여주기만 하면……."

"내 매력?"

"해리, 당신이 얼마나 매력적인데……."

마지트가 시킨 대로 했다. 일요일 밤, 허버트 부인의 아파트는 방문객들로 넘쳐났다. 이전처럼 몽고메리가 나를 허버트 부인에게 안내했다. 허버트 부인은 자기 누드화 아래에 서 있었다. 몽고메리가 부인에게 귓속말을 하자 부인은 아주 밝은 미소를 지으며 나에게 인사했다.

"해리, 다시 만나서 반가워요. 이게 얼마 만이죠?"

"몇 달 된 것 같습니다."

"그런데 아직 파리에 있네요. 파리에 푹 빠졌나 봐요."

"네, 그렇다고 봐야죠."

"그림을 그린다고 했죠?"

"아뇨. 영화를 가르치는 교수입니다. 대학에서 영화이론을 가르쳤죠. 로렌스 코센은 오늘 안 왔나요?"

"일자리를 찾는군요?"

"네, 맞습니다."

"미국인은 솔직해서 좋다니까. 로렌스! 로렌스!"

허버트 부인이 중년남자에게 소리쳤다. 20년은 더 입은 듯 색 바랜 셔츠를 입은 남자가 다가왔다.

"로렌스, 이 분은 해리야. 아주 뛰어난 교수지. 대학에서 뭘 가르쳤다고 했죠?"

"영화이론."

로렌스가 말했다.

"정말입니까? 어디 학교 교수신데요?"

"지금은 대학을 떠났습니다만, 전에는……."

나는 로렌스와 30분 가까이 이야기를 나누었다. 영화 이야기가 대부분이었지만(로렌스는 영화광이었다), 문화원 이야기도 나왔다. 그는 전에 내가 대학에서 가르친 강의내용에 대해 묻기도 했다. 즉석에서 이루어진 면접이나 다름없었다.

"파리에서는 뭘 하세요?"

"소설을 쓰고 있습니다."

"전에도 책으로 출간된 게 있나요?"

"논문은 많았죠."

"그래요? 주제는?"

나는 내가 발표한 논문들을 설명했다.

"아파트에 사세요?"

"아직은 호텔에서 지냅니다. 집을 알아보고 있습니다만……."

"전화번호를 저에게 주시겠어요?"

나는 전화번호를 적어 주었다.

"곧 연락할게요."

로렌스는 그렇게 말하며 스무 살쯤 된 앳된 아가씨에게서 눈을 떼지 못했다. 그 아가씨가 로렌스에게 손짓을 보냈다.

"해리, 만나서 반가웠어요."

나는 발코니로 나갔다. 보슬비가 내려 발코니에는 아무도 없었다. 마지트와 처음 만난 자리를 바라보았다. 마지트가 오늘은 안 나타날까? 그날 마지트를 껴안지 않았다면, 전화번호를 받지 않았다면, 전화하지 않았다면 어떻게 됐을까? 하지만 나는 그 모든 걸 할 수밖에 없었다. 그 당시 나는 외롭고 슬프고 버림받은 기분이었고 갈 곳을 몰랐으니까. 그리고 마지트를 어떻게든 다시 만나고 싶었으니까.

'당신이 나를 필요로 했기 때문에 내가 당신 인생에 들어간 거야.'

나는 마지트를 필요로 했다. 그리고 이제 우리는 함께 있다. 영원히.

다시 안으로 들어갔다. 허버트 부인은 음식을 차린 탁자 옆에 서서, 머리부터 발끝까지 몸에 꽉 끼는 검정가죽 옷을 입은 일본 여자와 이야기하고 있었다. 내가 다가가자 허버트 부인이 내 앞으로 다가왔다.

"즐겁게 지내다가 갑니다. 고맙습니다."

"벌써 가게요?"

나는 고개를 끄덕였다.

"로렌스와는 이야기가 잘 됐어요?"

"네, 소개해 주셔서 고맙습니다. 결과는 두고 봐야죠."

"발코니에 있더군요. 아직도 그 헝가리 여자를 찾고 있어요?"

"아뇨. 그 일을 기억하지 못할 줄 알았는데……."

"1980년에 여기 한 번 온 여자를 찾는 남자라……. 그걸 쉽게 잊을 수야 없죠. 그런데 재밌는 얘기가 있어요. 내가 나중에 비서한테 혹시 그런 여자가 기억나느냐고 물었더니, 내 비서 헨리가 잘 기억하고 있더군요. 그 여자 남편 졸탄이 다른 여자와 이야기를 나누었나 봐요. 그러자 그 헝가리 여자가 남편과 이야기를 나눈 여자를 발코니로 불러내더니 죽여 버리겠다고 한바탕 소동을 피웠대요. 헨리 말로는 여자가 질투심 때문에 그렇게 화내는 건 처음 봤대요. 그래서 그 여자 명함에 '제정신이 아님'이라고 적어 두었다는군요. 그러니까 그 여자를 만나지 못한 걸 다행으로 생각하세요. 그렇게 미친 여자에게 걸리면⋯⋯."

"예, 저는 이제 가봐야겠습니다."

나는 부인의 말을 끊었다.

"걱정 말아요. 로렌스에게 그 일은 절대 말하지 않을게요. 꼭 다시 와요. 알았죠?"

부인은 로렌스에게 내 '애인' 이야기를 하지 않겠다는 약속을 잘 지켰다. 이튿날, 로렌스의 비서가 호텔에 메시지를 남겼다.

'내일 3시까지 사무실로 와서 면접을 보시기 바랍니다.'

미국문화원은 네윌리 외곽에 있었다. 대형 강당, 강의실들, 사무실들이 있는 건물이었다. 낮에 만난 로렌스는 유쾌한 모습이었다. 로렌스는 이미 내 경력을 자세히 조사해 두었다. 내 논문을 인터넷으로 검색했고, 스캔들 기사도 다 읽었다.

로렌스가 말했다.

"어떻게 된 일인지 직접 듣고 싶어요."

나는 최대한 솔직하게 내 스캔들에 대해 설명했다. 롭슨이 사태를 키운 점은 있지만 셸리의 비극에 대해서는 나도 정말 마음이 아프다고 말했다.

내 이야기가 끝나자 로렌스가 말했다.

"솔직하게 말해줘서 고맙습니다. 요즘은 솔직한 모습을 보기 힘든 세상이죠. 내가 선생의 영화과 동료 교수와도 통화했습니다. 더그 스탠리 교수는 선생을 적극 추천하더군요. 그러면서 롭슨이라는 자가 악의적으로 폭로하지 않았다면 선생과 그 여학생 문제도 그리 심각한

결과를 초래하지 않았을 거라 말하더군요. 어쨌든 롭슨 일은 참으로 끔찍하지 않습니까? 나쁜 놈은 벌을 받게 마련이라는 우주의 법칙이 틀림없이 있긴 하나봅니다."

"그렇게 볼 수도 있겠군요."

"어쨌든 고마운 건 여기가 미국이 아니라 프랑스라는 거죠. 제가 선생을 추천해도 반대할 사람은 없습니다. 게다가 우리끼리 하는 이야기인데, 내가 두 번째 아내와 이혼하게 된 이유도 제자와 침대에 있다가 들켰기 때문이죠. 그때 나는 코네티컷대학교 교수였어요. 뭐, 그게 오히려 다행이었죠. 그 일 때문에 프랑스에 오게 됐으니까요. 해리, 그러고 보니 우리는 난민 동지군요."

미국문화원에서 13주 과정으로 두 과목을 가르치기로 했다.

〈영화 개론〉과 〈미국 감독론〉. 강의 시간은 일주일에 열두 시간이고, 한 학기당 8천 유로를 받기로 했다. 로렌스는 프랑스 명사들을 대상으로 하는 특강 시간도 만들어주겠다고 약속했다. 첫 학기가 잘 끝나면 계약을 길게 연장할 수 있다고도 했다.

나는 한 가지 조건만 내세웠다. 5시에서 8시 사이에는 강의를 할 수 없다는 것.

로렌스가 말했다.

"문제없어요. 다섯 시 이전으로 시간표를 짜두죠. 그런데 어떤 여자죠? 다섯 시부터 여덟 시 사이에 만나는 여자라면 유부녀일 것 같은데⋯⋯."

"어⋯⋯그게, 저⋯⋯사정이 좀 복잡합니다."

"늘 사정은 복잡하기 마련이죠. 하긴 사정이 복잡해야 더 재밌기도 하고요."

이튿날 마지트가 말했다.

"면접을 잘했어. 우리 관계를 설명할 때는 그렇게 하면 돼. 아주 잘했어. 축하해. 아, 그리고 그 헨리 몽고메리가 한 말에는 신경 쓰지 마. 그 여자가 발코니에서 졸탄에게 오럴섹스를 해주고 있었어. 나는 졸탄이 다른 여자에게 한눈을 파는 걸 문제 삼은 게 아니야. 그건 당신도 잘 알잖아. 하지만 아무리 그렇더라도 그렇게 사람들이 많이 모인 장소에서 그런 짓을 벌이는 건 나를 모욕하는 행위잖아. 안 그래? 그래, 내가 발코니 아래로 여자를 떨어뜨릴 듯이 밀친 건 사실이야. 하지만 다른 한 손으로는 여자가 떨어지지 않게 꽉 붙잡고 있었어. 아무튼 당신 일이 잘 풀려 정말 기뻐. 한 학기만 계약한 건 걱정하지 마. 로렌스가 분명 계약을 연장할 테니까."

"당신이 그렇다면 그런 줄 알아야지. 나를 위해 해줄 일이 또 있어. 수잔 직장도 얻어줘."

"그래, 그 문제도 내가 알아볼게. 하지만 수잔에게 돈이 넝쿨째 굴러들어오고 있으니까 그다지 걱정할 필요는 없을 거야. 원래 롭슨의 재산은 대부분 자식에게 상속하게 되어 있었는데 얼마 전 유언장을 고쳤어. 롭슨이 정년퇴임 전에 죽으면 대학에서 나오는 연금이 당신 전처에게로 돌아가게 해놓았지. 수잔은 매달 일천오백 달러를 받게 될 거야. 메건의 사고 합의금도 받게 될 테니까 그 정도면 걱정 없이 살 수 있겠지."

그날 밤, 수잔에게 전화했다.

"롭슨 놈이 잘한 일이라고는 그거 한 가지밖에 없어. 정말 위급한 상황인데 그 돈이 내 차지가 되었지 뭐야."

"그래, 정말 다행이야."

"아동포르노 수집가의 돈을 받는 게 찜찜하지만 어쩔 수 없잖아. 당신은 퍽이나 재밌겠네? 내가 얼마나 형편없는 여자인지 잘 알게 됐으니까."

"당신은 그 돈을 받을 권리가 있어."

"FBI는 내가 롭슨의 포르노사업에 연루되지 않았다는 걸 인정하고 나에 대한 혐의를 거두었어. 그거야말로 다행이었지."

나는 미국문화원 강의를 맡게 된 이야기를 들려주었다.

"잘됐네. 젠장 나도 강단에 서고 싶은데."

"나는 메건이 보고 싶어."

"메건은 침대에 앉을 수 있을 만큼 좋아졌어. 의사들도 어떻게 이렇게 빨리 완치될 수 있었는지 수수께끼래."

"기적이 존재하나 봐. 우린 정말 운이 좋아. 아무튼 메건의 목소리만이라도 듣고 싶어."

"메건은 아직 당신에 대한 화가 안 풀렸어. 미안해. 내가 당신을 험담한 탓이 커. 내가 늘 당신에 대해 나쁘게 말했으니까. 그때는 정말이지 화가 나서 그랬지만 지금은 몹시 후회해. 내가 잘못했어. 내가 꼭 바로잡을게."

그 다음에 마지트를 만났을 때 그녀가 말했다.

"수잔의 입으로 말했다는 게 믿어지지 않을 만큼 엄청난 사과였어. 정말이지 죄책감은 사람을 사람답게 만드나 봐."

"롭슨의 연금 수령인도 당신이 조작한 거야?"

"그럴지도 모르지."

"FBI는?"

"그럴지도 모르지."

"당신은 아리송한 대답을 좋아하는 것 같아."

"그래도 나에게서 얻는 건 많잖아? 감정은 차분해지고, 잘못된 일들은 바로잡히고, 일자리도 얻고, 복수도 하고. 게다가 요즘은 내가 부동산 중개업자 노릇도 하지. 에콜 가에 아파트가 나왔어. 이십육 제곱미터에, 수리도 잘 된 아파트야. 집세는 한 달에 육백 유로. 영화관들이 모여 있는 곳까지 쉽게 걸어갈 수 있는 위치인데다 가격도 비싸지 않은 편이야."

"이 아파트와 거리도 가깝고?"

"걸어서 오 분 거리니까 당신이 오기에 편하지. 전에 파리10구에 살때에는 오기 힘들었잖아."

"이제 나를 당신 옆에 두게 됐네."

"해리, 당신은 늘 내 옆에 있었어. 내가 늘 당신 옆에 있었듯이. 자, 내일 아침에는 부동산중개업자를 찾아가 미국문화원 교수라고 말해. 부동산중개업자는 당신 직업을 마음에 들어 할 거야. 왜 은행계좌가 없는지 물으면, 미국에서 온 지 얼마 안 됐고, 이제 개설하려 한다고 말해. 로렌스가 계약금으로 이천 유로를 줄 테니까 그 돈으로 해결할 수 있어. 그 다음에는……."

"그 다음에는 내가 알아서 할 수 있어."

"내가 너무 엄마처럼 굴었나?"

"아마도."

"당신의 생활을 한시바삐 정상궤도에 올려놓고 싶어서 그래. 게다가 그 아파트가 정말 마음에 들거든."

"무슨 말인지 알겠어. 내일 아침 아홉 시에 부동산중개업자를 찾아가 볼게."

이튿날 10시, 나는 부동산중개업자를 만나 아파트를 계약했다. 마지트의 말은 옳았다. 여러모로 마음에 드는 아파트였다. 로렌스는 아파트 계약금을 선선히 내주었다.

나는 사흘 뒤 아파트로 이사했다. 파라디스 가의 쪽방에 비하면 화려하고 호사스러운 집이었다. 시트와 타월, 오디오를 새로 샀다. 강의가 시작됐고, 학생들도 마음에 들었다. 영화에 대해 이야기하는 게 얼마나 즐거운 일인지 새삼 깨달았다.

한 학기가 순식간에 흘러갔다. 나는 아파트에 전화를 놓고 매일 수잔과 통화했다. 메건은 다시 학교에 다니기 시작했다. 뺑소니사고를 당한 지 겨우 한 달이 지났을 뿐이었다. 하지만 아직 나와 통화하는 건 거부했다.

수잔이 말했다.

"메건은 나와도 말을 잘 안 해. 입을 닫고 지내지. 혼수상태에서 갓 벗어난 환자들이 흔히 보이는 증상이래. 좀처럼 밝은 얼굴을 보기 힘들어. 그래도 학교의 상담 교사한테는 이야기를 많이 한대. 그러니까 조금만 참아. 곧 어려움을 극복하고 평소 모습을 찾을 테니까."

모든 게 제자리를 찾아가기 시작했다. 미국문화원과는 2년 계약을 맺었다. 영화 주간지 편집장을 만났는데, 칼럼을 써줄 영화평론가를 찾고 있다고 했다. 칼럼 한 건 당 150유로이니 원고료는 많지 않았지만, 영화에 대한 글을 쓸 수 있다는 것만으로도 기뻤다. 옷도 몇 벌 사고 텔레비전과 DVD플레이어, 새 노트북, 휴대전화도 샀다. 강의를 하고, 칼럼을 쓰고, 미국문화원 내부에 있는 체육관에서 운동도 하고, 동네에 있는 예술영화관에서 영화도 보았다. 매일 수잔과 통화하며 메건 이야기를 나눴다. 서로에게 퍼붓던 분노어린 말투는 이제 정중하고 부드럽게 바뀌었다. 이제 수잔과 나는 적이 아니었다. 한때 서로에게 총구를 들이대고 싸우던 두 병사는 휴전을 약속하고 한 가지 주제에 대해서만 이야기했다. 그 주제는 우리 딸 메건이었다.

시간은 휙휙 지나갔다. 여름 내내 강의했다. 8월이 되자 모두들 바캉스를 떠나 파리의 거리는 텅 비었다. 나는 텅 빈 거리가 좋았다. 나 역시 이틀 동안 해변에서 짧은 휴가를 즐겼다. 반드시 해야 할 일 외에 매일 뭔가 '할 일'을 찾아다녔다. 영화, 전시, 콘서트, 책, 잡지. 시간을 채울 수 있다면 뭐든 좋았다.

퐁피두센터에서 영구 소장품들을 즐거이 감상하고 있던 어느 오후, 나는 이브 클라인의 청색 시대 작품 하나를 한참 동안 뚫어져라 바라보았다. 전에 미술도감에서 본 적 있는 그림이었다. 하지만 가까이에서, 아니 더 정확히는 진품을 보니 미술도감으로 봤을 때와는 느낌이 완전히 달랐다. 처음에는 그저 짙은 파란색으로 칠한 캔버스로 보일 뿐이었다. 맑은 겨울날의 늦은 오후 하늘이 바로 그런 색일 것이다. 그러나 한참 동안 바라보고 있으려니 파란색 안에 깃든 어둠이 보였다. 오래 볼수록 이브 클라인이 남긴 미묘한 색조가 보다 분명하게 드러나 보였다. 그 그림은 척 보기에는 파란색 사각형 같지만 사실은 매우 복잡 미묘한 색조와 질감을 담고 있었다.

몇 분 동안 계속 그림을 보고 있으려니 마치 최면에 걸린 것 같았다. 그림의 질감은 사라지고 나는 어느새 텅 빈 허공을, 그 파란 심연을 바라보고 있는 듯한 느낌이었다.

지나가는 사람이 실수로 툭 치고 지나가는 바람에 나는 겨우 정신을 차렸다. 한동안 머릿속이 멍했다. 그러나 그날 밤, 침대에 누워 불을 끈 뒤, 클라인의 푸른색이 다시 머릿속에 자리 잡았다. 내 머릿속에서 한 가지 생각이 떠나지 않았다.

'지금 내 생활이 바로 그 파란 심연이야.'

마지트가 건넨 디스크는 내 새 아파트 서랍 속에서 잠자고 있었다. 9월 초 어느 저녁, 디스크를 꺼내 노트북에 집어넣었다. 6백 장이나 이어지고도 아직 미완성인 내 소설을 주말 내내 읽었다. 다 읽은 뒤에 디스크를 빼내 다시 서랍에 넣고 다시는 쳐다보지 않기로 마음먹었다.

나도 모르게 마음속으로 마지트에게 말하고 있었다.

'당신 말이 옳아. 진짜 줄거리도 형편없고, 책장을 넘기게 하는 힘이 부족해. 그저 잘난 체하는 지적 허영만이 있을 뿐이야.'

마지트는 내 마음속 소리를 들을 수 있다. 마지트는 늘 내 옆에서 나를 지켜보고 있으니까.

이튿날 마지트가 말했다.

"결국 소설을 포기했어?"

"내 대답을 벌써 알고 있으면서 왜 물어?"

"그래야 대화가 되니까."

"아니, 당신은 어디든지 갈 수 있는 능력을 나에게 알리려는 거지?"

"당신이 나에게 적응하기를 바라는 건지도……."

"적응하기 어려워. 당신이 계속 내 주위에서 맴돌고 있는 걸 알면서 어떻게……."

"당신을 보호하기 위해서야."

"내가 당신과 맺은 약속을 지키는지 감시하기 위해서겠지."

"당신이 지켜야 하는 약속은 한 가지뿐이야. 사흘에 한 번, 다섯 시에서 여덟 시 사이에 여기로 오는 것."

"내가 딸을 만나러 나흘쯤 미국에 다녀오겠다고 하면 허락할 거야?"

"사흘 만에 다녀올 수 있잖아? 아니, 메건을 파리에 오게 하면 되겠네."

"당신이 조금 양보할 수는 없을까?"

"그건 불가능해. 우리가 정한 약속이야. 내가 당신을 끊임없이 속박하는 건 아니잖아. 당신은 충분히 자유를 누릴 수 있어. 일주일에 두 번씩 세 시간만 빼면 나머지 시간은 당신 마음대로 쓸 수 있어."

"당신이 늘 나를 감시하는데도?"

"그게 어때서?"

나는 더 이상 할 말이 없었다. 며칠 뒤, 나는 이 소설을 쓰기 시작했다. 마지트와의 사이에서 벌어진 일을 모두 내 소설에 적고 싶었다. 나한테 무슨 일이 벌어질 경우에 대비해 우리 사이에서 벌어진 일들을 다 기록해두고 싶었다. 그래서 내가 망상 속에서 살아가고 있는 게 아니라는 사실을 나 자신에게 확신시켜 주고 싶었다. 하지만 내 소설을 읽는 사람이 마지트의 이야기를 있는 그대로 받아들여야 하는 것인지는 또 다른 문제다. 이것은 그냥 이야기다. '내' 이야기. 세상의 모든 이야기와 마찬가지로, 순수한 말뜻 그대로 '진실'은 아니다. 이것은 '나만의' 진실이다. 다시 말해 객관적으로 보자면 이 이야기는 진실일 수도 진실이 아닐 수도 있다.

발걸음 한 번으로 한 세계에서 다른 세계로 갈 수 있을까? 나는 전혀 모르겠다. 그러나 나는 일주일에 두 번씩 계속 두 세계를 넘나들며 살고 있다.

언젠가 내가 마지트에게 물었다.

"당신은 늙으면 어떻게 될까? 또 죽을까?"

"나도 몰라."

"내가 죽으면 영혼이 되어 당신과 함께 있게 될까?"

"몰라. 하지만 뭔가 변화가 있겠지. 그것도 책에 쓸 생각이야?"

나와 마지트의 시선이 마주쳤다.

"그래."

"재미있는 책이 될 거야. 누구나 다 당신 말을 믿지는 않겠지만."

"누구한테 읽히려고 쓰는 건 아니야."

"거짓말. 작가는 누구나 자기가 쓴 글을 다른 사람이 읽기를 바라지. 자기 이야기가 세상에 나오기를 바라지. 당신 책은 출간되기 어려울 거야."

"협박이야?"

"그냥 사실을 말하는 거야. 나에게는 그렇게 보여."

"책을 출간하지 말라고 못 박는 거야?"

"내가 언제 그렇게 말했어?"

"속뜻은 그렇잖아."

"아니, 우리가 함께 있는 시간 말고는 당신이 뭘 하든……."

내 마음이란 말이지?

하지만 마지트가 계속 내 옆에 있는데 어떻게 내 마음대로 무얼 할 수 있을까? 잘못된 선택을 할 때마다 지적하는 사람이 옆에 있는데 무슨 일이든 어찌 쉽게 결정을 내릴 수 있을까? 요전에 나는 에콜 가에서 택시를 잡으려고 뛰어가며, 나도 모르게 오토바이 앞으로 돌진했다. 나를 치기 딱 2초 전에 오토바이가 쓰러지며 내 옆을 비켜갔다. 보이지 않는 힘이 내 주변에 보호막을 두르고 있는 느낌이었다. 오토바이를 운전한 사람도 다친 데 없이 일어났다. 그러나 나중에 경관이 와서 오토바이 운전자에게 나를 피하려고 오토바이를 옆으로 쓰러뜨린 건 아닌지 물었다. 그러자 그는 누군가가 옆에서 자기를 밀친 느낌이었다고 대답했다.

경관이 물었다.

"누군가 이 사람을 밀치는 걸 봤어요?"

나는 고개를 가로저었다.

이튿날, 마지트의 집에서 내가 말했다.

"어제, 구해줘서 고마워."

"어릴 때 엄마한테 안 배웠어? 도로에서 걸음을 내디딜 때에는 양쪽을 다 살펴야지."

"오토바이에 치였다면 그 뒤로는 정말 조심하겠지."

"오토바이에 치였으면 당신은 벌써 죽었을 거야. 그러면 조심할 일도 없겠지."

"보모가 생기니까 엄청나게 좋네."

"칭찬을 들으니 나도 좋아. 책은 아직도 쓰고 있어?"

"내 바로 옆에 서서 쓰는 즉시 다 읽으면서 왜 물어?"

"증거도 없으면서. 당신이 밤늦게까지 글을 쓰는 게 걱정돼. 잠을 몇 시간 못 자잖아."

"나는 원래 잠이 없어."

"잠이 부족하면 건강을 해치게 돼."

'누군가가 항상 옆에서 지켜보고 있다는 걸 아는데 어떻게 잠을 자?'

"난 괜찮으니까 걱정하지 마."

"수면제라도 먹어."

'당신이 내 인생 가까이 있는 한 나는 절대로 편히 쉴 수 없을 테니까 약은 소용없어.'

"수면제는 효과가 별무신통이야."

"병원에 가서 더 강력한 약을 처방 받아."

"난 괜찮다니까."

"지긋지긋하지? 우리 관계."

"난 괜찮아."

"곧 적응하게 될 거야. 그래야만 하니까. 다른 선택은 없어."

그러나 나는 여전히 다른 선택의 길이 있지 않을까 굳게 믿고 있었다. 그런 대화가 오가고 나서 며칠 뒤 나는 롱바르 가에 있는 재즈클럽에 갔다. 바에서 술을 마시다가 레이첼이라는 미국 여자를 만났다. 40대의 싱글로 보스턴에 있는 뮤추얼펀드 금융회사에서 일한다고 했다.

파리에 혼자 휴가차 왔다는 레이첼은 이야기도 재미있게 했고 술도 잘 마셨다. 우리는 세 시간 동안 즐거운 대화를 나누었다. 재즈클럽은 새벽 2시에 문을 닫았다. 레이첼은 내 손에 자기 손을 포개 얹으며 아주 천천히 걸어도 거기서 5분이면 그녀가 묵고 있는 호텔까지 갈 수 있다고 속삭였다.

레이첼과의 즐겁고 낭만적인 밤을 보냈다. 오전에 강의가 있어 일찍 일어나야 했다. 레이첼이 침대에서 나를 꼭 껴안으며 말했다.

"당신을 만나다니 행운이야. 오늘밤에 시간 있으면……."

"시간 많아."

레이첼이 웃으며 나에게 키스했다.

"당신이 나를 얼마나 기쁘게 했는지 모르지?"

나도 기뻤다. 즐겁고 멍한 상태로 낮 시간을 보냈다. 레이첼이 얼마나 똑똑하고 사랑스러운지, 내가 상대를 원하고 상대도 나를 원한다는 게 얼마나 즐거운 일인지 생각했다.

약속대로 7시에 샴페인을 들고 레이첼이 묵는 호텔로 갔다. 프런트직원에게 레이첼의 방으로 인터폰을 해달라고 했다. 그러자 직원은 "릭스 씨십니까?"라고 물었다.

내가 고개를 끄덕였다.

"손님이 찾는 분은 이미 체크아웃 하셨습니다. 어머니가 세상을 떠났답니다. 그 분이 이 메모를 전해달라고 하셨어요."

직원은 편지지를 건넸다. 급히 휘갈겨 쓴 글씨.

해리에게

오늘 아침에 어머니가 돌아가셨어. 갑작스러운 일이라 정신이 하나도 없어. 당신과 함께 보낸 밤은 정말 좋았어. 보스턴에 오게 되면…….

레이첼의 전화번호가 남겨져 있었다.

편지를 구기고, 직원에게 샴페인을 주었다.

'보스턴에 오게 되면…….'

레이첼, 보스턴에 가고 싶지만 48시간밖에 시간을 낼 수 없어. 나에게 허락된 시간은 그것뿐이니까.

이튿날, 마지트에게 물었다.

"당신이 그 여자 어머니를 죽였어?"

"여든 살이었어. 그 나이에는 갑자기 심장마비가…….'

"내가 다른 여자를 만나도…….'

"그 여자 어머니가 그렇게 갑자기 세상을 떠나지 않기를 빌어야지."

"아니면 달려오는 버스를 향해 걸어가지 않기를 빌거나? 당신은 교통사고를 좋아하잖아? 안 그래?"

"증거도 없으면서."

"늘 똑같은 말."

"사흘 뒤에 봐. 혹시 알아. 그 전에 반가운 선물을 받게 될지."

그 날 자정 직전에 깜짝 선물이 도착했다. 집에서 글을 쓰고 있을 때 전화벨이 울렸다. 전화를 받았다.

"아빠?"

수화기를 잡은 손이 떨렸다.

"메건?"

"사실은 오래 전부터 아빠와 통화하고 싶었어."

우리는 20분쯤 통화했다. 지난 열 달 동안 있었던 일은 입에 올리지 않았다. 메건은 조심스레 말했다. 교통사고, 학교생활, 엄마가 아직 실직 상태라는 것, 아직도 깜짝깜짝 놀란다는 것.

"학교 상담 선생님이 좋은 분이야. 누구나 이유 없이 깜짝깜짝 놀라는 거래."

"그래, 그 말이 맞아. 누구나 그래."

메건은 이제 끊어야 한다고 말했다.

"다음 주에도 전화할게."

"그러면 정말 좋겠구나."

"그럼 그때 통화해, 아빠."

메건과 전화통화를 한 뒤 나는 오랫동안 책상에 앉아 눈물을 삼켰다. 한참 뒤에 나도 모르게 이런 생각이 들었다.

'혹시 마지트가 꾸민 일이 아닐까? 마지트가 말한 '반가운 선물'이란 게 바로 이것일까?

'증거도 없으면서.'

하지만 심증은 있었다.

쿠타르 형사한테도 증거가 있었다. 내 노트북. 노트북은 아직 파리 10구 경찰서에 있었다. 크리스마스를 한 주 남겨 둔 때, 쿠타르 형사가 문화원으로 전화했다. 경찰서로 와서 노트북을 가져가라는 전화였다.

그날 오후 늦게 경찰서로 갔다. 그는 나를 처음 만난 날 입고 있던 추레한 재킷을 또 입고 있었다. 책상 위는 서류로 뒤덮여 있고, 재떨이에는 꽁초가 수북했다. 그런데도 입술 끝에 담배를 물고 있었다.

내가 물었다.

"제가 미국문화원에서 강의하는 건 어떻게 아셨죠?"

"제 직업이 형사입니다. 선생이 취업비자를 받은 것도 알고, 5구에 살고 있는 것도 압니다. 우리 세계로 들어오신 걸 환영합니다. 상황이 좋아진 것도 환영하고요."

"예, 상황이 좋아졌다고 할 수 있죠."

쿠타르 형사는 책상 끝에 놓인 노트북을 가리켰다.

"이제 노트북을 돌려드리겠습니다. 세제르 일당은 아직 갇혀 있어요. 오마르를 살해한 것을 비롯해 지난 이월에 벌어진 살인사건들에 관련된 혐의로 재판을 받게 될 겁니다. 유죄 판결이 확실하죠. 증거가 다 결정적이어서……."

'마지트는 결정적인 증거를 만들 줄 아니까.'

쿠타르 형사는 내 노트북을 톡톡 치면서 말했다.

"어쨌든 이제 다시 소설을 쓰실 수 있겠군요."

"포기했습니다."

"왜요?"

"이유를 아시잖아요? 형편없어요."

"저는 그렇게 말한 적 없습니다."

"아무튼 좋은 소설이 아닙니다."

"그래도 소설 쓰는 걸 포기할 생각은 아니시죠?"

"예, 요즘은 다른 이야기를 쓰고 있어요."

"새 소설인가요?"

"사실은 논픽션인데 사람들은 픽션이라고 생각할 겁니다."

쿠타르 형사는 내 말뜻을 잘 알아들었다.

"선생의 친구 파리5구의 여인을 계속 만나십니까?"

"사흘에 한 번씩 꼬박꼬박 만나죠."

쿠타르 형사가 눈썹을 치켜세우고 고개를 절레절레 저었다. 그는 입에 문 담배를 끄고, 곧 또 한 개비를 꺼내 불을 붙였다. 그는 담배를 피우며 족히 1분 동안 나를 뚫어져라 쳐다보았다. 직업적인 관심이 담긴 눈길이었다.

마침내 쿠타르 형사가 말했다.

"선생은 귀신에 씌었군요."

그렇다. 나는 정말로 귀신에 씌었다.

〈끝〉

옮긴이의 말

"죽이고 싶을 만큼 미운 사람이 있습니까? 제가 대신 복수해 드리죠."

누구나 한 번쯤 이렇게 속삭이는 사람이 옆에 있었으면 좋겠다는 생각을 품은 적이 있지 않을까?

하지만 악마와의 거래는 반드시 대가가 따르는 법이다. 그 결과 파우스트의 영혼은 메피스토펠레스에게 영원히 얽매이지 않았던가?

《파리5구의 여인》의 주인공 해리 릭스는 절망에 빠져 신음하다 악마의 올가미에 걸려든다. 젊음과 열정을 바쳐 이룬 대학교수라는 신분과 안락한 가정을 한꺼번에 잃고 파리로 쫓기듯 떠나온 해리 릭스는 오직 살아남기 위해 암흑가에서 운영하는 건물의 경비 일을 떠맡게 된다. 가난한 이민자들, 거짓과 폭력이 난무하는 뒷골목, 좁고 지저분한 셋방, 불법 사업을 벌이는 게 분명한 일터.

해리는 이토록 음울하고 끔찍한 상황에서도 재기를 위한 마지막 희망을 버리지 않는다. 소설 집필은 해리를 미래의 세계로 연결해주는 유일한 끈이다. 절망적인 상황에 처한 해리의 앞에 한 여인이 나타난다. 헝가리 태생인 그녀의 이름은 마지트 카다르. 해리는 아름답지만 온통 베일에 휩싸인 신비의 여인 마지트에게 금세 빠져든다.

국내에 네 번째로 소개되는 더글라스 케네디의 소설 《파리5구의 여인》은 이전에 출간된 《빅 픽처》, 《위험한 관계》, 《모멘트》 등에 비해 한층 더 어둡고 환상적인 분위기를 자아낸다. 주인공 해리 릭스가 처하게 되는 갖가지 곤경, 팜므파탈 같은 매력을 지닌 여주인공 마지트, 폭력적인 여러 인물들과 파리의 뒷골목 풍경이 이 소설을 이루는 이야기의 주요 얼개다. 개성이 분명한 주변 인물들과 사건들, 음습한 배경에서 두 주인공 해리와 마지트가 밀회를 나누며 털어놓는 이야기는 두 사람의 관계가 단순한 애욕의 차원을 넘어 뭔가 다른 의미로 묶여 있음을 짐작케 한다.

더글라스 케네디는 프랑스에서 기사 작위와 훈장을 받았으며, 2011년 작 《모멘트》는 프랑스에서 베스트셀러 1위를 차지하며 인기를 실감케 했다. 그는 유럽, 특히 프랑스에서 인기가 매우 높은 작가이며, 이 소설은 프랑스의 수도인 파리를 배경으로 하고 있다는 점에서 각별한 의미가 있다 하겠다.

《파리5구의 여인》은 에단 호크와 크리스틴 스콧 토마스 주연으로 영화로 만들어져 2011년 토론토영화제에서 첫 공개됐다. 세계적인 배우들을 주연으로 캐스팅해 영어로 더빙을 한 만큼 더욱 많은 관심을 이끌어내고 있다. 실제로 더글라스 케네디에게는 '유럽에서 특히 인기 있는 미국 작가' 라는 꼬리표가 붙어 다녔지만 이제는 미국의 메이저 출판사에서 그의 전 작품을 새롭게 선보이고 있을 만큼 상황이 많이 달라졌다. 이제 더글러스 케네디는 유럽 지역뿐만 아니라 세계 전역에서 인기몰이를 하고 있다.

《파리5구의 여인》은 더글러스 케네디의 다른 작품들처럼 스릴러와 로맨스적 요소를 적절히 가미했을 뿐더러 판타지적인 요소도 갖추고 있다. 이런 판타지적 요소에 대해 '비현실적 이야기'라고 평가절하 할 독자도 더러 있겠지만 소설이든 영화든 모든 이야기의 기본은 어차피 '판타지'라는 사실을 간과해서는 안 될 것이다. 눈에 보이는 현실을 넘어선 또 다른 차원의 현실을 받아들일 때 세계를 바라보는 시야가 한층 확장될 것이기 때문이다.

《파리5구의 여인》은 우리에게 자못 묵직한 질문을 던지기도 한다. 법체계를 배제한 사적 복수는 어디까지 허용될 것인가? 선과 악을 가르는 기준은 무엇인가?

물론 이 소설은 그런 질문들에 대해 명쾌한 해답을 제시하지는 않는다. 《파리5구의 여인》은 곤경에 처한 해리 릭스가 어떻게 살아남을 것인가에 초점을 맞추고 있으며, 등장인물들의 매력적인 캐릭터로 독자들의 시선을 잡아끈다. 넘어가는 책장을 아쉬워하며 마지막까지 흥미진진하게 읽고 나면 생에 대해 훨씬 무거운 중압감을 느끼게 될지도 모른다. 한편으로는 이 소설 전체를 창작에 대한 커다란 은유로 볼 수도 있다. 소설의 마지막 부분에 보면 해리 릭스와 마지트의 이야기가 해리에 의해 소설화된다는 것을 엿볼 수 있다.

결국 마지트는 해리의 머릿속에 존재하는 뮤즈가 아니었을까? 뮤즈란 예술가의 창작에 영감을 불어넣어주는 존재이다. 해리는 답답하게 갇힌 골방에서 소설 쓰기에 몰두하며 마지트라는 상상의 인물을 통해 탈출구를 찾아낸 것인지도 모른다.

이처럼 《파리5구의 여인》은 독자들에게 생각할 여지를 많이 남겨주는 소설이다. 아울러 이 소설의 미덕은 역시 빼어난 재미에 있다. 소설 독자들에게 가장 좋은 선물은 읽는 동안 전혀 다른 생각을 품을 수 없을 만큼의 재미를 주는 것이다. 더글라스 케네디의 소설이 세계 전역에서 수많은 팬을 확보하고 있는 까닭은 독자들에게 늘 '재미'라는 선물을 충실히 선사하기 때문이 아닐까?

조동섭